Interpretationen

Literaturverfilmungen

INTERPRETATIONEN

Literaturverfilmungen

Herausgegeben von
Anne Bohnenkamp

in Verbindung mit
Tilman Lang

Philipp Reclam jun. Stuttgart

RECLAMS UNIVERSAL-BIBLIOTHEK Nr. 17527

Gesamtherstellung: Reclam, Ditzingen. Printed in Germany 2005

ISBN 3-15-017527-5

www.reclam.de

Inhalt

Vorwort

Anne Bohnenkamp
Literaturverfilmungen als intermediale Herausforderung

Ein hybrides Genre

Das Stichwort »Literaturverfilmung« ist nach wie vor geeignet, skeptische Reaktionen hervorzurufen. Diese Skepsis hat unterschiedliche Ursachen und Ausrichtungen, je nachdem, mit wem man spricht. Filmwissenschaftler neigen dazu, die Nase zu rümpfen, weil ihr Interesse dem Film als eigenständiger Kunstart gilt. Das Vehikel Literatur, heißt es, habe der Film nur in seinen Anfängen gebraucht; Literaturverfilmungen werden als abgeleitete Werke wenig geschätzt und als hybride Kunstform grundsätzlich misstrauisch betrachtet. Und schon das Wort, so wird argumentiert, sei Ausdruck des alten bildungsbürgerlichen Vorurteils, ein literarisches Werk könne in seiner filmischen Version nur *ver*fälscht oder *ver*stümmelt erscheinen.[1]

Diese Auffassung war in der Tat weit verbreitet und ist noch immer anzutreffen. Sie kennzeichnet nämlich die andere Spielart skeptischer Urteile, die Skepsis derjenigen, die überzeugt sind, dass das literarische Original in der Verfilmung nur verlieren könne, da sie das Original zwangsläufig trivialisiere und seinen spezifischen Qualitäten nicht gerecht zu werden in der Lage sei. Da diese Einstellung im literaturwissenschaftlichen Umgang mit Verfilmungen weit verbreitet war, gerieten Studien unter dieser

1 Vgl. Knut Hickethier, »Der Film nach der Literatur ist Film«, in: *Literaturverfilmungen*, hrsg. von Franz-Josef Albersmeier und Volker Roloff, Frankfurt a. M. 1989, S. 183–198, hier S. 183.

Sichtweise gerne zum wertenden Vergleich, der in den meisten Fällen zu Ungunsten der Filmversion ausfiel.

Im Hintergrund solcher Bewertungen steht die traditionelle Hochschätzung des Mediums Literatur und häufig auch die Vorstellung, dass das mit symbolischen Zeichen arbeitende Sprachkunstwerk eine aktive Rezeptionshaltung des Lesers fordere[2], während das Bild-dominierte Darstellungsverfahren des ikonischen Mediums Film grundsätzlich eine passive Konsumhaltung fördere. Solche Vorstellungen können inzwischen allerdings als überholt gelten; neuere Untersuchungen zeigen, dass die Dechiffrierung der spezifischen ›Codes‹ bewegter Bilder mitnichten ein zwangsläufig weniger komplexer oder anspruchsloserer Vorgang ist.[3] Die Frage des künstlerischen Niveaus eines Werkes ist nicht an das gewählte Medium, sondern an den jeweils spezifischen Umgang mit ihm geknüpft.

Dass das ›neue‹ Medium – der inzwischen immerhin über 100-jährige Film – heute nicht nur von einem breiten Publikum, sondern auch von den Hütern der Hochkultur als ebenbürtig akzeptiert ist, zeigt sich z. B. in dem im Sommer 2003 von der Bundeszentrale für politische Bildung eingeführten »Filmkanon« für den Schulunterricht, der dazu beitragen will, dass dem Film als wichtigem Element unserer Kultur ein entsprechender Platz schon in der Schule eingeräumt wird. Diese bildungspolitische Entscheidung trägt der Überzeugung Rechnung, dass das Erlernen eines bewussten und differenzierten Umgangs mit der ›Sprache‹ der bewegten Bilder – die sich mehr und mehr zum ›Leitmedium‹ unserer Kultur entwickelt hat –

2 Zur ›aktiven‹ Rezeption des Lesers vgl. u. a. Wolfgang Iser, *Der Akt des Lesens*, München 1984.

3 Vgl. etwa Hartmut Winkler, *Der filmische Raum und der Zuschauer*, Heidelberg 1984. Zur ›Semiotik des bewegten Bildes‹ vgl. auch Klaus H. Kiefer, »›Sekunde durch Hirn‹ – Zur Semiotik und Didaktik des bewegten Bildes«, in: *MedienBildung im Umbruch. Lehren und Lernen im Kontext der Neuen Medien*, unter Mitarb. von Holger Zimmermann hrsg. von Volker Deubel und Klaus H. Kiefer, Bielefeld 2003, S. 41–58.

ein unverzichtbarer Bestandteil der ästhetisch-kulturellen Erziehung sein sollte.

Ist so das Medium Film zwar durchaus als gleichrangig etabliert, so speist sich die skeptische Bewertung von Literaturverfilmungen häufig auch aus einer zweiten, gegenüber dem jeweiligen Medium neutralen Quelle, nämlich aus der prinzipiellen Höherschätzung des – auratischen – Originals gegenüber allen ›abgeleiteten‹ Werken ›aus zweiter Hand‹. Aber auch diese Position kann zumindest im akademischen Diskurs keine universelle Gültigkeit mehr beanspruchen, denn ganz im Gegensatz zur traditionellen Priorisierung des ›Originalen‹ im Sinne des *einen* Ursprungs stehen ausgehend von poststrukturalistischen, dekonstruktivistischen und postkolonialen Argumentationszusammenhängen seit geraumer Zeit Phänomene der Intertextualität und der ›Hybridisierung‹ hoch im Kurs.

Zum Begriff ›Literaturverfilmung‹

Kann also der Verdacht, ein Vergleich von Buch und Film ziele zwangsläufig auf die Darlegung der höheren Würde des Printmediums, heute wohl als erledigt gelten, so ist der Begriff ›Literaturverfilmung‹ doch nach wie vor keineswegs unproblematisch. Schwierigkeiten bereitet dabei weniger die vermeintlich abwertende Konnotation (die mit der Vorsilbe ›ver‹ keineswegs zwangsläufig verbunden sein muss), als seine offensichtliche Unschärfe. Was genau ist eigentlich gemeint, wenn von ›Literaturverfilmung‹ die Rede ist?

In neueren Nachschlagewerken zur Medienwissenschaft wie z. B. dem *Metzler Lexikon Medientheorie/Medienwissenschaft* sucht man den Eintrag bzw. das Lemma vergeblich, die Sache wird hier u. a. unter dem Stichwort ›Medienkomparatistik‹ als erster Ansatzpunkt einer inzwischen neu konturierten Forschungsrichtung erwähnt, ohne dabei näher bestimmt zu werden.[4] Dass ihr dagegen im neuen *Reallexikon der deutschen Literaturwissenschaft*[5] unter dem Stichwort ›Verfilmung‹ ein ausführlicher Artikel gewidmet ist, lässt sich als Zeichen dafür werten, dass das Interesse der Literaturwissenschaft am Gegenstand Literaturverfilmung nach wie vor deutlich stärker ausgeprägt ist als das der Film- und Medienwissenschaft. ›Verfilmung‹ wird im *Reallexikon* als »Prozeß und Produkt der Umsetzung eines schriftsprachlich fixierten Textes in das audiovisuelle Medium des Films« definiert. Ohne eine genauere Qualifizierung aber der Art sowohl des »schriftsprachlich fixierten Textes« als auch der »Umsetzung« ist dieser weite Begriff von ›Verfilmung‹ (der im Lexikonartikel selbst dann durchaus als ›Literaturverfilmung‹ gefasst wird) geeignet, alle Filme zu umfassen, in deren Produktionsprozess ein schriftlich fixierter Text einmal eine Rolle gespielt hat – eine Bestimmung, die für den weitaus größten Teil aller Filme überhaupt zutreffen dürfte (Drehbücher sind schriftlich fixierte Texte).

Und wenn auch für die ›Literaturverfilmung‹ als Bedingung hinzuzufügen ist, dass es sich um die Umsetzung eines literarischen schriftsprachlich fixierten Textes in das audiovisuelle Medium des Films handelt, bleibt das umschriebene Feld unüberschaubar groß: von den Anfängen bis in die Gegenwart der Filmgeschichte steht die Spielfilmproduktion ganz im Zeichen der ›Weiterverarbeitung‹ mehr oder minder bekannter literarischer Stoffe. Selbst Filme, die nach Originaldrehbüchern entstehen, finden sich häufig im ›Einzugsbereich‹ der Literatur, weil sich die Drehbücher an tradierten, und das hieß zumindest

4 Helmut Schanze (Hrsg.), *Metzler Lexikon Medientheorie/Medienwissenschaft*, Stuttgart/Weimar 2002, hier S. 224.

5 Oliver Jahraus, (Art.) »Verfilmung«, in: *Reallexikon der deutschen Literaturwissenschaft*, Neubearbeitung des Reallexikons der deutschen Literaturgeschichte gemeinsam mit Harald Fricke, Klaus Grubmüller und Jan-Dirk Müller hrsg. von Klaus Weimar. 3 Bde., Berlin / New York 1997–2003, Bd. 3. S. 751–753.

in der Vergangenheit, an literarisch tradierten Stoffen orientieren.[6]

Ein engerer Begriff von ›Literaturverfilmung‹ wäre zu gewinnen, indem entweder der Begriff von ›Literatur‹ und/oder die Art der ›Umsetzung‹ einer literarischen Vorlage näher bestimmt wird. So ließe sich die Rede von der ›Literaturverfilmung‹ reservieren für solche Fälle, in denen die literarische Quelle nicht allein ›Stofflieferant‹ ist, sondern der Anspruch besteht, das literarische Werk zu ›reproduzieren‹ – es als solches aufzunehmen und umzusetzen. Kriterium wäre hier also die Voraussetzung, dass der Film seine Vorlage nicht lediglich als Stoffquelle ausbeutet und für eigene Zwecke nutzt, sondern in der filmischen Realisation ein Interesse an der spezifischen Werk-Gestalt der Vorlage erkennbar ist.[7]

Noch weiter eingrenzen ließe sich die Begriffsverwendung, wollte man als ›Literaturverfilmung‹ nur solche Umsetzungen gelten lassen, bei der der Regisseur die

6 Das Lexikon *Literaturverfilmungen Verzeichnis deutschsprachiger Filme 1945–2000*, (hrsg. von Klaus M. Schmidt und Inge Schmidt, 2. erw. und akt. Aufl., Stuttgart 2001) verzichtet auf den Versuch einer Klärung des Begriffs; das Spektrum der aufgenommenen Filme reicht von Sydows *Preis der Liebe* (1997) nach dem gleichnamigen Roman von Rosamunde Pilcher bis zu Straub/Hürllets *Klassenverhältnisse* (1983) nach Franz Kafkas *Amerika*-Fragment. Zu der von Beginn an ubiquitären und gleichzeitig verschwommenen Präsenz der Literatur im Kinofilm vgl. auch eine Formulierung aus Hugo von Hofmannsthals Beitrag *Der Ersatz für die Träume* (1921): »auf dem Film aber fliegt indessen in zerrissenen Fetzen eine ganze Literatur vorbei, nein, ein ganzes Wirrsal von Literaturen, der Gestaltenrest von Tausenden von Dramen, Romanen, Kriminalgeschichten [...]« (In: Hugo v. Hofmannsthal, *Gesammelte Werke. Reden und Aufsätze II (1914–1924)*, Frankfurt a. M. 1979, S. 141–145, hier S. 144).

7 In der Typologie von Kreuzer (vgl. auch S. 35) wäre für diesen engeren Begriff von Literaturverfilmung die bloße »Aneignung von literarischem Rohstoff« ebenso auszuschließen wie die »Dokumentation«. Inwieweit neben der »Transformation«, »bei der nicht nur die Inhaltsebene ins Bild übertragen wird«, sondern ein filmisches Analogon zur »Form/Inhaltsbeziehung der Vorlage« entsteht, auch die »Illustration«, die sich so weit wie möglich an Handlungsvorgängen und Figurenkonstellationen der Vorlage orientiert und auch wörtlichen Dialog übernimmt (Helmut Kreuzer, »Ar-

Kenntnis der Vorlage bei seinen Rezipienten voraussetzt; wenn der Filmemacher also damit rechnet, dass sein Zuschauer den Film in Beziehung setzen kann zur literarischen Vorlage. Selbst wenn gilt, dass zahlreiche Rezipienten der filmischen Adaptationen sogar im Fall von Shakespeare-Verfilmungen das Original nicht wirklich kennen, so besitzt doch (fast) jeder Rezipient eine Vorstellung von der Vorlage, und ihm ist bewusst, dass der Film auf einer literarischen Vorlage beruht. Eine solche Einengung des Begriffs impliziert offensichtlich, dass nicht beliebige belletristische Werke den Ausgangspunkt einer so definierten ›Literaturverfilmung‹ bilden können – sondern nur solche, die einen hohen Bekanntheitsgrad aufweisen.

Festzuhalten bleibt, dass der Begriff ›Literaturverfilmung‹ gegenwärtig unterschiedlich verwendet wird. Während das zitierte *Reallexikon der deutschen Literaturwissenschaft* einen sehr weiten Begriff vorstellt, findet sich etwa auf dem Filmmarkt eine Begriffsverwendung, die Literaturverfilmung in Abgrenzung von Komödien, Krimis usw. als eigenes Genre begreift und deutlich engere Grenzen zieht.[8]

Zur Anlage des Sammelbandes

Die Auswahl des vorliegenden Bandes orientiert sich an einem Literaturverfilmungs-Begriff ›mittlerer‹ Reichweite. Der Schwerpunkt der vorgestellten Filme liegt auf filmi-

ten der Literaturadaption«, in: *Film und Literatur. Analysen, Materialien, Unterrichtsvorschläge*, hrsg. von Wolfgang Gast, Frankfurt a. M. 1993, S. 27–31, hier S. 28), als Literaturverfilmung gelten könnte, bliebe im Einzelnen zu diskutieren. Vgl. im vorliegenden Band die Studien zu Fassbinder und zu v. Trotta (S. 136 ff. u. 314 ff.).

8 Vgl. auch den Eintrag im *Lexikon des Films*, hrsg. von Theo Bender und Hans J. Wulff, Mainz 2002: »Von Adaption ist aber meist nur dann die Rede, wenn es sich um hochliterarische Vorlagen handelt. Verfilmte Trivial- und Gebrauchsliteratur, die den größten Teil der Vorlagen liefert, wird aber nur äußerst selten als Literaturverfilmung behandelt.«

schen Bearbeitungen solcher literarischen Werke (in zwei Fällen auch solcher literarischer Autoren – vgl. die Beiträge zu Breloers Fernsehfilm *Die Manns* und Soderberghs *Kafka*, S. 215 ff. und 145 ff.), die unabhängig vom Film bekannt sind und deren Bekanntheit beim Publikum der Filmregisseur entsprechend voraussetzen konnte – kurz, es handelt sich durchweg um Adaptationen literarischer ›Klassiker‹ im Sinne kanonischer Texte. Der ›Klassiker‹-Status selbst ist allerdings eine historisch variable Größe: Das Verhältnis zwischen literarischer Vorlage und filmischer Umsetzung kann sich unter diesem Gesichtspunkt im Laufe der Rezeptionsgeschichte ja durchaus verschieben; dieses Verhältnis ist auch relativ zur jeweils betrachteten Rezipientengruppe zu sehen. So kann die Verfilmung eines bekannten literarischen Werkes durchaus populärer werden als ihre Vorlage: In unserer Auswahl gilt das sicher für Kubricks *Clockwork Orange* (1971) und Truffauts *Fahrenheit 451* (1966), deren Bekanntheit diejenige der zugrunde liegenden Romane von Anthony Burgess (1962) bzw. Ray Bradbury (1953) bei weitem übertrifft (vgl. im vorliegenden Band S. 274 ff. und 284 ff.). Aus heutiger Perspektive lässt sich das vermutlich auch bereits für die *Liaisons dangereuses* behaupten (orientiert man sich nicht gerade an einer literarhistorisch sehr gebildeten Rezipientengruppe) – und es ließe sich darüber streiten, ob der Bekanntheitsgrad von Kubricks *Eyes wide shut* es inzwischen womöglich schon mit Schnitzlers *Traumnovelle* aufnehmen kann.

Nicht in Betracht gezogen wurden im vorliegenden Band solche Filme, deren Bezug zur Literatur sich in der Orientierung an literarisch tradierten Stoffen erschöpft. Es kommen nur solche Umsetzungen zur Sprache, die – auf unterschiedliche Weise – eine Auseinandersetzung mit der literarischen Gestalt ihrer Vorlage erkennen lassen. Das hat zur Folge, dass in allen betrachteten Fällen die ›Literarizität‹ des Filmes präsent bleibt – wenn auch im Modus der Negation. Jeder Zuschauer weiß, dass da zuerst ein Buch war, selbst wenn er den zugrunde liegenden Klassiker nicht wirklich kennt.[9] Die dadurch provozierte Reflexion auf die im Medienwechsel realisierte Veränderung bildet den Fluchtpunkt des Untersuchungsinteresses; im Mittelpunkt steht die Frage nach dem Vorgang der Übertragung bzw. Transformation und nach der Art der Bezugnahme auf den literarischen Prätext.

Der Richtung des untersuchten Medienwechsels entsprechend folgt die Anordnung der Beiträge der Chronologie der literarischen Ausgangstexte. Etwa ein Drittel der Beiträge vergleicht jeweils mehrere Verfilmungen eines literarischen Klassikers. Dass mit dieser Anlage des Bandes keine prinzipielle Höherbewertung der Literatur zum Ausdruck gebracht werden soll, ist bereits deutlich geworden. Literarische Vorlage und filmische Umsetzung werden als prinzipiell gleichwertig betrachtet; das besondere Augenmerk richtet sich auf den Vorgang des Medientransfers, auf das Verhältnis von literarischem Vorwurf und filmischer Antwort, die als einander wechselseitig erhellend betrachtet werden können. Der Vorgang der ›*Ver*filmung‹ impliziert notwendigerweise *Ver*schiebung und *Ver*änderung, die es als produktiven Prozess zu untersuchen gilt. Der Medienwechsel, der mit jeder Literaturverfilmung realisiert ist, wird als Chance betrachtet, den medialen Differenzen auf die Spur zu kommen und den ›Mehrwert‹ eines solchen Transfers zu erkennen und zu beschreiben.

9 Eine gewisse Ausnahme stellt dabei die Untersuchung zu *Dr. Jekyll and Mr. Hyde* vor, da hier die Rezeption des Filmgenres so dominant ist, dass als Prototyp dieser »meistverfilmten Literaturvorlage aller Zeiten« nicht Stevensons Roman, sondern die – in wesentlichen Punkten von der literarischen Vorlage abweichenden – erfolgreichen Hollywood-Versionen gelten müssen (vgl. im vorliegenden Band S. 115 ff.).

Literaturverfilmung in der Literaturwissenschaft

Zu Beginn der Geschichte der Literaturverfilmung, die fast so alt ist wie die Geschichte des Films selbst[10], standen Fragen der Wertung und das Urteil über Gelingen bzw. Misslingen der Umsetzung einer literarischen Vorlage im Vordergrund des literaturwissenschaftlichen Interesses. Erst im Laufe der 1970er- und 1980er-Jahre entwickelten sich Ansätze, die Literaturverfilmungen als »produktive Rezeption eines Ausgangstextes unter spezifischen medialen Bedingungen« betrachteten und »ohne normative Vorbehalte differenziert beschrieben«[11]. Damit richtete sich

10 Das Interesse am neuen Medium war zunächst ganz von der Neugierde auf die technische Innovation bewegter Bilder geprägt; nachdem die erste Faszination nachgelassen hatte, wurden die Inhalte zunehmend wichtig – und damit die literarischen Stoffe. Siegfried Kracauers Feststellung: »As soon as the movies learned to tell stories, they began to film the classics« (*The Nature of Film: The Redemption of Physical Reality*, London 1961, S. 12) wird von Christian Albrecht-Gollub erläutert: »Und warum ausgerechnet Klassiker? Diese Frage läßt sich sehr leicht beantworten. Verfilmte man ein dem Publikum vertrautes Werk, dessen Inhalt allgemein bekannt war – in der archaischen Periode des Films gab es noch keine Zwischentitel – so konnte man sicher sein, dass die Zuschauer wenigstens einen Teil der Handlung verstehen würden [...]« (Christian-Albrecht Gollub, »Deutschland verfilmt. Literatur und Leinwand 1880–1980«, in: *Film und Literatur. Literarische Texte und der neue deutsche Film*, hrsg. von Sigrid Bauschinger, Amherst, Mass., 1981, S. 18–49, hier S. 18). Ein zweiter wichtiger Aspekt, der für die Verwendung der etablierten Klassiker sprach, war das mit diesen verbundene Prestige, das dem neuen Medium neues Interesse verlieh: »Films capitalizing on the prestige of literary works or imitating them attracted the culture-minded bourgeoisie which had shunned the movie houses before.« (Siegfried Kracauer, *From Caligari to Hitler: A Psychological History of the German Film*, Princeton 1947, S. 7). Louis Lumière drehte schon 1896 einen Film auf der Basis von Goethes *Faust* – ein Stoff, der in den folgenden Jahren immer wieder verwendet wurde. Estermann (*Die Verfilmung literarischer Werke*, Bonn 1965) verzeichnet in seiner Übersicht über Verfilmungen deutscher Literatur von 1895–1964 in den folgenden zehn Jahren allein neun Verfilmungen des Faust-Stoffs.

11 Art. »Medienwechsel«, in: *Metzler Lexikon Literatur- und Kulturtheorie. Ansätze – Personen – Grundbegriffe*, hrsg. von Ansgar Nünning, Stuttgart/Weimar 1998, S. 355.

das Interesse auf das Spektrum der Variantenbildung, dessen Untersuchung Erkenntnisse sowohl zum Verständnis des jeweils besonderen Werkkomplexes als auch zu allgemeineren Fragen der Medialität und Intermedialität verspricht.[12] Auf Seiten der Medien- und Filmwissenschaft ist bis heute kein vergleichbares Interesse zu finden; seit den Anfängen des Films, als die Verwertung literarischer Stoffe zunächst Verständlichkeit und dann auch Teilhabe an der Reputation der literarischen Hochkultur in Aussicht stellte, hat sich die filmwissenschaftliche Reflexion im Zuge der Emanzipation des neuen Mediums als eigenständiger und gleichwertiger Kunstform vor allem auf das ›Filmische‹ konzentriert und den Bezug zur Literatur an den Rand gedrängt. Für die Untersuchung von Literaturverfilmungen sind die Fortschritte der Filmwissenschaft jedoch trotzdem von Bedeutung: Aus der Konzentration der Filmwissenschaft auf das originär ›Filmische‹ des Films resultieren stetig verfeinerte Beschreibungskategorien und die Entwicklung eines eigenständigen, von literaturwissenschaftlichen Kategorien unabhängigen Analyseinstrumentariums, das sich als unverzichtbar erweist, um die Mediendifferenzen als solche zu beschreiben und zu reflektieren.[13]

In der Literaturwissenschaft wurde die Beschäftigung mit dem Gegenstand Literaturverfilmung dabei immer wieder auch zu einem Ausgangspunkt für Diskussionen über die Grenzen des eigenen Fachs bzw. seine Erweiterung und zu einem zentralen Ansatzpunkt für die Entwicklung der Medienkomparatistik[14], die strukturelle Analogien und

12 Eine wichtige Pionierarbeit war Irmela Schneiders große Studie *Der verwandelte Text. Wege zu einer Theorie der Literaturverfilmung*, Tübingen 1981.

13 Vgl. z. B. David Bordwell / Kristin Thompson, *Film Art. An Introduction*, New York 2001, und Knut Hickethier, *Film und Fernsehanalyse*, Stuttgart/Weimar 2001.

14 Vgl. z. B. Michael Schaudig, *Literatur im Medienwechsel: Gerhart Hauptmanns Tragikomödie »Die Ratten« und ihre Adaptionen für Kino, Hörfunk, Fernsehen; Prolegomena zu einer Medienkomparatistik*, München 1992.

Abweichungen verschiedener medialer Realisationen einander gegenüberzustellen und so das Verglichene wechselseitig zu erkennen und einzuordnen unternimmt. Der medienkomparatistische Ansatz, der als methodischen Vorläufer auch Oskar Walzels Konzept der ›wechselseitigen Erhellung der Künste‹ heranzieht[15], integriert die Beobachtungen von Einzelwerken der bildenden Kunst, Literatur, Theater, Film, Hörfunk, Fernsehen usw. zu einer Künste und Medien übergreifenden Untersuchungsperspektive.

So steht auch bei der Untersuchung von Literaturverfilmungen heute der intermediale Transfer selbst im Mittelpunkt des Interesses. Dabei geht es nicht ausschließlich um den Vorgang einer sekundären Übertragung eines in einem Medium erstveröffentlichten Textes in ein anderes Medium, sondern auch um das Verhältnis gleichberechtigt nebeneinander entstandener verschiedener medialer Fassungen eines Werkes. Dieser Fall wird im vorliegenden Band am Beispiel von Paul Austers Film/Erzählung *Smoke* untersucht (vgl. S. 332 ff.); eine Verschiebung der gewohnten Reihenfolge ›vom Buch zum Film‹ ist auch schon bei Jurek Beckers *Jakob der Lügner* zu beobachten: der Roman erschien zwar zuerst als Buch, war aber vom Autor von Anfang an als Film geplant (vgl. im vorliegenden Band S. 300 ff.). Gegenstand der Untersuchung ist in solchen Fällen nicht die »sekundäre Intermedialität« des ›klassischen‹ Medienwechsels, bei dem ein vorliegendes Werk in eine neue mediale Gestalt gebracht wird, sondern eine Spielart »primärer Intermedialität«, bei deren Realisierung von Beginn an mindestens zwei verschiedene Medien beteiligt sind.[16] In

15 Vgl. Oskar Walzel, *Wechselseitige Erhellung der Künste*, Berlin 1917, und Peter von Zima, »Ästhetik, Wissenschaft und ›wechselseitige Erhellung der Künste‹«. Einleitung, in: *Literatur intermedial: Musik, Malerei, Photographie, Film*, Darmstadt 1995, S. 1–28.

16 ›Primäre Intermedialität‹ im Sinne Wolfs (vgl. W. Wolf, Art. »Intermedialität«, in: *Metzler Lexikon Literatur- und Kulturtheorie*, Stuttgart/Weimar 1998, S. 238 f.) wäre freilich dem Film als grundsätzlich multimedialem Medium von vornherein zuzuschreiben.

diesem Sinne lässt sich Intermedialität auch einem Roman zuschreiben, der – wie Döblins *Berlin Alexanderplatz* (vgl. im vorliegenden Band S. 185 ff.) – »filmische Verfahren« einsetzt oder – wie Flauberts *Madame Bovary* (vgl. im vorliegenden Band S. 102 ff.) – solche vorwegnimmt.[17]

Intermedialität

Unter diesem Stichwort werden seit Mitte der 1980er-Jahre die Beziehungen zwischen den Medien behandelt, wie sie aufgrund eines Zusammenspiels mindestens zweier distinkter Medien sich entwickeln.[18] In der gegenwärtig sehr produktiven Forschungsrichtung sind dabei ganz unterschiedliche Medienbegriffe im Gebrauch. Der Begriff des ›Mediums‹ ist bekanntlich vieldeutig, ja »die spezifische Unschärfe gehört zu seiner Karriere als Integrationsbegriff«[19]. Zu beobachten ist eine Vielzahl möglicher Verwendungsweisen; das Spektrum reicht von einer sehr weiten Auffassung als »Träger physikalischer und chemischer Vorgänge« (Luft als Medium der Tonvermittlung usw.) und, schon spezifischer, als Kommunikationskanal oder

17 Schon Bertolt Brecht stellte fest, dass das neue Medium für Literaturrezeption und -produktion wirksam wurde: »Der Filmsehende liest Erzählungen anders. Aber auch der Erzählungen schreibt, ist seinerseits ein Filmsehender« (»Der Dreigroschenprozeß. Ein soziologisches Experiment«, in: Bertolt Brecht, *Schriften zur Literatur und Kunst I. Gesammelte Werke*, Bd. 18, Frankfurt a. M. 1967, S. 139–209, hier S. 156), und verwies für die Entwicklung seines epischen Theaters auf das Modell Film.

18 Vgl. Hansen-Löve, »Intermedialität und Intertextualität«, in: W. Schmid / W. D. Stempel (Hrsg.), *Dialog der Texte: Hamburger Kolloquium zur Intertextualität*, Wien 1983, S. 291–360, und Ernest W. B. Hess-Lüttich, *Text Transfers: Probleme intermedialer Übersetzung*, Münster 1987. Vgl. auch Horst Zander, »Intertextualität und Medienwechsel«, in: Ulrich Broich / Manfred Pfister (Hrsg.), *Intertextualität. Formen, Funktion, anglistische Fallstudien*, Tübingen 1985, S. 178–196.

19 So Helmut Schanze in: *Metzler Lexikon Medientheorie/Medienwissenschaft*, S. 200 (Art. »Medien«).

semiotisch beschreibbares Kommunikationsmittel[20] bis hin zur Eingrenzung auf bestimmte technische Apparate zur (Massen-)Kommunikation (Telefon, Radio, Fernsehen, Internet usw.).

Jüngere Arbeiten zur Konturierung des Begriffs ›Intermedialität‹ fassen diese in Analogie zu ›Intertextualität‹ als bewusste, intendierte Verwendung oder Einbeziehung wenigstens zweier konventionell als distinkt angesehener Medien[21]. Jürgen E. Müller unterscheidet Konzepte produktiver intermedialer Interaktionsformen von einer lediglich ansammelnden, akkumulierenden Multimedialität.[22] Bei Rajewsky dagegen wird ›Intermedialität‹ zum Oberbegriff unterschiedlichster Formen der Medienbegegnung (unter diesen Medienkombination und Medienwechsel); als ›intermedial‹ im Müller'schen Sinne bestimmt sie lediglich einen spezifischen Teilbereich »intermedialer Bezüge«, die als »Verfahren der Bedeutungskonstitution eines medialen Produkts durch Bezugnahme« auf ein ande-

20 Vgl. S. J. Schmidt, »Medienwissenschaft und Nachbardisziplinen«, in: Gebhard Rusch (Hrsg.), *Einführung in die Medienwissenschaft*, Wiesbaden 2002, S. 53–69.

21 Vgl. Werner Wolf, »Intermedialität als neues Paradigma der Literaturwissenschaft? Plädoyer für eine literaturzentrierte Erforschung von Grenzüberschreitungen zwischen Wortkunst und anderen Medien am Beispiel von Virginia Woolfs ›The String Quartet‹, in: *Arbeiten aus Anglistik und Amerikanistik* 21 (1996), S. 85–116, und W. W., »Intermedialität: ein weites Feld und eine Herausforderung für die Literaturwissenschaft«, in: Herbert Foltinek / Christoph Leitgeb (Hrsg.): Literaturwissenschaft: intermedial – interdisziplinär, Wien 2002, S. 163–192, sowie Irina Rajewsky, *Intermedialität*, Tübingen/Basel 2002, S. 19. Hier wird Intermedialität bestimmt als »Mediengrenzen überschreitende Phänomene, die mindestens zwei konventionell als distinkt wahrgenommene Medien involvieren«.

22 ›Intermedial‹ ist eine Beziehung zwischen Medien dann, wenn sie »das multimediale Nebeneinander medialer Zitate und Elemente in ein konzeptionelles Miteinander überführt, dessen (ästhetische) Brechungen und Verwerfungen neue Dimensionen eröffnen« (Jürgen E. Müller, *Intermedialität. Formen moderner kultureller Kommunikation*, Münster 1996, S. 127).

res, konventionell als dann verschieden wahrgenommenes Medium bestimmt werden.[23]

Joachim Paech setzt sich von solchen Positionen ab, die Intermedialität mit den Werken verbinden, »ohne den Formenwandel selbst als Inhalt des Medienwechsels in einem Transformationsverfahren anschaulich zu machen«[24]. Das – so Joachim Paech – trifft auf alle Analysen von Intermedialität zu, »die die Darstellung der einen Kunstform in einer anderen (also zum Beispiel Literatur im Film) als Übertragung eines Inhalts aus einem Behälter (Medium) in einen anderen auffassen«[25].

Analogie zur Übersetzungsforschung

Vergleichbare Kritik an der Vorstellung eines Transformationsvorgangs als ›Behälterwechsel‹ findet sich seit jeher in den Überlegungen zur Theorie der Übersetzung – einem Vorgang, der in verschiedener Hinsicht als ein dem Medienwechsel analoger Prozess aufgefasst werden kann. Fasst man den Medienbegriff so weit, wie es Paech in sei-

23 Rajewsky 2002, S. 19. In anderen Typologien werden weitere Differenzierungen vorgeschlagen (nach den beteiligten Medien, nach der Dominanzbildung, nach der Quantität, nach der Genese oder nach der Qualität. Vgl. Werner Wolf, »Intermedialität«, in: *Metzler Lexikon Literatur- und Kulturtheorie*, hrsg. von Ansgar Nünning, Stuttgart/Weimar 1998 und Werner Wolf, »Intermedialität: ein weites Feld und eine Herausforderung für die Literaturwissenschaft«, in: *Literaturwissenschaft: intermedial – interdisziplinär*, hrsg. von Herbert Foltinek und Christoph Leitges, Wien 2002).

24 Paech, »Intermedialität. Mediales Differenzial und transformative Figurationen«, in: *Intermedialität. Theorie und Praxis eines interdisziplinären Forschungsgebiets*, hrsg. von Jörg Helbig, Berlin 1998, S. 14–30, hier S. 15. Intermedialität wird deutlich in den Brüchen, die durch mediale Interferenzen hervorgerufen werden. Das ansonsten unsichtbare Medium tritt dabei an die Oberfläche: »Formen von Intermedialität sind Brüche, Lücken, Intervalle oder Zwischenräume, ebenso wie Grenzen und Schwellen, in denen ihr mediales Differenzial figuriert.«

25 Joachim Paech, in: Helbig 1998, S. 15 f.

nen Überlegungen zur ›Intermedialität‹ vorschlägt – also »nicht als ›etwas‹, sondern als ›Medium‹, als Möglichkeit einer Form oder auch als ›Dazwischen‹, letztlich als Mittel im weitesten Sinne« (S. 23) –, wäre der die Übersetzung kennzeichnende Sprachwechsel lediglich als besonderer Fall eines ›Medienwechsels‹ zu betrachten. Setzt man umgekehrt den ›Sprach-‹ bzw. den ›Übersetzungsbegriff‹ weit und den Medienbegriff enger an, lässt sich ein Medienwechsel auch als besonderer Fall des Übersetzens auffassen. In der Terminologie von Roman Jakobson (1896–1982) ist der in der Literaturverfilmung realisierte Medienwechsel in Analogie zum Vorgang des Sprachwechsels (im Fall der von Jakobson als »eigentlicher Übersetzung« bezeichneten interlingualen Übersetzung, also der Übersetzung zwischen Sprachen) als »intersemiotische«[26] bzw. »intermediale Übersetzung« aufzufassen.[27]

Der Vergleich mit der Übersetzung findet sich im Zusammenhang mit den Arbeiten zur Literaturverfilmung immer wieder – so heißt es etwa in André Bazins *Plädoyer für die Adaption*: »Eine gute Adaption [muß] das Original in seiner Substanz nach Wort und Geist wiederherstellen können. Wir wissen aber, daß eine gute Übersetzung eine sehr vertraute Kenntnis der Sprache und des ihr eigenen Geistes erfordert.«[28]

Ein zentrales Konzept solcher Übersetzungstheorien, die einer grundlegend rationalistisch-universalistischen Sprachauffassung folgen und ausgehend von der Vorstel-

26 Vgl. Jakobsons Einteilung in intralinguale, interlinguale und intersemiotische Übersetzungsvorgänge (Roman Jakobson, »Linguistische Aspekte der Übersetzung«, in: *Übersetzungswissenschaft*, hrsg. von Wolfram Wilss, Darmstadt 1981, S. 154–161, hier S. 155).

27 Statt des Jakobson'schen Adjektivs ›intersemiotisch‹ ziehe ich hier die Bezeichnung ›intermedial‹ vor, da ein solches weiteres Konzept neben der zeichentheoretischen auch andere Ebenen des Medienbegriffs zu integrieren in der Lage ist.

28 André Bazin, »Für ein ›unreines Kino‹ – Plädoyer für die Adaption«, in: Gast 1993, S. 32–39, hier S. 38.

lung universaler Grundmuster den Vorgang der Übertragung als einen Prozess von Dekodierung und Rekodierung begreifen und als ›tertius comparationis‹ auf eine ›Tiefenstruktur‹ zurückgreifen, die aller einzelsprachlichen bzw. medialen Realisation vorausliegt, stand immer wieder auch im Mittelpunkt der Untersuchung von Literaturverfilmung, die als »eine nach spezifischen, medientechnologischen Konditionen vorgenommene Übertragung von deskriptiven, narrativen und argumentativen Elementen eines Zeichensystems (Ausgangstext A) in ein anderes Zeichensystem (Zieltext Z) [...] unter weitgehender Erhaltung der konstitutiven Bedeutungs- und Informationsstruktur«[29] bestimmt wurde. Ein solches Modell ist der ›Behälter-Theorie‹ verwandt, die davon ausgeht, dass beim Vorgang der – interlingualen oder intermedialen – Übersetzung der Inhalt aus seiner einzelsprachlichen bzw. spezifischen medialen ›Verpackung‹ herauszulösen und dann wieder neu – in das Gewand einer neuen Sprache oder eines neuen Mediums – einzukleiden ist.

Solchen universalistisch geprägten Modellen, die das Verhältnis von Ausgangs- und Zieltext unter die Vorgabe eines anzustrebenden ›Äquivalenz‹-Verhältnisses stellen, entspricht die auch in der Übersetzungsforschung lange dominierende Tendenz, Übersetzungsanalysen als wertende Übersetzungskritiken anzulegen, die in den meisten Fällen darauf hinauslaufen, dass Verluste und Verfälschungen aufgezeigt und Übersetzungsfehler kritisiert werden. Auch im Bereich der Übersetzungsforschung waren lange Zeit normative Konzepte dominant, in denen es um die in einer ›adäquaten‹ Übersetzung zu erreichende ›Treue‹ zum Ausgangstext auf der einen und um ›Lesbarkeit‹ des Zieltexts auf der anderen Seite ging. Die Diskussion der Be-

29 Michael Schaudig, *Literatur im Medienwechsel: Gerhart Hauptmanns Tragikomödie »Die Ratten« und ihre Adaptionen für Kino, Hörfunk, Fernsehen; Prolegomena zu einer Medienkomparatistik*, München 1992, S. 125.

stimmung und Erreichbarkeit von ›Äquivalenz‹ zwischen Ausgangs- und Zieltext nimmt in der einschlägigen methodologischen Literatur breiten Raum ein. Andererseits werden spätestens seit dem Hermeneutiker Friedrich Schleiermacher (1768–1834) immer wieder abweichende Vorstellungen artikuliert, die die Unabdingbarkeit einer mit dem Sprachwechsel einhergehenden Veränderung betonen. Gerade in den vergangenen Jahrzehnten ist hier eine deutliche Verschiebung des Erkenntnisinteresses von einer an normativen Vorgaben orientierten Bewertung hin zur Beschreibung des Prozesses selbst zu beobachten. Die dabei entwickelte historisch-deskriptive Übersetzungsforschung zielt nicht auf die Bewertung der Übersetzungsleistungen als mehr oder weniger ›äquivalent‹, sondern auf die historische Beschreibung der Transferprozesse als solcher. Eine an Phänomenen der Intermedialität interessierte Untersuchung von Literaturverfilmungen ließe sich entsprechend in Analogie zu einer solchen ›transferorientierten‹ Übersetzungswissenschaft auffassen.[30]

Der nahe liegenden Analogiebildung zwischen Literaturverfilmung und Übersetzung lassen sich andererseits auch gewichtige Unterschiede entgegenhalten. Anders als eine interlinguale Übertragung, die in den meisten Fällen auf einen Ersatz für das in der Zielsprache als solches nicht verfügbare Original zielt, kann die intermediale Transformation auch als zusätzliche Ergänzung konzipiert werden – und scheint in dieser Hinsicht eher mit einer Inszenierung bzw. Aufführung (z. B. eines Dramas auf dem Theater) vergleichbar. Andererseits kann die Transformation in einen Film doch auch – genau wie die interlinguale Übersetzung – der Überwindung von Grenzen und dem Transport hin zu einer neuen Zielgruppe gelten und das

30 Diese wurde in den 1990er-Jahren etwa in einem an der Universität Göttingen angesiedelten Sonderforschungsbereich »Literarische Übersetzung« vorangetrieben (vgl. die *Göttinger Beiträge zur Übersetzungsforschung*, Bde. 1–18, Berlin 1987–2004, hrsg. von Armin Paul Frank u. a.).

literarische Originalwerk in einem anderen sozialen bzw. kulturellen Raum verfügbar machen, in dem es sonst nicht wahrgenommen wird. Als wichtige Funktion von Literaturverfilmungen galt seit jeher die Popularisierung von Literatur und ihre Verbreitung in ›literaturfernen‹ Rezipientengruppen. Und schließlich kann auch die interlinguale Übertragung solche Aufgaben wahrnehmen, die mit der intermedialen Transformation offensichtlich verbunden sind, wie die durch Umgestaltung bewirkte ›Erfrischung‹ und ›Erneuerung‹ des Bekannten.[31]

Eine solche Auffassung des Übersetzens stellt nicht mehr den Aspekt des Verlusts, sondern im Gegenteil den Aspekt der Bereicherung in den Vordergrund – ein Ansatz, der gerade in aktuellen übersetzungstheoretischen Konzeptionen im Umfeld dekonstruktivistischer Text- und Sprachtheorie betont wird.[32] Übersetzung wird nicht als Überführung eines als identisch gedachten Inhalts von der einen Form in die andere gedacht, sondern als Antwort, Echo oder Fortsetzung[33], die das Original nicht ersetzen, sondern ergänzen, weiterführen und weiter-›spielen‹ will.[34] Gerade im Blick auf solche Übersetzungsauffassungen lassen sich vielfältige Anknüpfungsmöglichkeiten finden, die sowohl die mit dem Sprach- als auch mit dem Medien-

31 Eine Funktion der Verfremdung und damit – ganz im Sinne Šklovskijs – erneuerten und gesteigerten Wahrnehmung des Bekannten hat bereits Goethe dem Übersetzen zugeschrieben. Vgl. u. a. sein Bericht über die Erfahrung bei der Lektüre der englischen Fassung des Schiller'schen *Wallenstein* (s. Goethe an Carlyle, 15. 6. 1828).

32 Vgl. den von Alfred Hirsch herausgegebenen Band *Übersetzung und Dekonstruktion*, Frankfurt a. M. 1997; mit Beiträgen von Jacques Derrida, Paul de Man u. a.

33 Vgl. auch die Vorstellung von der »Nachreife auch der festgelegten Worte« in Walter Benjamins »Die Aufgabe des Übersetzers«, in: W. B., Schriften, Bd. 1, hrsg. von Theodor W. Adorno und Gretel Adorno, Frankfurt a. M. 1955, S. 40–55, hier S. 44. Darmstadt 1963.

34 So gilt schon für die Übersetzungsmaximen Friedrich Schleiermachers, dass als Ziel der Übersetzung gerade nicht Wirkungsäquivalenz angestrebt ist; eine Übersetzung ist keine Verdoppelung des Originals, sondern ein »Weg« zum Original (vgl. Ortega y Gasset 1978, s. Anm. 45).

wechsel zwangsläufig einhergehenden Abweichungen eben nicht als Mangel, sondern als Gewinn konzeptionalisieren und unabhängig von allen Fragen nach Werktreue auf die wechselseitige Erhellung des Unterschiedlichen setzen.

Medienwechsel als Gattungswechsel

In dieser Hinsicht ließe sich der Medienwechsel freilich auch zu einer Reihe von anderen Übertragungsvorgängen in Beziehung setzen, mit denen er offensichtlich ebenfalls verwandt ist. Als Wechsel der ›Kunstform‹ lässt sich das Verhältnis von Literatur und Film in einer Traditionslinie mit den viel diskutierten Fragen nach dem Verhältnis von Poesie und bildender Kunst aufgreifen, die nicht erst seit Lessings berühmter Abhandlung *Laokoon: oder über die Grenzen der Mahlerey und Poesie* (1766) Gegenstand der ästhetischen Theoriebildung sind.

Nahe liegend ist auch der Blick auf das benachbarte Phänomen des Gattungswechsels innerhalb einer Kunstform und damit die Frage, inwiefern die Adaptation eines literarischen Werks für den Film mit der Adaptation etwa eines Romans für die Bühne – oder der Umsetzung eines dramatischen Vorwurfs in einen Erzähltext – vergleichbar sein könnte.[35]

Lässt sich der Film (oder eher eine bestimmte Sorte von Filmen?) vielleicht auch als eigene literarische Gattung beschreiben? Sein Verhältnis zu den herkömmlichen Gattungen der Literatur – also die Frage danach, ob der Film eher der erzählenden oder der szenischen Gattung verwandt

35 Vgl. Käte Hamburger, die ausführt, dass durch die Verfilmung mit dem Drama dasselbe geschehen würde, »was erfolgen würde, wenn es in eine epische Dichtung umgeformt würde« (Käte Hamburger, *Die Logik der Dichtung*, Stuttgart 1968, S. 198). Käte Hamburger sieht den Film als dritte Form der literarischen Fiktion (vgl. Hamburger, »Zur Phänomenologie des Films«, in: *Merkur* [1956], S. 873–880).

ist – hat die literaturwissenschaftliche Diskussion immer wieder beschäftigt. Offensichtlich ist der Film eine Form, in der wichtige Elemente dramatischer und narrativer Texte kombiniert werden. Einerseits ist das Medium Film – aufgrund der gemeinsamen Eigenschaften der Plurimedialität und der Kollektivität von Produktion und Rezeption – dem Theater strukturell eng verwandt; andererseits gibt es relevante Eigenarten filmischer Texte, die diese den narrativen Texten annähern und von dramatischen Texten abheben. So wird im Theater das Geschehen zumeist aus konstanter Entfernung und aus konstanter Perspektive wahrgenommen – im Film können demgegenüber diese Relationen durch Veränderungen der Kameraposition und -einstellung variiert werden. Erzählende Texte verfügen wie der Film über ein ›vermittelndes Kommunikationsmedium‹: »der Betrachter eines Films wie der Leser eines narrativen Textes wird nicht, wie im Drama, mit dem Dargestellten unmittelbar konfrontiert, sondern über eine perspektivierende, selektierende, akzentuierende und gliedernde Vermittlungsinstanz – die Kamera bzw. den Erzähler.«[36]

Von Interesse ist hier natürlich auch die Frage, welche Unterschiede es für den Übertragungsvorgang bedeutet, ob die literarische Vorlage für eine Verfilmung ein erzäh-

36 Manfred Pfister, *Das Drama*, München 1988, S. 48 (»Die variable und bewegliche Kamera im Film stellt also ein vermittelndes Kommunikationssystem dar, erfüllt eine Erzählfunktion, die der Position S2 des fiktiven Erzählers in narrativen Texten entspricht«). Zur Frage der Gattungsaffinität vgl. schon Thomas Mann, dem es natürlich lieb ist, »daß das Buch neben dem Film fortbesteht. Aber ich glaube nicht daran, daß ein guter Roman durch die Verfilmung notwendig in Grund und Boden verdorben werden muß. Dazu ist das Wesen des Films demjenigen der Erzählung zu verwandt. Er steht der Erzählung viel näher als dem Drama. Er ist geschaute Erzählung – ein Genre, das man sich nicht nur gefallen lassen, sondern in dessen Zukunft man schöne Hoffnungen setzen kann.« (Thomas Mann, »Film und Roman«, in: *Reden und Aufsätze 2. Gesammelte Werke in 13 Bänden*, Bd. 10, Frankfurt a. M. 1990, S. 936 f., hier S. 937.) Vgl. auch Käte Hamburger, *Die Logik der Dichtung*, Stuttgart 1968, S. 185, und die Diskussion bei Irmela Schneider, *Der verwandelte Text*, S. 44–46.

lender Text ist (so in den meisten Fällen; auch in unserem Band überwiegen die Adaptationen von Romanen und Novellen gegenüber denjenigen von Dramen bei weitem[37]) oder ein Drama (im vorliegenden Band vertreten durch die Beispiele der filmischen Shakespeare-Adaptation und durch Werner Herzogs Version von Büchners *Woyzeck*, vgl. S. 39 ff. und 54 ff. und 93 ff.)? Welche besonderen Möglichkeiten ergeben sich bei der Umsetzung einer literarischen ›Zwischengattung‹, wie sie die epische und dramatische Elemente vereinigende literarische Gattung des Briefromans (vgl. in unserem Band das Beispiel der *Liaisons dangereuses*, vgl. S. 72) oder – auf andere Weise – auch die Novelle darstellt (vgl. S. 86 ff. die Studie zu Rohmers Verfilmung der *Marquise von O.*, deren »radikale Werktreue« nicht zuletzt durch die Verwandtschaft des Kleist'schen Novellenstils mit den Bedingungen filmischen Erzählens möglich wird). Und woran liegt es eigentlich, dass die dritte große literarische Gattung, die Lyrik, in der Verfilmung seit jeher eine lediglich marginale Rolle spielt (und daher hier mit keinem Beispiel vertreten ist)?[38]

Es ist offensichtlich ein großer Unterschied, ob eine dramatische Vorlage in eine filmische Pantomime umgesetzt wird – wie es der Normalfall der frühen Literaturverfilmungen im Zeitalter des Stummfilms war – oder ob ein Epos wie z. B. Tolkiens *Lord of the Rings* in eine mit neuester Digitaltechnik arbeitende Filmversion verwandelt wird, die geeignet ist, lange gültige Vorstellungen von der besonderen Beziehung des bewegten fotografischen Film-

37 Das *Lexikon der Literaturverfilmungen* verzeichnet 2546 epische, 1015 dramatische und nur 13 lyrische Werke, die im untersuchten Zeitraum als Vorlagen für eine Verfilmung gedient haben.

38 Ein neuerer Versuch, die Lyrik-Verfilmung ins Kino zu bringen, ist der Film *Poem* von Ralf Schmerberg aus dem Jahr 2001. Vgl. auch das junge Genre *poetryfilm*, das sich gegenwärtig als eine Art »literarisches Pendant zum Musikvideo« zu entwickeln scheint. Seit 2003 wird in Berlin der *ZEBRA Poetry Film Award* verliehen, ein Projekt der LiteraturWERKstatt Berlin.

bildes zur Wirklichkeit in Frage zu stellen (auch mit dieser Frage befasst sich der besonders den technischen Aspekten der Filmversion gewidmete Beitrag zu Peter Jacksons Film, hier S. 230 ff.).

Literatur ist nicht gleich Literatur, Film nicht gleich Film, in diesem Zusammenhang ist natürlich vor allem auch zwischen den verschiedenen audiovisuellen Medien zu differenzieren und zu berücksichtigen, dass sich etwa ein Kinofilm – von dem in der überwiegenden Mehrzahl unserer Beispiele die Rede ist – von einer Fernsehserie (wie sie in unserem Beitrag über Margarethe von Trottas Uwe-Johnson-Adaptation zur Sprache kommt, vgl. S. 314 ff.) in vielfältiger Hinsicht unterscheidet. Die spezifischen Eigenarten eines Mediums werden dabei nicht nur von den technischen Differenzen bestimmt (etwa von Kinotechnik versus Fernsehtechnik), sondern auch von der jeweils unterschiedlichen kommunikativ-sozialen Einbindung: Es spielt eine große Rolle, ob ein Film in der Kinosituation oder im Fernsehzimmer rezipiert wird. Ein Medien-Begriff, der auf eine Integration solcher traditionell häufig getrennt betrachteter Bereiche setzt (Technik, kulturelle Traditionen, Konventionen, psychische Verarbeitungsformen usw.), steht mit dem Begriff des auf Foucault zurückgehenden »medialen Dispositivs« oder »Mediendispositivs« zur Verfügung, der das Zusammenwirken von technischen Bedingungen, gesellschaftlichen Ordnungsvorstellungen, normativ-kulturellen Faktoren und mentalen Entsprechungen auf Seiten der Zuschauer aufnimmt.[39]

39 Zum Begriff des ›Mediendispositivs‹ vgl. Knut Hickethier, »Apparat – Dispositiv – Programm«, in: Knut Hickethier / Siegfried Zielinski (Hrsg.), *Medien / Kultur*, Berlin 1991, S. 421–447, hier S. 429.

Mediale Differenzen

Es kann bei der Bezugnahme auf verwandte Übertragungs- bzw. Transformationsprozesse nicht darum gehen, die sehr unterschiedlichen Vorgänge über einen Kamm zu scheren. Im Gegenteil kommt es gerade auf eine differenzierte Beschreibung an. Dabei hat sich in der Geschichte der Filmwissenschaft der Vergleich mit dem Sprachwechsel durchaus bewährt, und zwar nicht, indem er Identität beider Vorgänge reklamiert, sondern indem er ihre Differenzen herausarbeitet.

So hat die Debatte um die Frage nach einer ›Sprache‹ des Films[40] zu dem Ergebnis geführt, dass die spezielle Zeichenpraxis des Films durch andere Formalisierungen und Konventionalisierungen geprägt ist als die Sprache der Literatur und dass das linguistische Modell grammatischer Strukturen nur sehr begrenzt auf den Film übertragbar ist, obwohl sich auch hier Regeln der Zeichenverwendung feststellen lassen. Aus den grundlegenden zeichentheoretischen Unterschieden zwischen der literarischen und filmischen ›Sprache‹ resultieren entsprechende Transformationsprobleme, deren Beobachtung umgekehrt für die Bestimmung der unterschiedlichen medienspezifischen ›Sprachen‹ von besonderem Interesse sein kann.

Ein offensichtlicher Unterschied liegt im höheren Abstraktionsgrad des verbalsprachlichen Zeichens gegenüber der notwendigen Konkretheit visueller Repräsentation. So kann die Wendung »ein großes Haus« im literarischen Kontext auf alle Konkretisierung verzichten und dem Leser damit ›Leerstellen‹ zur eigenen Konkretisierung überlassen; die Umsetzung ins Bild aber muss zwangsläufig immer schon entscheiden, um welche Art von Haus es sich

40 Grundlegend hierzu: Christian Metz, *Semiologie des Films*, München 1972. Für einen Überblick über die sich anschließende Debatte vgl. Karl-Dietmar Möller-Naß, *Filmsprache. Eine kritische Theoriegeschichte*, Münster 1986, passim.

handelt. Ebenso muss ein Regisseur sich bei der Verkörperung der literarischen Gestalten für den Einsatz bestimmter Schauspieler entscheiden, die die Figur zwangsläufig konkretisieren – und, wie es gerade beim Einsatz bekannter Schauspieler augenfällig ist, bestimmte Interpretationen vorgeben (die Bedeutung der Wahl der Schauspieler für eine Verfilmung kommt im vorliegenden Band besonders im Beitrag zum *Hauptmann von Köpenick* zum Ausdruck, vgl. S. 194 ff.). Die Priorität des Sichtbaren führt den Film nicht nur generell näher an das Konkrete als an das Abstrakte, sondern auch »näher an Handlung als an Reflexion, näher an Szene als an Resümee, näher an das Äußere als an das Innere«[41].

Die Dominanz des Gesichtssinns bedeutet für den Film allerdings keineswegs eine Beschränkung auf das Sichtbare. Denn während die Literatur heute in den meisten Fällen nur mit einem – und zwar vorrangig symbolischen – Zeichensystem operiert, nämlich mit dem der geschriebenen Sprache, ist der Film keineswegs auf die Verwendung visueller Zeichen zu reduzieren. Der kinematographische Code zeichnet sich durch den Einsatz mehrerer unterschiedlicher Zeichensysteme aus: »Der Film ist stets eine zeitlich organisierte Kombination von visuellen und auditiven Zeichen, die über Bild und Schrift sowie Geräusch, Musik und Sprache spezifisch filmische Bedeutungseinheiten, d. h. ikonisch-visuelle und tonale (auditive) Codes bilden.«[42] Als reproduzierende Kunstform kann er dabei gleichzeitig immer auf die Codes anderer Kunstformen zurückgreifen (Gestik, Mimik, ikonographische Traditionen usw.), indem er sie abbildet, aufnimmt und weiterver-

41 Peter Schepelern, »Gewinn und Verlust. Zur Verfilmung in Theorie und Praxis«, in: *Verfilmte Literatur. Beiträge des Symposions am Goethe-Institut Kopenhagen im Herbst 1992*, hrsg. von Sven-Aage Jørgensen und Peter Schepelern, München 1993 (Text und Kontext 18, H. 1–2), S. 20–69, hier S. 36.

42 Klaus Kanzog, *Einführung in die Filmphilologie*, München 1997, S. 22.

wendet; die spezifisch filmischen Verfahren (Schärfe, Schnitt und Kamerahandlung, also Schwenks, Zooms, Fahrten) werden durch literarische, theatralische, fotografische Verfahren (usw.) ergänzt. Genau in diesem Sinne ist der Film immer schon ›intermedial‹.

Der Medienwechsel ›Literaturverfilmung‹ hat es nun allerdings keineswegs nur mit die Zeichen betreffenden, semiotischen Hürden zu tun; viele Abweichungen zwischen literarischer Vorlage und filmischer Aufnahme haben Ursachen, die auf die unterschiedlichen Produktions- und Rezeptionsformen und damit einhergehenden pragmatischen Rücksichten zurückzuführen sind. Eine wichtige Rolle spielen hier etwa die begrenzte Länge eines Kinofilms (die gerade im Fall von Romanverfilmungen häufig Reduktionen notwendig macht, vgl. in unserem Band z. B. den Beitrag zu Volker Schlöndorffs *Blechtrommel,* S. 255 ff.) oder die unvergleichlich höheren Kosten, die mit der Realisation einer Verfilmung im Vergleich zur Erstellung der literarischen Vorlage verbunden sind.

Andere Abweichungen beruhen wesentlich auf dem historischen oder kulturellen Abstand zur Vorlage. Die Frage nach Historisierung oder Aktualisierung stellt sich auch für interlinguale Übertragungsvorgänge. Veränderungen, die aus der Übertragung in andere Zeiten resultieren, werden im vorliegenden Band in zahlreichen Beiträgen thematisiert, vgl. die Studien zu Luhrmanns *Romeo and Juliet* (S. 39 ff.), zu Staudtes *Untertan* (vgl. S. 169 ff.), zu Kubricks *Eyes wide shut*, (S. 177 ff.) zu Viscontis *Gattopardo* (S. 239 ff.) und zu *Kafka* (S. 145 ff.). Die Konsequenzen, die sich aus der Übertragung in andere kulturelle Kontexte ergeben, lassen sich besonders deutlich am Beispiel von Kurosawas *Macbeth* beobachten (vgl. S. 54 ff.).

Untersuchungsebenen

Der Vielfalt der insgesamt zu beobachtenden Veränderungen entsprechen die zahlreichen möglichen Vergleichsebenen, die bei der Analyse einer Literaturverfilmung herangezogen werden können. So lassen sich literarische Vorlage und filmische Bearbeitung sowohl unter den Gesichtspunkten von Story, Handlung oder Plot vergleichen als auch unter denjenigen der Aussage oder der Botschaft der untersuchten Werke oder im Hinblick auf die jeweils gewählten Vermittlungsformen und Darstellungsverfahren. Im vorliegenden Band geht es nicht darum, einen bestimmten Weg des Vergleichs zu privilegieren. Wenn Klaus Kanzog 1984 fünf viel versprechende methodische Wege zur Analyse und Beschreibung unterscheidet – neben dem linguistisch/sprechakttheoretischen nennt er den prädikatenlogischen, den topologischen, den aktionslogischen und den normspezifischen Ansatz[43] –, lässt sich auch aus heutiger Perspektive keineswegs eindeutig feststellen, dass sich eine Methode durchgesetzt habe. Im Gegenteil, das Spektrum hat sich eher noch erweitert und verschoben. Zu den wichtigsten Paradigmen gehören semiotische, rhetorische wie auch narratologisch orientierte Verfahren (vgl. hier besonders die Studien zu Marquez, S. 322 ff., und Sillitoe, S. 264 ff.); der Vergleich kann auch bei der unterschiedlichen Rezeption ansetzen (vgl. den Beitrag zu *Mephisto*, S. 206 ff.) oder auf den spezifischen Umgang mit intermedialen Konstellationen des Ausgangstextes fokussieren (so die Untersuchung der musikalischen Elemente in Thomas Manns *Der Tod in Venedig* und in Viscontis Verfilmung, vgl. S. 158 ff).

43 Kanzog, »Wege zu einer Theorie der Literaturverfilmung am Beispiel von Volker Schlöndorffs Film ›Michael Kohlhaas – der Rebell‹, in: *Methodenprobleme der Analyse verfilmter Literatur*, hrsg. von Joachim Paech, Münster 1984, S. 23–51 (2. Aufl. 1988, S. 21–44).

Typen der Adaptation

Quer zu den unterschiedlichen Methoden der Untersuchung wurde der Versuch gemacht, das weite Feld der Literaturverfilmung nach den Typen der Umsetzung zu gliedern und Arten der Literaturadaptation zu bestimmen. Nach wie vor im Gebrauch ist eine schon 1981 von Helmut Kreuzer entwickelte Typologie, die zwischen der bloßen »Aneignung von literarischem Rohstoff«, der »Illustration« (im Sinne einer ›Bebilderung‹ von Literatur unter Vernachlässigung der Eigengesetzlichkeiten der Medien), der »Dokumentation« (Abfilmung einer Theaterinszenierung o. Ä.), und der »Transformation« (also dem Versuch, ein analoges Werk zu gestalten, bei dem die medienspezifischen Bedingungen den Einsatz der Verfahren und die Veränderungen leiten) unterscheidet. Der ›mittlere‹ Begriff von Literaturverfilmung – auf den oben abgezielt wurde und der auch den Fokus des vorliegenden Bandes bestimmt – wäre nach dieser Typologie eventuell als ›Illustration‹ (vgl. die Beiträge zu Fassbinders *Effi Briest* und zu Trottas *Jahrestage*), vorrangig aber als ›Transformation‹ zu bestimmen. Innerhalb dieser Kategorien aber ließen sich offensichtlich weitere Unterscheidungen markieren[44].

Aus der Perspektive des Vergleichs mit der Übersetzungsforschung liegt es nahe zu fragen, ob sich nicht auch aus den klassischen Alternativen der Übersetzungsverfahren Differenzierungen gewinnen lassen. Die grundlegende

44 Ein Vorschlag zur Klassifikation mit historischen und systematischen Dimensionen findet sich z. B. bei Schanze, der zwischen »Transposition« als selektiver Umsetzung, »Adaption« als werktreuer Umsetzung, »Transformation« als Orientierung an einer der medialen Realisierung vorausliegenden Tiefenstruktur (aus der sich die verschiedenen medialen Realisationsformen durch Transformationen unterschiedlicher Art generieren lassen, vgl. dazu vor allem auch Irmela Schneider 1981) und »Transfiguration« als einer Metamorphose des Literarischen ins Filmische unterscheidet. (Vgl. H. Schanze, »Literatur – Film – Fernsehen. Transformationsprozesse«, in: Schanze 1996, S. 82–92.)

gliedernde Zweiteilung bzw. Dichotomie aller übersetzungstheoretischen Überlegungen ist diejenige einer auf ›Wirkungsäquivalenz‹ zielenden ›Einbürgerung‹ auf der einen und dem Verfahren eines gezielten ›Fremdhaltens‹ auf der anderen Seite. Während bei der ersten Methode die Übersetzung ihre Herkunft aus der Fremde nach Möglichkeit nicht zu erkennen gibt, zielt das zweite Verfahren gerade darauf, dass der Rezipient wahrnimmt, dass er es mit einer Übersetzung, also mit einer hybriden, aus unterschiedlichen Quellen gespeisten Form, zu tun hat.[45] Für den intermedialen Übersetzungsvorgang zielt die analoge Alternative entsprechend auf die Frage, ob die Verfilmung ihre Herkunft ›aus dem Buch‹ zu verschleiern sucht – oder aber den Vorgang der Übertragung gerade mit in den Blick rückt, die Mediendifferenz zum Thema macht und den Medienwechsel ausstellt bzw. reflektiert (einschlägig unter unseren Beispielfällen hier besonders Fassbinders *Effi Briest*, vgl. S. 136 ff., und auf andere Weise auch Truffauts *Fahrenheit 451*, vgl. S. 284 ff.). Bemerkenswert ist in diesem Zusammenhang, dass bei der Umsetzung in den plurimedialen Code des Kinos sogar die Möglichkeit existiert, beide Verfahren, nämlich Einbürgerung und Verfremdung mit-

45 Diese Dichotomie hat Friedrich Schleiermacher in seiner berühmten Rede *Über die verschiedenen Methoden des Übersetzens* so formuliert: »Entweder der Übersetzer lässt den Schriftsteller möglichst in Ruhe, und bewegt den Leser ihm entgegen; oder er lässt den Leser möglichst in Ruhe, und bewegt den Schriftsteller ihm entgegen.« (»Über die verschiedenen Methoden des Übersetzens«, hrsg. von Friedrich Schleiermacher, in: F. Sch.: *Akademievorträge*, hrsg. von Martin Rössler, Berlin / New York 2002, S. 67–93 hier S. 74, vgl. auch die Aufnahme dieser Position Schleiermachers (der allein die erste Methode für gangbar hält) bei Ortega y Gasset: »Die Übersetzung ist kein Duplikat des Originaltextes; sie ist nicht dasselbe Werk mit verändertem Wortschatz, noch darf sie das sein wollen. Ich möchte sagen: die Übersetzung gehört nicht einmal zu der gleichen literarischen Gattung wie das übersetzte Werk. […] Aus dem einfachen Grund, weil die Übersetzung nicht das Werk, sondern ein Weg zu dem Werk ist.« (José Ortega y Gasset, »Glanz und Elend der Übersetzung«, in: Ortega y Gasset, *Gesammelte Werke*. Bd. 4. Stuttgart 1978, S. 126–151, hier S. 146 f.)

einander in einer Übertragung zu kombinieren. Dies führt z. B. Michael Almereydas *Hamlet*-Adaptation vor, die – orientiert an Luhrmanns *Romeo and Juliet* (vgl. S. 39 ff.) – auf der einen Seite eine radikale Anpassung an die Gegenwart unternimmt (die Verfilmung des jungen amerikanischen Regisseurs versetzt das elisabethanische Drama in das New York des Jahres 2000; der dänische Prinz wird zum Sohn eines New Yorker Medienmoguls; die für Shakespeares Stück wesentlichen Reflexionen auf das Medium – im Original: Sprache und Theater – werden durch die Reflexion auf visuelle Repräsentation und Film ersetzt) und auf der anderen Seite durch die Beibehaltung der originalen Sprache Shakespeares ein hohes Maß an Verfremdung erreicht, sodass Ausgangs- und Zieltext dieser intermedialen Übersetzung stetig wechselseitig aufeinander verweisend präsent sind.[46]

Die Reflexion der unterschiedlichen Verfahren zielt dabei weder auf eine Privilegierung bestimmter Adaptationstypen noch auf eine historische Diagnose epochenspezifischer Vorlieben oder eine Prognose zu erwartender Tendenzen – feststellbar ist im Gegenteil die Gleichzeitigkeit sehr unterschiedlicher Verfahren. Es geht dabei um die Wahrnehmung des Spektrums vielfältiger Übertragungsmöglichkeiten und eine damit einhergehende Erweiterung von Medienkompetenz und Medienreflexion. Das Interesse gilt der jeweils spezifischen »Art des Meinens«, die – um mit Walter Benjamin zu reden – das eigentliche Ziel allen Übersetzens ist[47]: Gerade die Beobachtung und Refle-

46 Michael Almereyda, *Hamlet* (USA 2000).

47 Walter Benjamin, »Die Aufgabe des Übersetzers«, in: W. B., Schriften, Bd. 1, hrsg. von Theodor W. Adorno und Gretel Adorno, Frankfurt a. M., S. 40–55, hier S. 46 und S. 50.: »Wie nämlich Scherben eines Gefäßes, um sich zusammenfügen zu lassen, in den kleinsten Einzelheiten einander zu folgen, doch nicht so zu gleichen haben, so muß, anstatt dem Sinn des Originals sich ähnlich zu machen, die Übersetzung liebend vielmehr und bis ins einzelne hinein dessen Art des Meinens in der eigenen Sprache sich anbilden, um so beide wie Scherben als Bruchstück eines Gefäßes, als Bruchstück einer größeren Sprache erkennbar zu machen.«

xion des Medienwechsels kann einen Beitrag leisten zur Förderung eines bewussten und differenzierten Umgangs mit der ›Sprache‹ der bewegten Bilder wie mit derjenigen der literarischen Tradition.

Eine DVD mit entsprechenden Filmausschnitten konnte aus rechtlichen und ausstattungstechnischen Gründen nicht beigefügt werden; auf die Möglichkeit, wenige kleinformatige Schwarzweißbilder einzufügen, wurde nicht zuletzt aus Platzgründen verzichtet. Das abschließende Literaturverzeichnis erhebt keinen Anspruch auf Vollständigkeit, sondern versammelt wichtige Arbeiten im Umkreis des Themas Literaturverfilmung, die zur Vertiefung nützlich sind. Speziallitertur zu den in den einzelnen Beiträgen untersuchten Werken findet sich jeweils direkt im Anschluss an einen Beitrag. Besonderer Dank gilt Regina Sachers, die zur rechten Zeit hilfreich zur Stelle war.

Anne Bohnenkamp,
Frankfurt a. M., im August 2004

Romeo and Juliet (William Shakespeare – Franco Zeffirelli, Baz Luhrmann)

Filmische Zitatpraxis und medialer Kulturtransfer

Von Lisa Gotto

Shakespeares Tragödie *Romeo and Juliet* gilt bis heute nicht nur als eines der meistgespielten Bühnenstücke der Welt; die anhaltende Popularität des Stoffes zeigt sich darüber hinaus auch in den zahlreichen Filmfassungen[1]. Zu den populärsten und kommerziell erfolgreichsten Kinoversionen zählen zwei Werke, die sich auf höchst unterschiedliche Weise mit dem Shakespeare-Text auseinander setzen: Franco Zeffirellis *Romeo and Juliet* (GB/I 1968) und Baz Luhrmanns *Shakespeare's Romeo + Juliet* (USA 1996). Innerhalb der Filmkritik ähneln sich die Beschreibungen des künstlerischen Anspruchs der beiden Regisseure, die vor allem die massenmediale Modernisierung des Stoffes und die Orientierung an einem jugendlichen Publikum hervorheben[2]. Demnach scheint beiden Regisseuren der Anspruch gemeinsam zu sein, den Shakespeare'schen Prätext in einer Form zu aktualisieren, die den Kinoversionen des 20. Jahrhunderts angemessen ist. Wie unterschiedlich die beiden filmästhetischen Ansätze jedoch sind, zeigt sich bereits in den Anfangssequenzen der beiden Filme.

1 Vgl. hier die Aufzählung S. 53.

2 Über die 1968er-Fassung heißt es: »Zeffirelli's film treatment is in general an attempt at making the play accessible to a modern audience, and particular a youthful audience.« (Graham Holderness, *Visual Shakespeare. Essays in Film and Television,* Herfortshire 2002, S. 166) Ganz ähnlich klingt die Bewertung des Films, der knapp 30 Jahre später entstand: »Luhrmann's film [...] very successfully targeted a younger audience, the MTV generation of teenagers roughly the age of Romeo and Juliet.« (Patricia Tatspaugh, »The Tragedies of Love on Film«, in: *The Cambridge Companion to Film,* hrsg. von Russell Jackson, Cambridge 2000, S. 140)

Franco Zeffirelli präsentiert zu Beginn Panoramaaufnahmen des Schauplatzes Verona, den er als nebelumwölkte Renaissancekulisse inszeniert. Begleitet von getragener Musik spricht eine *Off*-Stimme den um sechs Verse gekürzten Prolog, während gleichzeitig eingeblendete Credits sichtbar werden: »Franco Zeffirelli's Production of William Shakespeare's Romeo and Juliet«. Bereits in der Wahl des Sprechers zeigt sich ein bemerkenswerter Verweis: Als Chor fungiert Laurence Olivier, der als berühmter Shakespeare-Mime und -Regisseur nicht nur eine dem Publikum vertraute Instanz, sondern auch eine kulturelle Autorität im Bereich der Shakespeare-Adaptation darstellt[3]. Auf auditiver Ebene verweist Zeffirelli somit auf die filmische Tradition anspruchsvoller Klassikerinszenierungen, während die visuelle Ebene einen Bezug zur Entstehungszeit des Dramas etabliert. Der knapp einminütige Einstieg in den Film besteht aus nur zwei Einstellungen, die vor allem als visuelle Präsentation des Handlungsortes fungieren.

Einen ganz anderen Zugang wählt Baz Luhrmann, dessen Exposition 77 Einstellungen enthält, die den Zuschauer auf furiose Art in das Geschehen hineinkatapultieren. Rasante Zooms, Reißschwenks und unterschiedliche Formen der Bildpräsentation mit raschen Wechseln zwischen bewegten Filmaufnahmen, Standbildern und Texteinblendungen führen in die Handlung ein und etablieren eine Ästhetik, die durch eine äußerst komprimierte, temporeiche Filmsprache gekennzeichnet ist. Als erstes Bild des Films erscheint ein Schwarzbild, aus dessen Tiefe ein immer größer werdender Fernseher erwächst. Die Funktion des Chores wird von einer Nachrichtenmoderatorin übernommen, die im distanzierten Reportageton über Romeo und Juliets Geschichte berichtet.

3 Laurence Olivier gilt bis heute als einer der profiliertesten Shakespeare-Interpreten. Neben seinen Theaterinszenierungen gehören die Filme *Henry V.* (GB 1944), *Hamlet* (GB 1948) und *Richard III.* (GB 1955) zu seinen bedeutendsten Werken.

Während Zeffirelli den Prolog bereits nach den ersten acht Zeilen enden lässt, behält Luhrmann die vier folgenden Verse bei, an deren Schluss eine wichtige selbstreferentielle Andeutung steht: »Is now the two hours' traffic of our stage« (Prolog, 12). Shakespeares Hinweis auf sein eigenes Medium wird von Luhrmann nicht nur übernommen, sondern durch ein komplexes Geflecht filmischer Versatzstücke transformiert und weiterentwickelt. Der Filmvorspann benennt und kommentiert unterschiedliche mediale Vermittlungsinstanzen und betont damit den eigenen Status eines Repräsentationsmediums. Bereits die Darstellung des Fernsehers etabliert einen intertextuellen Verweis, in dem unterschiedliche mediale Epochen miteinander kombiniert werden: Bei dem präsentierten Fernsehgerät handelt es sich um ein Modell aus den 70er-Jahren[4], die Nachrichtensprecherin wiederum verweist auf einen zeitgenössischen Kontext[5], während die gesprochenen Verse den Bezug zum Prolog des Shakespeare-Textes darstellen.

Als ironischer Kommentar zur mehrfach eingeblendeten Textzeile »In fair Verona« führen anschließend hochbeschleunigte Zooms in die Häuserschluchten einer Großstadtdystopie ein, in deren Zentrum sich die beiden Hochhäuser der Capulets und Montagues befinden. Unmittelbar daran werden verwischte Handkameraaufnahmen von vorbeifahrenden Polizeiautos sowie Einstellungen von Hubschraubern angeschlossen, die über der Skyline der Stadt kreisen. Die Präsentation des Schauplatzes wird durch weitere mediale Bilder erweitert, die die Filmaufnahmen ergänzen: Gezeigt werden Fotografien der Montagues und Capulets, Magazintitelbilder sowie Schlagzei-

4 Erkennbar ist dies nicht nur am Design, sondern auch an der manuell zu bedienenden Frequenzwahlscheibe des Geräts. Weitere Hinweise sind die Clickgeräusche auf der auditiven Ebene, die eine Kanaleinstellung andeuten.

5 Sie wird von Edwina Moore dargestellt, einer bekannten TV-Moderatorin des US-amerikanischen Fernsehens.

len von Tageszeitungen, die den Inhalt des Prologs zitieren (»Civil blood makes civil hands unclean«) und ihn so auf verfremdete Art als Tagesaktualität wiedergeben. Noch einmal wiederholt eine *Off*-Stimme die Verse des Prologs, die wiederum als Textzeilen in den Bilderfluss montiert werden. Nicht nur die Worte, auch die Stimme stellt hier einen erneuten Bezug zum Shakespeare-Text dar, denn in der Wiederholung wird der Prolog nicht von der Nachrichtensprecherin, sondern von Peter Postlethwaite vorgetragen, einem bekannten Schauspieler der Royal Shakespeare-Company, der in Luhrmanns Film die Rolle des Father Laurence übernimmt.

In einer ungewöhnlichen Vorstellung der Akteure werden plötzlich einige Figuren durch still gestellte Einstellungen visuell hervorgehoben und durch Texteinblendungen näher charakterisiert. Abweichend von der Konvention eines Kinofilms werden jedoch nicht die Namen der Darsteller genannt, sondern ihre Rollennamen und ihre Stellung innerhalb des Dramas. Dabei variiert Luhrmann die Vorlage auf signifikante Weise, indem er den verfeindeten Elternpaaren Vornamen zugesteht, die im Shakespeare-Text nicht zu finden sind: »Fulgencio Capulet, Juliet's Father«, »Gloria Capulet, Juliet's Mother«, »Ted Montague, Romeo's Father«, »Caroline Montague, Romeo's Mother«.

Das furiose Finale des Vorspanns besteht aus einer schnell geschnittenen Collage aus 27 Einstellungen, die sich aus Bildsplittern des kommenden Films zusammensetzt und damit einen visuellen Hinweis auf die bevorstehende Katastrophe darstellt. Unterlegt werden die heterogenen Bildarrangements des Vorspanns durch eine musikalische Variation von Carl Orffs *O Fortuna* aus dessen *Carmina burana*, das bei Luhrmann zu *O Verona* transformiert wird. Die choralartigen Klänge verleihen der raschen, hektischen Bilderfolge einen feierlichen, fast liturgischen Charakter, sodass sich aus der Summe der wechselnden Eindrücke ein heterogenes Gebilde ergibt. Das Drama wird damit bereits im Vorspann als ein hochartifizielles Konstrukt präsentiert, dessen unterschiedliche mediale Versatzstücke durch die Verse des Shakespeare-Textes wie ein Leitfaden zusammengehalten werden.

Beide Regisseure inszenieren den Vorspann als Einführung in das Geschehen und den Handlungsort und kommentieren durch die Wahl eines etablierten Shakespearedarstellers als Sprecher des Prologs ihren eigenen Anspruch als Shakespeareinterpret.

Bei Luhrmann werden die Hinweise auf einen intermedialen Übersetzungsprozess jedoch ungleich komplexer präsentiert. Zudem begnügt er sich bei der Darstellung des Schauplatzes Verona nicht mit einer Kulissenszenerie, sondern ergänzt die Präsentation des Handlungsortes durch die Vorstellung der Akteure und ein Kaleidoskop visueller Vorverweise, in denen das komplexe Geflecht von Gefühl und Gewalt, Liebe und Tod als Vorahnung bereits spürbar wird.

Zeffirelli lässt seinem Vorspann eine aktionsgeladene Sequenz folgen, in deren Zentrum die Darstellung der Familienfehde steht. Auffällig ist insbesondere die farbdramaturgische Konzeption, die die Opposition der beiden verfeindeten Parteien deutlich hervorhebt: Familienmitglieder und Anhänger der Capulets tragen rote Gewänder und Kopfbedeckungen, die Kleidung der Montagues hingegen ist blau. Damit erleichtert Zeffirelli dem Zuschauer die Zuordnung und Charakterisierung der Figuren und gibt eine erste visuelle Orientierungshilfe. Im Folgenden nimmt der Regisseur eine radikale Kürzung des Dramentextes vor[6]; anstelle der Worte fügt er jedoch oft visuelle Äquivalente ein, die den Bezug zur Shakespeare-Vorlage herstellen. Die

6 Ace G. Pilkington erwähnt, dass Zeffirelli lediglich 1044,5 Verse (das entspricht Pilkingtons Rechnung nach ungefähr 35 Prozent) des Originaltextes für seinen Film verwendet habe. Vgl. Ace G. Pilkington, »Zeffirelli's Shakespeare«, in: *Shakespeare and the Moving Image*, hrsg. von Anthony Davies und Stanley Wells, Cambridge 1994, S. 165.

Textzeile »A dog of that house shall move me to stand« (I.1,7) beispielsweise fehlt in Zeffirellis Film; stattdessen wird gezeigt, wie einer der Capulets einen vorbeilaufenden Hund tritt. Bemerkenswert ist die strukturelle Verbindung des Gewaltpotentials mit einer dezidierten Körperdarstellung. Bereits die erste Einstellung der Capulets stellt eine physische Fragmentierung dar. Gregory und Sampson werden in einer halbnahen Einstellung präsentiert, die die beiden Figuren von der Brust bis zu den Knien zeigt. Damit akzentuiert die Blickdramaturgie die mittlere Körperpartie, deren visuelle Präsentation noch vor der Darstellung eines Gesichtes erfolgt. Im Bildzentrum erscheinen zwei auffällige Lendenharnische, die durch die leuchtenden Farben zusätzlich betont werden. Etwa auf gleicher Höhe sind die von den Gürteln hängenden Degen positioniert, wodurch eine assoziative Verbindung von Männlichkeit und Gewaltbereitschaft evoziert wird.

Diese visuelle Konstruktion wird bei Tybalts erstem Auftritt wiederholt. Ein vertikaler Kameraschwenk zeigt zunächst seine Füße, danach seine Hüftpartie und erst zuletzt sein Gesicht. Wie bei der Präsentation der Capulets verweilt die Kamera auffällig lange bei der Körpermitte der Figur, wodurch der Genitalbereich und die sich auf gleicher Höhe befindende Waffe deutlich betont werden. Auch hier ist eine Orientierung an Shakespeares Text erkennbar, den Zeffirelli nicht als wörtliches Zitat wiedergibt, sondern in visuelle Termini übersetzt. Während Shakespeares Wortspiele »Draw thy tool!« (I.1,31) oder »My naked weapon is out.« (I.1,33) eine verbale Gleichsetzung von Degen und männlichen Genitalien etablieren, erfolgt diese relationale Verbindung bei Zeffirelli auf der Bildebene. Die sich anschließende Entladung der Gewalt wird als unübersichtliches Kampfgetümmel inszeniert. Rasche Kamerabewegungen, schnelle Schnitte und verwackelte Handkameraaufnahmen vermitteln das Bild einer explosiven, unkontrollierten Auseinandersetzung. Auch hier dominieren Einstellungen, die fragmentarisierte, aus dem Gesamtzusammenhang gerissene Einzelteile präsentieren: verschiedene Körperteile wie vereinzelte Arme, Beine und Hände werden mit Bildausschnitten kombiniert, in denen Degenspitzen und andere Waffenteile zu sehen sind. Eindrucksvoll zeigt Zeffirelli schließlich die Auswirkungen des gewaltsamen Kampfes durch die Darstellung der Verletzten, die verbunden und auf Bahren davongetragen werden.

Bei Baz Luhrmann werden die Anhänger der beiden Parteien als rivalisierende Gangs inszeniert, die in amerikanischen Straßenkreuzern vorfahren und statt Degen Schnellfeuerpistolen ziehen. Ähnlich wie Zeffirelli legt auch Luhrmann großen Wert darauf, die beiden Lager als klar voneinander abgrenzbare Parteien zu inszenieren. Wie schon im Vorspann wird die Figurenkonstellation durch eingefrorene Einstellungen und Texteinblendungen visualisiert, die die Gangs als »The Montague Boys« bzw. »The Capulet Boys« charakterisieren. Die karikierende Darstellungsform der beiden Gangs etwa durch die visuelle Überstilisierung ihrer Macht- und Statussymbole wird bei der Konfrontation der Gegner Benvolio und Tybalt fortgesetzt, die Luhrmann in ein unterhaltsames Zitatarrangement von genrespezifischen Filmstandards einbindet. Dem plötzlichen Verstummen des Dialogs folgt eine Stille, die nur durch Windgeräusche, vereinzelte Gitarrenklänge und den metallischen Ton eines sich im Wind bewegenden Schildes unterbrochen wird. Tybalt und Benvolio werden im Schuss-Gegenschuss-Verfahren präsentiert, wobei die alternierenden Detailaufnahmen der Augen besonders auffällig sind. Sowohl die Form der visuellen Darstellung als auch das Arrangement der Geräuschkulisse erinnern deutlich an konventionalisierte Inszenierungsmechanismen des Westerngenres, insbesondere an die pathetischen Formeln seines prominentesten Vertreters Sergio Leone. Der sich anschließende Schusswechsel hingegen wird als dynamisches Actionspektakel präsentiert, dessen aufwändige Zeitlupen-Stunts einen Bezug zu Actionfilmen à la John Woo evozieren. Der folgende Gewaltausbruch durchbricht die Komik jedoch auf signifikante Weise. Die Eskalation ungehemmter Brutalität wird metaphorisch durch ein brennendes Streichholz angedeutet, das eine Benzinspur entzündet und zur Explosion der Tankstelle führt. Luhrmann lässt mehrere Einstellungen folgen, in denen das Flammeninferno fast den gesamten Bildschirm ausfüllt, zusätzlich verdeutlichen eindrucksvolle Aufnahmen aus der Vogelperspektive das Ausmaß der Gewalt, die den Blick auf zusammengestoßene Autos, flüchtende Menschen und auf dem Boden liegende Verletzte freigeben.

Als deutliche Zäsur des überbordenden Gewaltpotentials inszenieren beide Regisseure die emotionale Verbindung zwischen Romeo und Juliet. Deren erste Begegnung lässt Baz Luhrmann vor einem blau beleuchteten Aquarium stattfinden, das sich im Hause der Capulets zwischen der Herren- und der Damentoilette befindet. Mit dieser Sequenz verlässt der Film das zuvor präsentierte ekstatische Partygetümmel; auch der Soundtrack etabliert einen Kontrast zu der lauten Hektik des Festes, indem er durch die dezenten Klavierklänge von Des'rees *Kissing You* akustische Entspannung und Ruhe einkehren lässt. Am Beginn der Begegnung steht eine unscharfe Einstellung, in der der Kamerablick durch das Aquarium hindurch auf Romeo gerichtet ist, der wiederum in einen Spiegel schaut. Weitere nahe Einstellungen fokussieren Romeos Gesicht durch unterschiedliche Öffnungen der Korallenkulisse, bis schließlich die Einstellung seines Auges in die eines zweiten Auges auf der anderen Seite des Aquariums übergeht und Romeo und Juliet sich im Schuss-Gegenschuss-Verfahren durch das leicht getrübte Wasser wahrnehmen. Durch die Bewegung der sachte dahingleitenden Fische und die der Kamera scheinen die Bilder ineinander zu fließen; die Montage lässt die beiden Gesichter wie Spiegelbilder erscheinen, die durch die Glaswölbung des Aquariums zusätzlich reflektiert werden. Diese Blickorganisation steht in deutlichem Kontrast zu der rasanten Schnittdynamik des übrigen Films, der für schnelle Wechsel und klare Trennungen steht. Romeo und Juliet scheinen sich in einem Schutzraum zu befinden, der sie von der Hektik Veronas abschirmt und ihnen damit eine besondere Form der Intimität zugesteht.

Wie eng die Gefühlswelt von Liebe und Erfüllung jedoch auch mit Trennungsschmerz und Todeserfahrung verknüpft ist, zeigt Luhrmann in einer Einstellung nach der Liebesnacht (III.5), die die Vertrautheit des Liebespaares durch einen aggressiven Flashback unterbricht. Romeo erwacht nicht durch den Gesang der Lerche, sondern nach einem Albtraum, der ihm (und dem Kinopublikum) die ins Wasser fallende Leiche Tybalts erneut vor Augen führt. Auch die Verabschiedung der Liebenden wird ambivalent gestaltet. Juliet blickt Romeo hinterher, der im Wasser des Pools untertaucht und damit eine visuelle Verbindung zu ihrem Liebesspiel evoziert – gleichzeitig formuliert Julia jedoch eine Vorahnung, die auf Romeos baldigen Tod deutet: »Me thinks I see thee now, thou art so low / As one dead in the bottom of a tomb« (III.5, 55–56). Luhrmann inszeniert die Wassersymbolik als ein vielgestaltiges Oszillieren zwischen unterschiedlichen Bedeutungskontexten, durch das der fließende Übergang zwischen den binären Oppositionen des Dramas visuell wahrnehmbar wird.

Auch bei Zeffirellis *Romeo and Juliet* steht vor dem ersten verbalen Austausch ein visueller. Zeffirellis Farbdramaturgie spielt dabei eine entscheidende Rolle. Inmitten des Festgeschehens taxiert Romeo mit seinen Blicken mehrere tanzende Mädchen, die Kleidung in unauffälligen Braun- und Orangetönen tragen. Plötzlich tritt in der Bildmitte Juliet hervor, deren leuchtend rotes Kleid sie signalhaft von den übrigen Festgästen abhebt. Sowohl Juliets Positionierung im Zentrum des Bildes als auch

Romeos gegengeschnittener bewundernder, beinah ehrfürchtiger Gesichtsausdruck heben diese Begegnung als ein besonderes Ereignis hervor.

Anders als bei Luhrmann verlässt das Paar den Ballsaal kein einziges Mal; trotzdem gelingt es Zeffirelli, eine Atmosphäre der Intimität inmitten eines öffentlichen Raumes wirkungsvoll in Szene zu setzen. Immer wieder fokussiert er die Gesichter der Liebenden in bedeutungsvollen Großaufnahmen, wodurch eine visuelle Verbindung erreicht wird, die Romeo und Juliet in auffälliger Weise von dem unübersichtlichen Festgetümmel distanziert. Der Überschwang ihrer Gefühle wird durch eine visuelle Konstruktion vermittelt, in der sich das Schwindelgefühl der überbordenden Emotion im Tanz auch auf den Zuschauer überträgt. Dass jedoch auch die intimen Momente des Glücks und der erfüllten Liebe durch die Vorahnungen von Gewalt und Tod durchkreuzt werden, verdeutlicht Zeffirelli durch verschiedene visuelle Kommentare. Auf Romeos schwärmerische Bemerkung »For I ne'er saw true beauty till this night« (I.5, 53) folgt eine Einstellung Tybalts, die eine signifikante Durchbrechung der romantischen Filmdramaturgie darstellt. Anstatt des begehrten Liebesobjekts wird Romeos stärkster Feind präsentiert, wodurch nicht nur eine Beziehung zu der gewaltsamen Familienfehde, sondern auch ein visueller Hinweis auf die tödliche Auseinandersetzung der beiden Antagonisten gegeben wird. Nach der Liebesnacht zeigt Zeffirelli zunächst eine Großaufnahme des Liebespaares, deren unbekleidete, aneinander geschmiegte Körper nur teilweise von einem weißen Betttuch bedeckt werden. Es folgt eine Panoramaaufnahme aus dem Fenster heraus, die den Blick auf die weitläufige Landschaft um Verona herum freigibt. Die Farbe weiß scheint hier für Reinheit und Unschuld zu stehen, die freie Landschaft für einen neu gewonnenen Lebensraum außerhalb starrer Grenzen und Beschränkungen. Doch der Eindruck einer ungetrübten Idylle währt nur kurz, denn die folgende Sequenz präsentiert die Konfrontation zwischen Juliet und ihren Eltern, in der die düsteren Vorahnungen von Zerstörung und Tod unübersehbar werden. Auch hier setzt Zeffirelli deutliche farbdramaturgische Akzente, in der die Isolation Juliets, die ein weißes Nachthemd trägt, durch den Kontrast der schwarzen Trauerkleidung der Eltern und der Amme angedeutet wird. Die Mise-en-scène unterstützt diesen Eindruck durch eine hierarchische Positionierung der Figuren, die Juliet kaum sichtbar am unteren Bildrand kauernd präsentiert, während die Erwachsenen übermächtig den Bildschirm ausfüllen.

Dem Modernisierungsanspruch bzw. dem Ansatz, den zeitgebundenen Shakespeare'schen Prätext den Sehgewohnheiten eines massenmedial geprägten Kinopublikums anzupassen, kommen die Regisseure auf unterschiedliche Weise nach. Gemeinsam ist beiden Regisseuren die Reduzierung und Umstrukturierung der Textvorlage sowie die Fokussierung des Generationenkonflikts mit einer eindeutigen Sympathielenkung in Bezug auf die jugendlichen Protagonisten. Sowohl Zeffirelli als auch Luhrmann betonen die Ungerechtigkeit einer Gesellschaft, in der die jüngere Generation sterben muss, während die ältere überlebt, indem sie den Tod der Gräfin Montague auslassen[7]. Auch Romeos Mord an Paris entfällt in beiden Filmversionen zu Gunsten einer positiveren Charakterisierung des Protagonisten.

Höchst unterschiedlich wird jedoch der Bezug zu der historischen Vorlage bzw. der Kommentar eines intermedialen Übersetzungsprozesses gestaltet. Während Zeffirelli die Verbindung zum kulturellen Kontext des Renaissance-

7 Beide Filme präsentieren eine Schlusssequenz, in der die beiden Elternpaare anwesend sind, während bei Shakespeare die Familienfehde auch Opfer auf Seiten der älteren Generation fordert: Montague: »Alas my liege, my wife is dead to-night, Grief of my son's exile hath stopp'd her breath« (V.3,210–211).

dramas vor allem durch die Konstruktion eines Settings mit mittelalterlicher Stadtkulisse und zeitgenössischen Kostümen etabliert, fügt Luhrmann etliche visuelle Shakespeare-Zitate ein, die mit der Darstellung einer postmodernen Gegenwartskultur kombiniert werden. An einem der Bauwerke in Verona ist ein Bautransparent mit der Aufschrift »Retail'd to posterity by Montague Constructions«[8] angebracht, ein Strandsupermarkt trägt den Namen »The Merchant of Verona Beach« (als Anspielung auf *The Merchant of Venice*), auf einem Werbeplakat ist zu lesen »Such stuff as dreams are made on. Prospero Whiskey« (eine Anspielung auf *A Midsummer Night's Dream* bzw. *The Tempest*), die Pool-Billard-Halle, in der sich Romeo und Benvolio treffen, heißt »Globe Theater« (wie Shakespeares eigene Spielstätte).

Auch der Soundtrack enthält Anspielungen auf den Shakespeare-Text, die sich besonders deutlich an den Titeln »Pretty Piece of Flesh« (One Inch Punch) und »To You I Bestow« (Mundy) zeigen – bei beiden handelt es sich um wörtliche Zitate aus *Romeo and Juliet*. Weiterhin werden transformierte Embleme und Logos präsentiert, die bekannte Markenzeichen zitieren, jedoch in den Kontext des Dramas eingebunden werden und damit eine erneute Gegenüberstellung von historischen und zeitgenössischen Zeichensystemen bewirken. Gloria Capulets Aufforderung »Read o'er the volume of young Paris' face« (I. 3, 81) wird mit der Einstellung einer Zeitschriftenausgabe kombiniert, deren Cover »Dave Paris, Bachelor of the Year« präsentiert. Der Titel des Magazins »Timely« erinnert in Namen und Aufmachung deutlich an das real existierende *Time-Magazin*, wird jedoch durch den Bezug

8 Eine bedeutungsreiche Anspielung auf *Richard III.*, wo auf die Konstruktion des Tower of London verwiesen wird. Das Zitat stellt somit nicht nur einen Bezug zum Shakespearetext dar, sondern etabliert ebenso eine Verbindung zu der gefängnisgleichen Atmosphäre Veronas. Vgl. William Shakespeare, *Richard III.* , III.1, 77.

zum Drama rekontextualisiert. Ein weiteres Beispiel ist eine riesige Werbetafel, deren Aufschrift »L'amour« in Farbe und typographischer Gestaltung ein indirektes Zitat der Coca-Cola-Werbung darstellt. Statt des Zusatzes »Enjoy« der Originalreklame enthält Luhrmanns Werbung die Ergänzung »Wherefore«, die auf die Perspektivlosigkeit der Liebe inmitten einer konsumorientierten Warenwelt hindeutet.

Besonders auffällig ist die Inszenierung der christlichen Symbolik, die in eine ambivalente Kombination von sakralen und profanen Bedeutungszusammenhängen eingebunden wird. Kreuze und Heiligenstatuen erscheinen als omnipräsente Ikonen auf Helikoptern und Fahrzeugen, als Raumdekorationen, Pistolenanhänger, Modeaccessoires, Gravuren, Rasuren oder Tätowierungen. Insbesondere die stilistische Gestaltung des Filmtitels, die am Ende des Vorspanns präsentiert wird, verweist auf diese ambivalente Verknüpfungsform. Luhrmann verbindet die Namen der beiden Protagonisten durch ein Kreuzsymbol, das sowohl auf die christliche Tradition als auch in der Andeutung eines Pluszeichens auf die Standardformel jugendlicher Liebeserklärungen hinweist. Somit fungiert das Kreuz als ein Emblem der Liebes- und Todesthematik, als ein Symbol der Verbindung und Trennung im Zwischenraum der Namen und nicht zuletzt auch als ein eigener Markenname des Luhrmann'schen Filmprodukts. Mit dieser subtilen Transformation des Shakespearetitels wird ein komplexes Muster der Einschreibung visualisiert, in dem sich unterschiedliche kulturelle Praktiken überlagern und ergänzen.

Luhrmanns Zitatpraxis, die eine Form des wechselseitigen Kommentars einschließt, ist bezeichnend für seinen Interpretationsansatz in Bezug auf die Shakespeare-Vorlage: »This particular performance draws attention to the fact of citation, to its distance from the text and from Shakespeare. Its bold and dissonant namings and labelings [...] help direct our attention to the gulf that separates text and performance«.[9] Zeffirellis Ansatz hingegen ist vielmehr der Versuch, Shakespeares komplexe Sprachmetaphorik durch filmische Inszenierungsmechanismen in eine visuell adäquate Filmgrammatik zu übersetzen: »Zeffirelli revels in the audience-involving visual opportunities that motion pictures afford. The wonderful richness of Shakespeare's words, their Renaissance copiousness and plenitude, has its cinematic parallel in the profusion of Zeffirelli's images.«[10]

Zeffirellis Anspruch als Regisseur besteht darin, Shakespeares Aussageintention durch genuin filmische Mittel (Manipulation der Bildgeschwindigkeit, Perspektivaufnahmen, blickdramaturgische Montagen) einem breiten Kinopublikum nahe zu bringen. Luhrmann erweitert diesen Ansatz um eine entscheidende Komponente: Durch die Verschränkung oppositionaler Elemente gestaltet er ein flexibles Zeichensystem, in dem sich unterschiedliche kulturelle Kontexte ständig überkreuzen und verschieben. Luhrmanns ideenreiche Collage aus historischen und heutigen Kulturzitaten verweist dabei auf einen medialen Transfer, dessen komplexe ästhetische Struktur ihre Entsprechung in der heterogenen Bild- und Tonsprache findet. Seine Entscheidung, *Romeo and Juliet* nicht in einer einheitlichen, geschlossenen Form, sondern im Wechsel unterschiedlicher Genres und Stile zu inszenieren, stellt damit die nachhaltig beeindruckendere Auseinandersetzung mit dem Wirkungszusammenhang eines Shakespearetextes dar.

9 Peter S. Donaldson, »›In Fair Verona.‹ Media, Spectacle, and Performance in *William Shakespeare's Romeo + Juliet*«, in: *Shakespeare After Mass Media*, hrsg. von Richard Burt, New York 2002, S. 61 f.

10 Robert Hapgood, »Popularizing Shakespeare. The Artistry of Franco Zeffirelli«, in: *Shakespeare, the Movie*, hrsg. von Lynda E. Boose und Richard Burt, London 1997, S. 85.

Text

Shakespeare, William. Romeo and Juliet/ Romeo und Julia (1597). Englisch-deutsche Studienausgabe. Deutsche Prosafassung. Anmerkungen. Einleitung und Kommentar von Ulrike Fritz. Tübingen 1999.

Filme

Romeo et Juliet. Regie: Georges Meliès. Frankreich 1901.
Romeo und Julia im Schnee. Regie: Ernst Lubitsch, Deutschland 1920.
Romeo and Juliet. Regie: George Cukor. USA 1936.
Les Amants de Vérone. Regie: André Cayatte. Frankreich 1949.
Romeo and Juliet. Regie: Renato Castellani. Großbritannien/Italien 1954.
Romanoff and Juliet. Regie: Peter Ustinov. USA 1960.
Romeo and Juliet. Regie: Franco Zeffirelli. Großbritannien/Italien 1968.
William Shakespeare's Romeo + Juliet. Regie: Baz Luhrmann. USA 1996.
Shakespeare in Love. Regie: John Madden. USA 1998.

Forschungsliteratur

Donaldson, Peter S.: In Fair Verona. Media, Spectacle, and Performance in *William Shakespeare's Romeo + Juliet.* In: Shakespeare After Mass Media. Hrsg. von Richard Burt. New York 2002. S. 59–82.
Hapgood, Robert: Popularizing Shakespeare. The Artistry of Franco Zeffirelli. In: Shakespeare, the Movie. Hrsg. von Lynda E. Boose und Richard Burt. London 1997. S. 80–94.
Holderness, Graham: Visual Shakespeare. Essays in Film and Television. Hertfordshire 2002.
Pilkington, Ace G.: Zeffirelli's Shakespeare. In: Shakespeare and the Moving Image. Hrsg. von Anthony Davies und Stanley Wells. Cambridge 1994. S. 163–179.
Tatspaugh, Patricia: The Tragedies of Love on Film. In: The Cambridge Companion to Film. Hrsg. von Russell Jackson. Cambridge 2000. S. 135–159.

Macbeth (William Shakespeare – Orson Welles, Akira Kurosawa, Roman Polanski)

Der Kreislauf des Bösen

Von Johann N. Schmidt

I

Kaum ein Zweig der Literaturverfilmung hat die Diskussion über werkgetreue Transponierung und freie Interpretation so sehr angestoßen wie die zahlreichen Shakespeare-Adaptationen. Da der Bezugsgegenstand – in diesem Fall der Dramentext – eine klare Vorgabe zu liefern scheint, verlief die Debatte lange Zeit unter den Gesichtspunkten Textnähe und Abweichung vom Text. Die Fragestellungen, die sich daraus ergaben, waren von einem philologisch motivierten Erstanspruch bestimmt: Wie lassen sich filmische Eingriffe in die Handlungsstruktur der Stücke begründen, wie verhält es sich mit der medial bedingten ›Verrechnung‹ textlicher und visuell umgesetzter Anteile?[1] Sind Shakespeares Stücke in erster Linie Sprachkunstwerke, denen durch die filmische Vorliebe für vordergründig Spektakelhaftes etwas Wesentliches entzogen wird? Was sagt es über den künstlerischen Stellenwert der einzelnen Filme aus, wenn auf den prozentualen Textanteil aus der Dramenvorlage verwiesen wird (fast 100 Prozent bei Branaghs *Hamlet*, null Prozent bei Kurosawas *Schloß im Spinnwebwald*)? Ist das populäre ›Kino der Sensationen‹, das sich

1 Vgl. u. a. Hans-Joachim Prümm, *Film-Script: William Shakespeare. Eine Untersuchung der Film-Bearbeitungen von Shakespeares Dramen am Beispiel ausgewählter Tragödien-Verfilmungen von 1945–1985*, Amsterdam 1987, der sich in seiner Untersuchung auf die zentralen Kriterien der Textselektion und -addition, der Figurenkonzeption und der Eingriffe in die Handlungsstruktur konzentriert.

schon seit Stummfilmzeiten Shakespeare verschrieben hat, von vorneherein dem ernsthaften ›art house drama‹ unterlegen?

Alle diese Fragen, wie immer sie im Einzelfall beantwortet werden mögen, gehen am eigentlichen Problem vorbei. Sie folgen einer inzwischen als überholt angesehenen Logik, nach der ein einziges unverrückbares Textverständnis die Vergleichsmaßstäbe diktiert, wobei allenfalls zugestanden wird, dass der Film spezifische Gestaltungsregeln besitzt, die ›irgendwie berücksichtigt‹ werden müssen. Auf der anderen Seite sollten die Befürworter einer dezidiert visuellen Umsetzung bedenken, dass seit der Einführung des Tonfilms gesprochene Sprache ein integraler Bestandteil des Kinoerlebnisses ist. Filmischen Shakespeare-Bearbeitungen kann man also weder mit einem rigiden Verweis auf die Textvorlage noch mit einem puristischen Konzept vom ›filmischen Film‹ gerecht werden.

In seiner wegweisenden Studie hat Jack J. Jorgens ein Unterscheidungsschema aufgestellt, das die vorliegenden Shakespeare-Verfilmungen in »theatralische«, »realistische« und »filmische« unterteilt.[2] Jorgens räumt ein, dass die Stilgebungsverfahren nicht so leicht voneinander zu trennen sind, doch das eigentliche Problem liegt darin, dass sich seine Kategorien auf allzu unterschiedlichen Ebenen bewegen. Theatralisches kann etwa eine höchst »filmische« Dimension erhalten, wenn – wie in Oliviers *Henry IV.* – gerade die Bühnenhaftigkeit einer Aufführung innerhalb des Geschehensablaufs betont werden soll. Ein »realistischer« Eindruck beruht wiederum auf den betont filmischen Mitteln der Bilddynamik, des Perspektivenwechsels sowie der Möglichkeit von rasch einander ablösenden Realschauplätzen.

Freilich stellt Michael Anderegg zu Recht fest, dass die oft behauptete Eignung Shakespeare'scher Werke für das

2 Jack J. Jorgens, *Shakespeare on Film*, Lanham (u. a.) 1991, S. 7–16.

Kino stärker davon ausgeht, was ein Medium an vielfältigen Bearbeitungsmöglichkeiten bereitstellt, und weniger davon, was an ihm selbst wesensbestimmend ist.[3] Dies bedeutet: Jede Adaptation muss in dem von ihr gewählten Medium erst ihre eigene Gestaltungslogik finden. Sie ist Interpretation des Stückes nicht nur im thematischen Sinn, sondern auch im Kontext all der Realisierungsangebote, in denen sich die technischen Voraussetzungen wie auch der filmästhetische Entwicklungsstand der Entstehungszeit niederschlagen. Zugleich nimmt sie – direkt oder implizit – Bezug auf jeweils aktuelle Lesarten, Re-Interpretationen und Bearbeitungen (Bühneninszenierungen, TV-Plays, Vorlage für Opern, Musicals etc.), sodass sie in einem weiten Feld dialogischer Transaktionen angesiedelt ist. Selbst wissenschaftliche oder kritische Neubewertungen haben hier ihren Ort: man denke an den Einfluss psychoanalytischer Ansätze auf Oliviers *Hamlet*-Film oder Peter Brooks' Rezeption von Jan Kott für den *King Lear*.

Bevor also die Frage nach Werktreue gestellt wird, muss unser Verständnis von Shakespeare als ›Schöpfer‹ von Dramen revidiert werden, die gleichsam in ihrer ein für alle Mal festgelegten Bedeutung ruhen. Ohne die immense Bedeutung des originären Verfassers leugnen zu wollen (für den Shakespeare ohnehin mehr als Chiffre denn als historische Persönlichkeit steht), liegt dem Begriff eine unverwechselbar individuelle Wesensbestimmung zugrunde, der gegenüber jede Form des Remake, der Nachahmung, der Verarbeitung und des Wiedererzählens als epigonal erscheinen.

In der Bühnengeschichte ist der Historismus, der die Dramen aus ihrer Zeit heraus zu erklären versucht, immer wieder mit dem Präsentismus in Konflikt geraten, der die Relevanz der Stücke fürs Hier und Heute austestet. Jenseits der bekannten Beispiele für vordergründige Aktuali-

3 Michael Anderegg, »Welles / Shakespeare / Film. An Overview«, in: *Film Adaption*, hrsg. von James Naremore, London 2000, S. 157.

sierung (Hamlet im Frack, Richard III. als Hitler-Figur) ist die Alternative zwischen historischem und zeitgenössischem Verständnis alles andere als zwingend. So lässt sich an zentralen Problematiken in *Macbeth* aufzeigen, dass bereits der Text selbst vermeintliche Eindeutigkeiten ›destruiert‹, oder zumindest mehrdeutig gestaltet.

Aus dem Stück ist, nicht zu Unrecht, die Bekräftigung einer traditionell-hierarchisch gegliederten Ordnung herausgelesen worden, die den wahren König (James I.) als ›Heiler‹ und legitimen Herrscher feiert. Am Ende findet das Schema der De-casibus-Tragödie zu seinem Ausgangspunkt einer vorbildlichen Herrschaftsausübung zurück, der verlassen wurde, als Macbeth den idealen Kreislauf durch tödlichen Ehrgeiz und Usurpation umzukehren begann. Das Drama kann so mühelos als Exempel gegen Umsturz und Werteverfall verstanden werden. Freilich darf eine solche Lesart vor dem heutigen Verstehenshorizont kaum mehr mit großem Zuspruch rechnen. Doch noch weniger vermag der verengte historische Zugang die beunruhigende Ambivalenz zu erklären, die dem Stück innewohnt. Der Horror, der Wahnsinn und die Tyrannei erreichen nämlich eine Dynamik des Bösen, die durch eine Restauration der Verhältnisse nur noch mühsam (wenn überhaupt) aufgehalten werden kann. Deutlich wird, was Horst Breuer den »Zukunftshorizont« des Stückes nennt: ein »Herausfallen aus allen haltgebenden Ordnungen« und eine Selbstzerstörung der Identitätsstruktur, die in »moderne« Vereinzelung mündet.[4]

Die Wege eines primär historisierenden und eines vorwiegend präsentischen Verständnisses gehen noch in einer Reihe weiterer Aspekte auseinander. Während die Hexen zu Shakespeares Zeit in ihrer Übernatürlichkeit durchaus ›reale‹ Schicksalsmächte verkörpern konnten, die kraft ih-

4 Horst Breuer, »›Macbeth‹. Die Zerstörung der Natur«, in: *Shakespeares Drama. Interpretationen*, Stuttgart 2000, S. 343.

rer Mehrdeutigkeiten aus Macbeth die Bereitschaft zur bösen Tat hervorlocken, werden sie in den Deutungen etwa eines Terry Eagleton zu prophetisch-spöttischen Repräsentantinnen einer Gegenmacht. Sie sind es, die die fest gefügten Fronten patriarchalischer Herrschaft ins Wanken bringen und ›ewige Wahrheiten‹ – wie die von gut und böse, wirklich und imaginär, männlich und weiblich – auflösen.[5]

Die vielleicht größte Kluft zwischen historischem und modernem Verstehen hat an ihrem Ursprung die Fähigkeit (oder auch Unmöglichkeit), überhaupt noch eine tragische Vision zu entwickeln. Eine solche Vision sieht zumindest eine moralische Werteordnung mit Entscheidungsalternativen für den Einzelnen vor, auch wenn diese in unlösbarem Widerstreit liegen. In einer Zeit hingegen, da das Individuum entweder zu seiner Entlastung auf die Fürsorglichkeit und psychologische Einfühlung seitens der Umwelt hofft oder aber sich dem »Großen Mechanismus«[6] eines übermächtigen Systems ausgeliefert fühlt, kann schwerlich eine tragische Konfliktkonstellation entstehen.

Graham Holderness bemerkte, dass bereits in Shakespeares Drama die aus Clans sich herausdifferenzierende Gesellschaft vornehmlich auf Machtgewinn und Machterhalt gegründet sei; Macbeth wäre demnach nicht wirklich ›böse‹, sondern einfach nur ›zu gut‹ in der Ausbildung jener Eigenschaften, auf die es in einer korrupten Welt ankomme.[7] Auch eine solche Deutung ist nicht mit einem Ende vereinbar, das ein Klima der Läuterung und eine mit sich selbst versöhnte Gesellschaft vorsieht.

Die Beispiele haben deutlich gemacht, dass die filmische Adaptation eines Shakespeare-Stückes nicht nur selbst vor einem Deutungszwang steht, sondern auch auf bereits be-

5 Terry Eagleton, *William Shakespeare*, Oxford 1986, S. 2 f.
6 Jan Kott, *Shakespeare Our Contemporary*, London 1967, S. 68.
7 Graham Holderness, »Macbeth. Tragedy or History«, in: *Stagebill* (June 1992), S. 12.

stehende Sinnzuschreibungen reagiert. Das eigentliche Kriterium für Gelingen oder Scheitern einer Shakespeare-Verfilmung wäre folglich, wie künstlerisch zwingend sich ihre Auseinandersetzung mit der Vorlage unter interpretatorisch wie auch medial veränderten Voraussetzungen vollzieht. Adaptationen können gar nicht anders, als von der Pluralität eines Textes (also seiner Transformierung in viele Texte) auszugehen. Die so häufig beschworene Universalität Shakespeares ist auch Resultat des Dialogs, der – in Form von Re-Interpretationen, Umschreibungen, intertextuellen Neuauslegungen – zwischen dem Dramenwerk und unseren veränderten Denk- und Präsentationsweisen stattfindet.

Häufig wird über Dramenverfilmungen gesprochen, als wären sie unmittelbarer Ausdruck der schöpferischen Freiheit ihrer Regisseure, die einer lang gehegten Vision Ausdruck verleihen. Filme aber entstehen in produktionspolitischen und kommerziellen Kontexten, sie benötigen einen großen Apparat und eine funktionierende Distribution und zielen im Regelfall auf ein in seiner Zusammensetzung heterogeneres Publikum als eine Theaterinszenierung. Dies erklärt, warum bis zu den bahnbrechenden Erfolgen von Zeffirellis und Luhrmanns *Romeo and Juliet*-Verfilmungen Dramenadaptationen vornehmlich als »Kassengift« galten und sie ihre Zuschauer eher auf Festivals, Sonderveranstaltungen und Filmkunsttheatern als in den großen Kommerzkinos fanden.

II

Wie für jedes große Shakespeare-Drama lässt sich auch für *Macbeth* ein Kanon herausragender Umsetzungen benennen. Mit Orson Welles, Akira Kurosawa und Roman Polanski ist diese Tragödie mit ›großen Namen‹ der Filmgeschichte verbunden, während diverse Fernsehverfilmungen

– darunter die von Trevor Nunn (1976) und Jack Gold (1983) – einer von der Kinotransponierung unterschiedenen Aufzeichnungsästhetik gehorchten. Die frühesten bekannt gewordenen *Macbeth*-Verfilmungen stammen aus Frankreich, Italien und den USA; sie enthielten einzig statisch abgefilmte Szenenausschnitte von rein dokumentarischem Wert.[8] Die erste Tonfassung von annähernd normaler Filmlänge (73 Minuten) wurde 1947 von David Bradley an der Northwestern University mit einem Mini-Budget von 5000 US-Dollar produziert. Sie sollte vor allem gegen Gebühr an Schulen verliehen werden. Die Kostüme waren von dem noch unbekannten Charlton Heston entworfen worden, die Requisiten stammten aus Trödelläden, hölzerne Degen steckten in aus Papierhandtüchern geformten Scheiden.[9] Bemerkenswert ist dieses Experiment als Vorläufer eines Independent Cinema, das zu realisieren versuchte, was innerhalb der Hollywood-Industrie kaum Chancen hatte.

Im Kontext unabhängiger Produktionen ist auch noch die erste *Macbeth*-Adaptation zu sehen, die sich ganz dezidiert als filmische Auseinandersetzung mit dem Dramenvorwurf verstand. Der Regisseur und Hauptdarsteller Orson Welles fand 1947/48 die denkbar ungünstigsten Drehbedingungen vor. Die Produktionsfirma, Republican Pictures, war vor allem für Billigserien und zweitrangige Western bekannt, das magere Budget erlaubte nur ausgemusterte Sets und Kostüme, die vorgesehene Drehzeit belief sich auf drei Wochen. Welles selbst nannte sein Werk »a violently sketched charcoal drawing of a great play«[10].

8 Siehe Douglas Brode, »Fatal Vision. ›Macbeth‹«, in: D. B., *Shakespeare in the Movies. From Silent Era to ›Shakespeare in Love‹*, Oxford 2000, S. 177.

9 Brode (Anm. 8), S. 178 f.

10 Zit. in Kenneth Rothwell, *A History of Shakespeare on the Screen. A century of Film and television*, Cambridge 1999, S. 74.

Die Beschränkungen seines *Macbeth* liegen so sehr auf der Hand, dass sie keiner großen Erwähnung bedürfen. Dilettantische Kulissen aus Papiermaché sind gnädig hinter Wolken und Nebelschwaden versteckt. Macbeth trägt aus dem Fundus von Republic Pictures Kopfbekleidungen, die Kritiker als Wikingerhelm, umgestoßenen Kinderstuhl und Krone der amerikanischen Freiheitsstatue verhöhnten. Da zudem das Stück um zwei Drittel gekürzt war, hatte die gesamte Produktion »a lean and hungry look«[11]. Der harte Schnitt und die Verkantungen bei den Einstellungswinkeln erinnern an Vorbilder des deutschen Expressionismus, bestimmte Bildkompositionen an Eisensteins *Alexander Newskij*, die *chiaroscuro*-Effekte an die Licht- und Schattenwelt des Film noir. Um das Tempo der amerikanischen Schauspieler zu verlangsamen, ließ Welles sie in einem breiten schottischen Akzent deklamieren, der selbst in England nach Untertiteln verlangt hätte und deshalb von der Produktionsfirma durch eine neue Synchronisation ersetzt wurde.[12]

Das Prinzip der Mixtur setzt sich auf der Ebene geschichtlicher Festlegungen fort. Man hat Welles eine »Entpolitisierung« und »Enthistorisierung« des Stoffes vorgeworfen; die zahlreichen Anachronismen würden zur Verwirrung des Publikums beitragen und eine Unverbindlichkeit des Zeitbezugs herstellen.[13] Frühes Mittelalter trifft auf den Voodoo-Kult des 19. Jahrhunderts, keltische Symbole erscheinen auf postnuklearen Zerstörungsszenerien, paläontologische Felseingänge führen in Renaissanceinterieurs. Der einzige markante geschichtliche Bezug betrifft den Konflikt zwischen frühzeitlichem Chaos und

11 Anderegg (Anm. 3), S. 159.

12 Die Filmabteilung der UCLA und die Folger Library brachten 1979 eine restaurierte – als Video erhältliche – Version heraus, die der ursprünglichen Fassung sehr nahe kommt.

13 Siehe den Aufsatz von Arthur Lindley, »Scotland Saved from History. Welles's Macbeth and the Ahistoricism of Medieval Film«, in: *Literature / Film Quarterly* 29:2 (2001), S. 96–100.

zivilisierter Ordnung, Heidentum und Christianisierung. In einem (später herausgeschnittenen) voice-over-Prolog werden die Mächte des göttlichen Gesetzes gegen die »Priester der Hölle und Magie« ausgespielt, und das Kreuz der Kelten erscheint im Kontrast zu den primitiv gegabelten Stecken der Hexen. Um die christliche Dimension noch zu verstärken, lässt Welles einen eigens erfundenen »Holy Father« auftreten. Er vertreibt die Hexen, die kurz davor einer aus Lehm geformten Voodoo-Puppe (Macbeth) die Insignien von Thane und König verliehen.

Es macht einen der Widersprüche des Films aus, dass Macbeth trotz Degenerierung in einen barbarischen Zustand eine überlebensgroße Figur bleibt, der auch ein Rest von Naivität und Unschuld anhaftet. Meist ist er aus der Untersicht aufgenommen, sodass der Eindruck überwältigender Autorität entsteht. Er ist der »natural man«, der – anders als vom Tragödienschema vorgesehen – die Möglichkeit einer freien Wahl gar nicht erst in Betracht zieht. Der darin zum Ausdruck kommende Persönlichkeitskult, der sich nicht zuletzt in Welles' Anspruch auf komplette künstlerische Kontrolle und sein Image als genialer ›overreacher‹ ausdrückt, verweist deutlich auf frühere Welles-Darstellungen (*Citizen Kane*, Harry Lime in *The Third Man*).

Der Schluss des Films lässt nur eine schwache Alternative zu Macbeths tyrannischer Herrschaft zu. Zwar wird die Voodoo-Puppe geköpft, doch während Malcolm von Macduff zum König von Schottland ausgerufen wird, ergreift der junge Fleance die vor seine Füße rollende Krone von Macbeth und beratschlagen die Hexen vor Schloss Dunsinane über weiteres Ungemach. Geschichte erscheint als Zyklus, in dem Zivilisation und Barbarei einen ewigen Kampf ausfechten. Hierin antizipiert Welles' Film Jan Kotts These vom »Großen Mechanismus«.

Wenn Welles' Adaptation trotz aller Unzulänglichkeiten zu den herausragenden *Macbeth*-Verfilmungen gehört, so liegt dies an der Erfindungskraft und Energie, womit hier ein gewaltiges Psychodrama entfaltet wird – veräußerlicht in den labyrinthischen Dekors und der düster-nebligen Albtraumlandschaft. Gerade weil es dem Film an philologischer Kontrolle und diszipliniertem Kunstverstand mangelt, erreicht er stellenweise eine poetische Unbedingtheit und Radikalität des Ausdrucks, die vertrackterweise doch mehr mit Shakespeare zu tun haben als all die betulichen Transponierungen, die auf eine Wahrung des Geists der Vorlage bedacht sind.

Akira Kurosawas *Das Schloß im Spinnwebwald* (*Kumonoso-jo*, 1957) gilt als »cross-cultural adaptation«, da es den Stoff von einer Kultursphäre in eine andere – vom mittelalterlichen Schottland ins feudale Japan – überträgt. Wie bei jeder echten Übersetzung kommt es dabei in der ›Zielsprache‹ zu sinngemäßen Angleichungen, kulturellen Transfers und inhaltlichen Äquivalenzbildungen. Darüber hinaus wagt Kurosawas Film auch eine intermediale Grenzüberschreitung, übernimmt er doch aus Shakespeare keine einzige Zeile, sondern versucht, für den Gehalt der Verse ausschließlich visuelle Entsprechungen (*visual poetry*) zu finden. Paradoxerweise wurde er gerade dafür von einigen Kritikern als die vollkommenste und reinste Adaptation gerühmt, obgleich er am konsequentesten vom Shakespeare'schen »Wortkunstwerk« Abschied nimmt. Darüber hinaus stellt er ganze Plotelemente in neue Kontexte und engt die moralische Entscheidungsbasis der Figuren drastisch ein. So sind Washizus/Macbeths Handlungen durch eine sinnentleerte Welt bereits vordeterminiert; Kuniharn/Duncan erweist sich als gnadenloser Despot, der seinen Herrn tötet, um dessen Position zu erlangen; Asaji / Lady Macbeth führt ihre (vorgetäuschte?) Schwangerschaft an, um Washizu die Ermordung von Miki/Banquo plausibel zu machen; Washizu selbst wird am Schluss von den eigenen Leuten getötet. Joan Mellen hat die Verschiebung gegenüber Shakespeare prägnant formuliert: »In place of a hero with a tragic flaw, we have a society with a tragic flaw.«[14]

Wenn die Form die Funktionen eines Kunstwerks bestimmt, dann ist Kurosawas visuelle Strategie der Entindividualisierung seiner Figuren geradezu ein Modellbeispiel. Sein Film, der Totalen und Halbtotalen anstelle von Nahaufnahmen bevorzugt, ist nach den Konventionen des japanischen Noh-Theaters gestaltet, d. h. einer stark ritualisierten Tanzform, die im 16. Jahrhundert ihren Höhepunkt erreichte und nur vor Samurais aufgeführt werden durfte.[15] Wichtiger als das individuelle Schicksal sind in ihm die gesellschaftlichen, aber auch die spirituellen Kräfte, die das Tun des Einzelnen bestimmen. Wenn etwa Asaji maskenhaft starr in horizontal verengten Räumen auftritt, so soll diese Stilisierung ihrem Charakter eine parabelhafte Zuschreibung all der Zwänge verleihen, die sie innerlich beherrschen. In den rigiden Codes der Krieger offenbart sich wiederum eine lange Tradition der aggressiven Militarisierung und Reglementierung, die Kurosawa bis in die Zeit nach dem Zweiten Weltkrieg erhalten sieht. Die *Macbeth*-Adaptation ist eine kaum verhüllte Auseinandersetzung mit feudalen Strukturen, die noch die moderne japanische Gesellschaft netzartig überziehen.

Der Spinnwebwald repräsentiert ein nebelverhangenes Naturlabyrinth mit doppelter Bedeutung: als Gegenwelt zur hierarchisch verfestigten Schlossgesellschaft, aber auch als Hort moralischer Verstrickung. Hier ist der Waldgeist zu Hause, ein androgyner Dämon, der als Entsprechung zu den drei Hexen am Spinnrad die Schicksalsfäden zieht und sich am Ende der beiden Begegnungen mit Washizu in Luft auflöst. In Kleidung und Habitus ähnelt der Geist

14 Joan Mellen / Bernice Kliman, »On Kurosawa's ›Throne of Blood‹«, in: *The Literary Review 22* (1979), S. 460–489, hier S. 462.

15 Vgl. Brian Parker, »Nature and Society in Akira Kurosawa's ›Throne of Blood‹«, in: *University of Toronto Quarterly 66:3* (1997), S. 508–525, hier S. 598–513.

Asaji: Beide bestärken Washizu in seinem todbringenden Ehrgeiz, für den eine korrupte Kriegergesellschaft den Boden bereitet hat.

Ein ehrenvoller Tod im Zweikampf bleibt Washizu anders als Macbeth verwehrt. Aus allen Richtungen geschleuderte Pfeile spicken seinen Körper wie ein Nadelkissen, bis er allein gelassen zusammenbricht. Es ist das Volk, das der Macht der Herrschenden ein Ende bereitet.

Das Schloß im Spinnwebwald entwickelt seine eigene Poesie in der Schwarz-Weiß-Komposition der Bilder, die an Tuschzeichnungen erinnern. Statische Tableaus (vor allem in Innenräumen) wechseln mit eruptiven Schnittfolgen (so bei der Durchquerung des Waldes). Ob Kurosawas Film nur als »an allusion to Shakespeare« (Frank Kermode)[16] oder doch als kongeniale Adaptation gelten kann, ist nicht zuletzt davon abhängig, welchem der Zeichensysteme ›Wort‹ und ›Bild‹ bei der filmischen Transponierung Vorrang eingeräumt wird.

Roman Polanskis *Macbeth* (1971) reflektiert als Medienereignis so sehr gesellschaftliche und kulturelle Tendenzen der frühen Siebzigerjahre, dass er in der Rückschau selbst zum Spiegel jener Ära geworden ist. Nur ein Jahr zuvor war Polanskis schwangere Ehefrau Sharon Stone im rituellen Charles-Manson-Massaker ermordet worden. Die Hippie-Bewegung von »love and peace« war mit den blutigen Ausschreitungen während eines Rolling-Stones-Konzerts in Altamont endgültig vorbei. Mit der sowjetischen Invasion der ČSSR und der Eskalation des Vietnamkriegs erreichten Bilder von extremer Grausamkeit die heimischen Bildschirme. Nicht zuletzt bedingt durch eine Lockerung der Zensur konnte im Kino Brutalität als Phänomen des Alltags in ihren abstoßendsten Zügen präsentiert werden. Fast zeitgleich mit *Macbeth* kamen zwei

16 Zit. in Graham Holderness, »Radical Potential. ›Macbeth‹ on Film«, in: *Macbeth. Contemporary Critical Essays*, hrsg. von Alan Sinfield, London 1992, S. 151–160, hier S. 156.

höchst kontroverse Filme, Kubricks *A Clockwork Orange* und Peckinpahs *Straw Dogs*, zur Uraufführung. Die drei Werke, so unterschiedlich sie sein mögen, enthalten eine strukturell ähnliche Schlüsselszene, die auf ein Trauma jener Epoche hinzuweisen scheint: wie nämlich in den familiären Mikrokosmos eine unkontrollierte Gewalt derart abrupt und eruptiv einbricht, dass alle rationalen Erklärungen zu versagen scheinen.

Polanski war zu jener Zeit bereits berüchtigt für die Verbindung von Gewalt, Sexualität und übernatürlichen Mächten. Als er bekannt gab, dass er den *Playboy*-Herausgeber Hugh Hefner als Produzenten für eine *Macbeth*-Verfilmung gewonnen hatte – unter der Voraussetzung, dass Lady Macbeth in der Schlafwandlerszene nackt auftrete –, starteten die Puristen unter den Shakespeare-Anhängern eine Unterschriftenaktion, in der sie auch gegen den Drehbuchautor (und Kritiker) Kenneth Tynan protestierten, der erst kurz davor mit dem Musical *Oh! Calcutta!* die neuen Zensurgrenzen ausgetestet hatte. Ein »nudie Shakespeare film« mit spekulativen Schockszenen bildete so den Erwartungshorizont für das Projekt.

Der fertige Film enthält zwar Bilder von großer Grausamkeit, doch wirken sie gerade deshalb so bestürzend, weil sie als »logical extension of the drama« (Polanski) fungieren. Der Regisseur zeigt, wie Gewalt und Zerstörung zustande kommen und eine Eigendynamik entwickeln, bis auch noch die Unschuldigsten zu ihren Opfern werden – am erschütterndsten in jener Sequenz, in der Macbeths Schergen in Macduffs Schloss eindringen, als Lady Macduff ihren Sohn badet.[17] Ähnlich wie in der Schlafwandlerszene mit Lady Macbeth indiziert hier Nacktheit eine anrührende Verwundbarkeit und dürfte,

17 Polanski führt Erinnerungen aus seiner Kindheit an, als SS-Schergen in den polnischen Ghettos auch noch in die Kinderzimmer eindrangen. Siehe Randal Robinson, »Reversals in Polanski's ›Macbeth‹«, in: *Literature / Film Quarterly* 22:2 (1994), S. 105–108, hier S. 105.

wie auch der Auftritt der Hexen, »little to the taste of Playboy readers«[18] gewesen sein. Als am Schluss der vereinsamte Macbeth nochmals den Kampf sucht, verstärkt Polanski auf der Tonspur die krude Materialität des Geschehens: mit den metallischen Hieben der Schwerter und dem dumpfen Geräusch beim Durchschlagen von Knochen.

Mit Jon Finch (28) und Francesca Annis (25) engagierte Polanski zwei noch junge Schauspieler, deren Sprechweise von Teilen der Kritik als flacher Konversationston gerügt wurde. Zwar liegt wiederum eine zeitgenössische Parallele nahe (Macbeth und Lady Macbeth als Vorläufer der egoistisch-ehrgeizigen Yuppies), und als historische Begründung wurde die viel niedrigere Lebenserwartung im Mittelalter angeführt.[19] Doch sollten sie vor allem als ein Paar erscheinen, dessen gegenseitige erotische Anziehung ihre »partnership in crime« plausibel macht. Lady Macbeth besitzt denn auch nichts Dämonisches, sondern trägt eher die Züge einer jungen Frau, die je nach Anlass anmutig oder von eiserner Konsequenz sein kann.

Von allen *Macbeth*-Regisseuren legt Polanski den größten Wert auf die historisch inspirierte Rekonstruktion einer Epoche, die sich im Umbruch befindet. Sein Schottland des 11. Jahrhunderts ist einerseits ein archaischer, unwirtlicher Ort. Das Schloss mit seinem Innenhof voller Hühner und Schweine ist demgegenüber eine eher häusliche Stätte mit gastfreundlicher Bewirtung, die jedoch unversehens zur tödlichen Falle wird. Das Übernatürliche erscheint damit zunehmend domestiziert und in einen gesellschaftlichen Rahmen gestellt. So beginnt die Hexen-

18 John Russell Taylor, *The Times*, 4 February 1972, S. 9, zit. in: Deborah Cartmell, *Interpreting Shakespeare on Screen*, Basingstoke 2000, S. 17–20, hier S. 20.

19 Nach Holingshead entwickelt sich Macbeth freilich erst nach zehn Jahren strenger und gerechter Herrschaft zum Tyrannen, was auf ein reiferes Alter verweist.

szene zwar noch in einer frühzeitlichen, menschenleeren Kulisse von Himmel und Meer, doch sind die »weird sisters« keine dämonischen Wesen, sondern alte Vetteln, denen Macbeth vor allem glaubt, weil er sich in seinem Aufstiegswillen bestätigt fühlt. Hier wie auch in späteren Sequenzen bringt Polanski eine Ring- und Kreismetapher ins Spiel, die sich zur Zirkelstruktur in der Plotgestaltung ausweitet: Zuerst der mit einem Krummstab in den Sand gezeichnete Kreis, dann die Schlingen beim Erhängen aufständischer Soldaten, die runde Halterung der Krone, die von Duncans Haupt fällt, das Eisenband um Cawdors Hals, der Metallring für den Bären, der Kessel der Hexen usw.

Polanski bringt hiermit in eine ikonisch zwingende Gestalt, was im Gesamtgeschehen zu einer Strukturentsprechung von Anfang und Ende im Sinne eines sich schließenden Kreises wird. Nach Macbeths Tod und Malcolms Krönung nähert sich – zu den schon zu Beginn des Films vernommenen dissonanten Akkorden der Third Ear Band – ein einsamer Reiter dem Unterschlupf der Hexen. Sein hinkender Gang weist ihn als Malcolms jüngeren Bruder Donalbain aus, der dem Lockgesang der »weird sisters« folgt. Da die Szene als Epilog eine prominente Stelle einnimmt, enthält sie mehr als nur einen vagen Hinweis, dass sich der Zyklus von Usurpation und Chaos fortsetzen wird. Das Gute ist entweder zu schwach oder zu sehr mit dem Bösen verwoben, als dass ein positiver Ausblick erlaubt wäre. Die reinigende Katharsis der Tragödie, die das Unheil letztlich bannt, fehlt im Weltbild des Regisseurs, der die Machtmechanismen unterschiedlichster Gesellschaftssysteme in eigener Anschauung erfahren hat.

Die pessimistische Lösung des Films bereitet sich bereits vor, als Ross die zu Boden gefallene Krone Macbeths aufhebt und sie Malcolm aufsetzt. Mit der Figur von Ross nimmt Polanski die vielleicht markanteste Uminterpretation vor. Ausgehend von der Beobachtung, dass Macbeths

Vertrauter verdächtig oft präsent ist, dass er Lady Macduff zwar besänftigt, sie aber nicht vor den Schergen beschützen kann, hat Polanski aus ihm einen opportunistischen Drahtzieher gemacht. Als »dritter Mörder« liquidiert er die beiden anderen nach getaner Arbeit, öffnet Macduffs Schlosstore für Macbeths Erfüllungsgehilfen und wechselt mühelos die Seiten, als sich der Machtwechsel ankündigt. Meist nur der Mann im Hintergrund, ist er doch allgegenwärtig und wird vom ehemaligen Romeo-Darsteller John Stride mit der freundlichen Willfährigkeit eines Trittbrettfahrers ausgestattet.

Wollte man die Verfilmungen von Welles, Kurosawa und Polanski auf einen gemeinsamen Nenner bringen, so scheint in ihnen die Perspektive auf eine neue, bessere Ordnung verbaut. Ihre Weltsicht gleicht in vielem der von Macbeth selbst: »a tale told by an idiot, signifying nothing«. Die Wandlung zur Erkenntnis, wie sie sich in der Tragödie vollzieht, leitet nicht mehr zu einem größeren Sinnzusammenhang über. Sie bringt den Betrachter allenfalls zur Einsicht, dass Ordnungen fehlbar, widersprüchlich und absurd sein können. Sie sind nicht die Kehrseite des Chaos, sondern häufig sogar seine unabdingbare Voraussetzung – ganz im Sinne des »fair is foul«, das das Stück als Grundton durchzieht.

Text

Shakespeare, William: Macbeth. Übers. und hrsg. von B. Rojahn-Deyk. Stuttgart 1977.

Filme

Macbeth. Regie: Orson Welles. USA 1948.
Das Schloß im Spinnwebwald. (Kumonoso-jo). Regie: Akira Kurosawa. Japan 1957.
Macbeth. Regie: Roman Polanski. USA 1971.

Forschungsliteratur

Anderegg, Michael: Welles / Shakespeare / Film. An Overview. In: Film Adaptation. Hrsg. von James Naremore. London 2000. S. 154–171.

Breuer, Horst: *Macbeth*. Die Zerstörung der Natur. In: Shakespeares Drama. Interpretationen. Stuttgart 2000. S. 343–368.

Brode, Douglas: Fatal Vision. *Macbeth*. In: D. B.: Shakespeare in the Movies. From the Silent Era to *Shakespeare in Love*. Oxford 2000. S. 175–194.

Cartmell, Deborah: Interpreting Shakespeare on Screen. Basingstoke 2000. S. 17–20.

Davies, Anthony: Orson Welles' *Macbeth*. In: A. D.: Filming Shakespeare's Plays. Cambridge 1991. S. 83–99.

Donaldson, Peter S.: Surface and Depth. *Throne of Blood* as Cinematic Allegory. In: P. S. D.: Shakespearean Films / Shakespearean Directors. Boston 1990. S. 69–91.

Eagleton, Terry: William Shakespeare. Oxford 1986.

Guntner, J. Lawrence: *Hamlet*, *Macbeth* and *King Lear* on film. In: The Cambridge Companion to Shakespeare on Film. Hrsg. von Russell Jackson. Cambridge 2000. S. 117–134.

Hapgood, Robert: Kurosawa's Shakespeare Film: *Throne of Blood*, *The Bad Sleep Well*, and *Ran*. In: Shakespeare and the Moving Image. Hrsg. von Anthony Davies und Stanley Wells. Cambridge 1994. S. 234–249.

Harper, Wendy Rogers: Polanski vs. Welles on *Macbeth*: Character or Fate? In: Literature / Film Quarterly, 14:4 (1986). S. 203–210.

Holderness, Graham: *Macbeth*. Tragedy or History. In: Stagebill (June 1992).

– Radical Potential. Macbeth on Film. In: Macbeth. Contemporary Critical Essays. Hrsg. von Alan Sinfield. London 1992. S. 151–160.

Jorgens, Jack J.: Shakespeare on Film. Lanham (u. a.) 1991. S. 148–174.

Kliman, Bernice W.: Gleanings: The Residue of Difference in Scripts. The Case of Polanski's *Macbeth*. In: Shakespearean Illuminations. Hrsg. von Jay L. Halio / Hugh Richmond. Newark, N. J. / London 1998. S. 131–146.

– *Macbeth*. Shakespeare in Performance. Manchester / New York 1992. S. 86–143.

Kott, Jan: Shakespeare Our Contemporary. London 1967. S. 68–78.

Lindley, Arthur: Scotland Saved from History. Welles's Macbeth and the Ahistoricism of Medieval Film. In: Literature / Film Quarterly, 29:2 (2001). S. 96–100.

McLean, Andrew M.: Kurosawa and the Shakespearean Moral Vision. In: University of Dayton Review. 14:1 (1979/80). S. 71–77.

Mellen, Joan / Kliman, Bernice: On Kurosawa's *Throne of Blood.* In: The Literary Review. 22 (1979). S. 460–489.

Parker, Brian: Nature and Society in Akira Kurosawa's *Throne of Blood.* In: University of Toronto Quarterly, 66:3 (1997). S. 508–525.

Pearlman, E.: Macbeth on Film. Politics. In: Shakespeare and the Moving Image. Hrsg. von Anthony Davies und Stanley Wells. Cambridge 1994. S. 250–260.

Prümm, Hans-Joachim: Film-Script: William Shakespeare. Eine Untersuchung der Film-Bearbeitungen von Shakespeares Dramen am Beispiel ausgewählter Tragödien-Verfilmungen von 1945–1985. Amsterdam 1987.

Robinson, Randal: Reversals in Polanski's *Macbeth.* Literature / Film Quarterly, 22:2 (1994). S. 105–108.

Rothwell, Kenneth S.: A History of Shakespeare on Screen. A Century of Film and Television. Cambridge 1999. S. 73–78, 154–160.

Schmidt, Johann N.: In Love with Shakespeare. Der Barde und das zeitgenössische Hollywood-Kino. In: Shakespeare Jahrbuch 137 (2001). S. 86–100.

Les Liaisons dangereuses (Choderlos de Laclos – Roger Vadim, Stephen Frears, Miloš Forman, Roger Kumble)

Von der Liebschaft des Films mit der Literatur

Von Kirsten von Hagen

Immer wieder gingen Autoren unterschiedlicher Provenienz intermediale Liebschaften mit Choderlos de Laclos' Briefroman *Les Liaisons dangereuses* ein. Wiederholt schrieb der Roman Filmgeschichte. 1959 war es Roger Vadim, der sich wegen einer Aktualisierung des Stoffes vor Gericht verantworten musste. 1989 machten gleich zwei Regisseure, Stephen Frears und Miloš Forman, von sich reden, als sie zur selben Zeit Laclos' Text auf die Leinwand bannten. Kaum jemand hatte damit gerechnet, daß der Stoff zehn Jahre später von Roger Kumble erneut verfilmt werden würde: als Teenager-Drama im Manhattan der 1990er-Jahre.

Trotz der Zeitgebundenheit des Textes als Porträt der Hocharistokratie im prärevolutionären Frankreich und der Tatsache, dass es sich bei ihm um einen mediatisierten Diskurs in Briefen handelt, ist kein Ende der Verfilmungsgeschichte der *Gefährlichen Liebschaften* abzusehen.[1] In Anbetracht der Tatsache, dass die meisten Untersuchungen nur eine Verfilmung in den Mittelpunkt stellen, ist es von besonderem Interesse, einen buchliterarischen Text zu untersuchen, der, wie Choderlos de Laclos' Briefroman *Les Liaisons dangereuses* von 1782, gleich mehrfach adaptiert

1 Im Sommer 2002 wurde der Roman von der französischen Filmemacherin Josée Dayan erneut verfilmt, als Dreiteiler für das französische Fernsehen, mit großem Staraufgebot. In den Hauptrollen spielen Catherine Deneuve, Rupert Everett, Nastassja Kinski. Die Kostüme entwarf Jean-Paul Gaultier.

wurde. So soll hier die Umsetzung des Romanstoffs in den vier Verfilmungen, Roger Vadims *Les Liaisons dangereuses 1960* (1959), Stephen Frears' *Dangerous Liaisons* (1989), Miloš Formans *Valmont* (1989) und Roger Kumbles *Cruel Intentions / Eiskalte Engel* (1999), verglichen und unter medienspezifischen Gesichtspunkten analysiert werden. Dabei wird insbesondere die Frage nach der Umsetzung der historischen Dimension des Prätextes im Vordergrund stehen. Diese historische Dimension ist nicht zu denken, ohne gleichzeitig zu reflektieren, wie die Filme den Briefdiskurs des Romans transformieren und in Szene setzen. Dabei müssen medienbedingte Darstellungsmodi und inhaltlich-interpretatorische Entwürfe besonders berücksichtigt werden, wobei die Vernetzung des elektronischen Mediums Film mit dem Printmedium Buch grundlegend ist.

Bereits den fünf unterschiedlichen Drehbuchfassungen, die den *Liaisons dangereuses 1960* vorausgingen, ist abzulesen, wie schwierig es für den französischen Filmemacher Roger Vadim war, den historischen Stoff für seine eigene Zeit neu zu formulieren. Kostümfilme seien, so Roger Vailland, einer der Drehbuchautoren des Filmprojekts, nur etwas für diejenigen, die nichts über ihre Zeit zu sagen hätten, »qui n'ont rien à dire sur leur temps ou qui n'osent pas le dire«.[2] Für den der *Nouvelle Vague* zugerechneten Regisseur Vadim dagegen war die Modernisierung des Klassikers nicht nur eine Frage des künstlerischen Anspruchs, sondern gleichzeitig ein politisches Statement. 1988 sagte er in einem Interview: »But, understand, to a Frenchman, everything in life is a political statement. Take *Les Liaisons dangereuses*. To make a movie about a book banned by a king two centuries before, and to then have a government headed by Charles de Gaulle ban that movie

2 Roger Vailland, »En toute Ingénuité«, in: *Les liaisons dangereuses 1960*, hrsg. von Claude Brulé (u.a.), Paris 1960, S. 7–13, hier S. 12 f.

– and we knew that was going to happen – well that's a political act.«[3] Das Verbot des Buches und das Verbot des Filmes zwei Jahrhunderte später werden jeweils als politische Akte verstanden. Das politische Statement begann mit der eindeutigen Aktualisierung der Vorlage und einer damit bereits implizierten Kritik an der französischen Gesellschaft der 1960er-Jahre.[4]

Um die Umsetzung des historischen Stoffes in den einzelnen Filmversionen analysieren zu können, muss kurz auf den Briefroman Laclos' eingegangen werden. Als der Armeeleutnant Pierre Ambroise François Choderlos de Laclos seinen 175 Briefe umfassenden Roman *Les Liaisons dangereuses* 1782 anonym veröffentlichte, war auch er, obwohl er von der Bedeutung seines Werks überzeugt war, überrascht von dem Skandal, den er auslöste. Exemplifiziert an dem dekadenten Treiben zweier Libertins, der Marquise de Merteuil und des Vicomte de Valmont, die skrupellos mit der Liebesbereitschaft der unschuldigen Cécile de Volanges und der tugendhaften Présidente de Tourvel spielen und dabei deren Verderben bewusst einkalkulieren, wollte Laclos seinen Zeitgenossen einen Spiegel vorhalten. Der Roman gibt vor, nicht Fiktion, sondern Dokument, Zeugnis des Realen zu sein. Laclos' Roman trägt dem für die Briefgattung typischen dokumentarischen Charakter Rechnung, stellt gleichzeitig jedoch ironisch die Wissenschafts- und Forschungsgläubigkeit seiner

3 Marc Mancini, »Veni, Vidi, Vadim. Interview mit Roger Vadim«, in: *Film Comment* April/Mai 1988, S. 18–23, hier S. 23.

4 Roger Vadim, »La carrière de Satan«, in: Brulé (Anm. 2), S. 16–20, hier S. 17. Diese Bemerkung markiert gleichzeitig die in der Einleitung skizzierte Entwicklung der Verfilmungen von Vadim zu Forman: Während Vadim sich noch – am Anfang der *Nouvelle Vague*-Bewegung – für die Modernisierung rechtfertigt und den Anspruch der Treue gegenüber den Intentionen der Vorlage betont (weshalb er in der abschließenden Kritik auch hieran gemessen werden kann), besteht Forman fast 30 Jahre später ausdrücklich auf einer freien Adaptation, die sich nicht mehr an den Intentionen des Autors orientiert, sondern die eigene Leseerfahrung explizit mit einbezieht.

Zeit in Frage. Schließlich führt Laclos in seinem Roman das aufklärerisch-rationalistische Prinzip ad absurdum: So scheitern alle Figuren an ihren Emotionen, die sich nicht in die Schranken der reinen Vernunft einbinden lassen.[5]

Zum Verständnis des Skandalerfolgs, den der Roman beim zeitgenössischen Publikum hatte, ist es unerlässlich, einen Blick auf die von Laclos so genau sezierte Gesellschaftsschicht der adeligen Kreise des Ancien Régime zu werfen. Denn dass es sich bei den Briefeschreibern seines Romans keineswegs um Angehörige einer anderen Zeit oder eines anderen Ortes handelt, wird trotz gegenteiliger, ironisch gebrochener Kommentare aus dem Kontext unmissverständlich deutlich. Wiederholt ist darauf hingewiesen worden, dass der Roman auch als »sittengeschichtliches Zeitdokument« verstanden werden kann.[6] In der Retrospektive steht das 18. Jahrhundert – die Zeit von der Regierung des Sonnenkönigs Ludwig XIV. bis zum Ausbruch der Revolution – im Ruf außerordentlicher Sittenlosigkeit. Das Sich-Hinwegsetzen über moralische Grenzen galt als Machtbeweis, als Grenzüberschreitung, die eine Eroberung, wie nach einer gewonnenen Schlacht, mit Ruhm krönt. Intrigen und die Liebe als strategisches Spiel, dem man mit Kriegsmetaphorik Ausdruck verleiht, bestimmen die Vorgehensweise der beiden libertinen Figuren Merteuil und Valmont. Ursprünglich auf einen religiösen Kontext beschränkt, bezeichnete der Begriff ›Libertinage‹ im 18. Jahrhundert die Freiheit in Liebesangelegenheiten, die auf der Bühne von Molières *Don Juan* pointiert dargestellt wurde. Kennzeichen der Libertinage im 18. Jahrhundert

5 Vgl. Peter Brooks, *The Novel of Worldliness. Crébillon, Marivaux, Laclos, Stendhal*, Princeton 1969, S. 209; und Dorothy R. Thelander, *Laclos and the Epistolary Novel*, Genf 1963, S. 158.

6 Erwin Koppen, *Laclos' ›Liaisons dangereuses‹ in der Kritik (1782–1859). Ein Beitrag zur Geschichte eines literarischen Missverständnisses*, Wiesbaden 1961, S. 10.

war der unbedingte und streng systematisierte Wille des Roués zur Verführung und Unterwerfung seines Opfers. Verführen, ohne sich selbst in Passionen zu verstricken, lautete die Devise. In der Verführung des Opfers folgt der Libertin einem streng geordneten Schema. Ziel ist die schnelle Verführung und der sofortige Bruch mit dem Opfer, um die eigene Macht unter Beweis zu stellen. Die einzig wahre Liebe eines Libertins gilt dem eigenen »Ich«, das er permanent kultiviert und dem er – um den äußeren Schein zu wahren – alles andere unterordnet: eine Haltung, die den Vicomte de Valmont aufs treffendste charakterisiert.[7] Der religiös-philosophische Hintergrund geht in den Verfilmungen verloren. Libertin wird zumeist mit einem mehr oder weniger skrupellosen Verführer gleichgesetzt. Bei Miloš Forman ist Valmont eher ein Sinnsucher, bei Roger Kumble zunächst ein moderner Don Juan, der sich nimmt, was er will, ohne sein Opfer kunstvoll zu verführen.

Während man in den Salons weiterhin seinen Vergnügungen nachging, entzündete sich schließlich vor allem an der Frage des dritten Standes die Revolution von 1789. Schärfer als irgendein anderer Schriftsteller des Ancien Régime zeichnet Laclos das Bild einer Gesellschaft, die nur noch in amourösen Machtspielen ihre Daseinsberechtigung sucht und sich selbst überlebt hat.

Roger Vadim hat sich nach mehreren Versuchen entschlossen, die Intrige des Romans ins Pariser Diplomatenmilieu zur Zeit der Vor-Achtundsechziger-›Revolution‹ zu verlegen. Die Présidente de Tourvel, die als einzige Figur der Bourgeoisie angehöre, werde, so Drehbuchautor Vaillant, zum Opfer des Aristokraten Valmont.[8] Im Film wird diese Deutung transparent: Bereits in der ersten Sequenz werden Juliette de Merteuil, alter Adel aus der Touraine,

7 Vgl. René Pomeau, *Laclos, Connaissance des lettres*, Paris 1975, S. 112, und Roger Vailland, *Laclos par lui-même*, Paris 1952, S. 52–54.

8 Brule (Anm. 2), S. 8.

und Valmont als Angehörige der oberflächlichen, sensationsorientierten Pariser Diplomatenschicht vorgestellt. Die junge Marianne Tourvel wird dagegen in der zweiten Sequenz als Ausländerin und der Mittelschicht zugehörend in zweifacher Hinsicht als Außenseiterin stilisiert, die dann das Opfer der Verführungskunst des Berufsdiplomaten Valmont wird. Vailland war es auch, der vorschlug, Merteuil und Valmont miteinander zu verheiraten, um so das Ausmaß ihrer Intrigen und die Verletzung gängiger Moralvorstellungen adäquat ins 20. Jahrhundert transferieren zu können.[9] Im Rahmen der Adaptation werden vor allem Gedanken zur modernen Partnerschaft und zur größeren Freiheit der Frau erörtert, Themen, die in der Vor-Achtundsechziger-Generation bereits wichtig geworden waren.

Als der Film nach einigen Skandalmeldungen, die bereits die Dreharbeiten begleitet hatten, endlich abgedreht war, drohte das Verbot durch die französische Zensur. Nur widerstrebend wurde der Film für das französische Publikum freigegeben; erst drei Jahre später konnten Nicht-Franzosen die libertinen Spiele Valmonts auf der Leinwand verfolgen. Die im Stil der *Nouvelle Vague* gehaltene Schwarz-Weiß-Ästhetik gibt dem Film einen dokumentarischen Charakter und setzt damit den Realitätsanspruch des Romans wirkungsvoll um. Die Jazzmusik Thelonious Monks und die nicht-literarischen, lebensnahen Dialoge, in die die Briefe überführt werden, unterstreichen die aktualisierende Tendenz der Adaptation. Die Handkamera nähert sich den Figuren, kreist sie gleichsam wie der analytische Blick des Forschers ein, ohne ihnen je wirklich nahe zu kommen. Die Personen agieren mit einer den Prätext wieder aufgreifenden Kühle, was durch den zurückgenommenen darstellerischen Stil der Akteure, die eigenwillige Schnitttechnik und die Anordnung der Figuren im Raum eigens betont wird.

9 Claude Brulé, »Mon journal des *Liaisons*«, in: Brulé (Anm. 2), S. 160 f.

Durch die genaue Verortung des gesellschaftlichen Skandals im Pariser Diplomatenmilieu richtet der Film eine präzise formulierte Kritik an eine bestimmte Gesellschaftsschicht. Als politischer Akt konnte die Verfilmung so, wie die zeitgenössische Rezeption zeigt, ihre Sprengkraft entfalten und tat dies mit mehr Nachdruck als die beiden Kostümfilm-Varianten der 1980er-Jahre, die deutlicher das universell-anachronistische Moment des Prätextes betonen.

Festzuhalten ist im Hinblick auf eine komparatistische Gesamtschau vor allem, dass die aktualisierende Art der Verfilmung stärker als die von den beiden jüngeren Regisseuren gewählte Kostümfilm-Variante an einen bestimmten Zeitgeist gebunden ist. Als Politikum expressiver, da sie für ihre Zeit genauso wie Laclos im 18. Jahrhundert mit einer offenen Gesellschaftskritik und freizügiger Erotik zu provozieren wusste, legt Vadim mit seiner ausdrücklichen Aktualisierung den polyvalenten Roman auf nur eine Aussage fest. So avancierte der Film, nachdem das Verbot aufgehoben war, zwar anfänglich zum Skandalerfolg. Später dagegen wurde er in erster Linie als Unterhaltungsfilm rezipiert. Diese Tatsache deutet bereits darauf hin, dass die sozialkritische Tendenz durch die im Zuge der 68er-Bewegung größer werdende moralische Freizügigkeit mit der Zeit an Brisanz verloren hat.

Stephen Frears' filmische Umsetzung des Stoffes wurde maßgeblich von dem Drehbuchautor Christopher Hampton beeinflusst. Der Brite hatte bereits 1985 eine viel beachtete theatralische Adaptation des Romans vorgelegt, die zunächst mit großem Erfolg in England und dem übrigen Europa und später auch am Broadway aufgeführt wurde. Dadurch erklärt sich, dass die Verfilmung trotz zahlreicher Action-Sequenzen strukturelle Analogien einer *Commedy of Manners*, einer Sittenkomödie englischer Prägung, aufweist. Schauplatz des Films ist das Frankreich am Vorabend der Französischen Revolution, Thema sind die sexuellen Machenschaften der Hocharistokratie. Wie Christopher Hampton in seiner Theateradaptation verlegt auch Frears die Handlung näher an den Vorabend der Französischen Revolution heran, nämlich ins Jahr 1788. Dadurch betont er die die Handlung prägende Endzeitstimmung, die das Treiben der Figuren bestimmt und die einen Bogen schlägt zum Ende des 20. Jahrhunderts. Die Möglichkeit, das Geschehen in die Zeit um 1989 zu übertragen, wird zum einen durch die Dialoge und zahlreiche Anspielungen auf das sich nähernde Ende des Jahrhunderts, zum anderen durch Nah- und Großaufnahmen, die die Aufmerksamkeit des Kinogängers stärker auf die Emotionen der Charaktere als auf das Dekor des Films lenken, gegeben. Frears sah die Modernität des Romans in dem Zirkulieren zwischen »l'émotion et calcul« begründet. In einem Interview mit Michel Ciment sagte Frears zur Problematik der zeitlichen Transposition, er habe nie an eine andere Zeit als an die des 18. Jahrhunderts gedacht: »La tension vient de ce recul dans le temps et tout à la fois du rapprochement que l'on opère avec notre présent.«[10]

Obwohl es in *Dangerous Liaisons* auch um die Spielarten der Lust geht, handelt es sich bei dieser Verfilmung um einen Film über Ehrgeiz, Manipulation und Verführung. Frears konzentriert sich in seinem Bemühen, die ›Love and Crime‹-Komponente des historischen Stoffs herauszuarbeiten, vor allem auf die trianguläre Struktur des Begehrens Valmont-Merteuil-Tourvel und instrumentalisiert so das in Filmen beliebte Motiv ›Mann zwischen zwei Frauen‹. Dass das Theater und damit die Opposition von Schein und Sein eine wesentliche Rolle in dieser Inszenierung spielt, wird in einem erzählerischen Rahmen deutlich: Zu Beginn werden die beiden Libertins in alternierenden

10 Stephen Frears im Gespräch mit Michel Ciment, in: *Positif 338* (April 1989), S. 8 f.

Syntagmen beim Lever gezeigt, wie sie ihre Tagesmasken anlegen. Am Schluss sieht man die Marquise de Merteuil, wie sie sich, nachdem sie in der Oper ausgebuht wurde, vor dem Spiegel abschminkt: Das Spiel ist zu Ende. Während die Marquise im Roman auch bis zuletzt ihre Selbstkontrolle nicht verliert, setzt Frears auf eine psychologische Deutung der Figur, die die Verführerin menschlich zeigen soll, »psychologically fragile, less satanic, more human«[11].

Anders als Vadim, der das Briefaustauschprinzip des Romans in Ansätzen sichtbar macht, nämlich durch zwei Briefe Valmonts, die als Voice-Over realisiert wurden, durch Telefongespräche und eine Tonbandaufnahme, setzt Frears die Briefe immer wieder kurz in Szene und macht so deutlich, dass es tatsächlich die Briefe sind, die die Handlung vorantreiben, letztlich verführen und schließlich sogar töten. Frears strebt eine überzeitliche Gültigkeit des Geschehens an, das deutliche Parallelen zur heutigen Zeit im Auge hat und offen ist für ahistorische Interpretationen, ohne den Prätext wie Vadim oder Kumble in eine aktualisierende Verfilmung zu überführen.

Die freie Adaptation Miloš Formans (*Valmont*, 1989) stand dagegen immer im Schatten des ein halbes Jahr früher auf den Leinwänden zu sehenden Films von Stephen Frears. Auch Forman war das Theaterstück Hamptons als Vorlage für eine Verfilmung angeboten worden. Da er jedoch der Meinung war, dieses stimme nicht mit seiner Erinnerung an den Roman Laclos' überein, beschloss er, gemeinsam mit dem französischen Drehbuchautor Jean-Claude Carrière seine eigene Version der *Gefährlichen Liebschaften* zu drehen. Anders als die übrigen Filmemacher entschied sich Forman ausdrücklich für einen freien Umgang mit der literarischen Vorlage, der mehr Raum

11 Alan J. Singerman, »Variations on a Dénouement. ›Les Liaisons dangereuses‹ on Film«, in: *Eighteenth Century Life* (Mai 1990), S. 49–55, hier S. 53.

lässt für eigene Interpretationen. Diese andere Gewichtung deutet sich bereits im Titel des Films, *Valmont*, an: Forman stellt den deutlich verjüngten Vicomte de Valmont ins Zentrum seiner Adaptation. Kontrapunktisch schildert er die Entwicklung von Valmont und der hier ebenfalls jünger als im Prätext angelegten Cécile: Während es Valmont nicht schafft, seine Ziele mit den Erwartungen seiner Umwelt in Übereinstimmung zu bringen[12], gelingt Cécile zum Schluss die erfolgreiche Eingliederung in die Gesellschaft. Obwohl die Grundidee und die zentralen Handlungsknotenpunkte des Romans wie die Verführung Céciles und der Présidente de Tourvel auch im Film beibehalten werden, betont Forman die tragikomischen Aspekte der Vorlage: Die Figuren sind bei Forman deutlich jünger und wirken liebenswürdiger als in der Vorlage. Die libertinen Verführungskünste der Marquise de Merteuil und des Vicomte de Valmont sind nicht länger – wie bei Laclos – als das böse, zu verurteilende Verhalten dargestellt.

Die weitreichendste Veränderung des amerikanischen Filmemachers, dessen Wurzeln im tschechischen Autorenfilm der 1960er-Jahre zu suchen sind, betrifft jedoch die Vorverlegung der Handlung in die erste Hälfte des 18. Jahrhunderts, in die heitere Zeit des Rokoko. Forman ging es noch stärker als Stephen Frears um eine Enthistorisierung und Entpolitisierung des Romans, also darum, allgemeingültige Aussagen über das Leben zu transportieren: Bei eingehender Analyse des Films wird zudem deutlich, dass es Forman vor allem auf die Handlung *vor* dem Verfassen der Briefe und nicht so sehr auf das Spiel der Verstellung ankam, das den Film von Stephen Frears leitmotivisch strukturiert. Der Dialog war für ihn in erster Linie ein Mittel, die Figuren miteinan-

12 Besondere Bedeutung erlangt der leitmotivisch vorgebrachte Satz »Do you think a man can change?«. Der Verführer scheitert schließlich daran, dass seine Umwelt den Wandel, als er sich tatsächlich vollzieht, nicht belohnt.

der zu konfrontieren, statt sie über andere Themen räsonieren zu lassen.[13]

Grundlegend für Formans Filmsprache ist ein dekonstruktivistischer Ansatz, der ein Verständnis der Filmbilder erst durch Rückbezug auf den Prätext möglich macht. Forman schreibt ein Epos mit vielfältigen, multiplen Erklärungsmustern, das u. a. den Status des modernen Mannes und die Suche einer Generation problematisiert, der sämtliche Freiheiten in sexueller Hinsicht geboten werden, nämlich die Suche nach Aufrichtigkeit und Treue. Wie der Roman verweigert sich auch der Film eindimensionalen Zuordnungen.

Nach der Doppelverfilmung des Briefromans Ende der 1980er-Jahre glaubte kaum jemand daran, dass knapp ein Dezennium später der Regie-Neuling Roger Kumble den historischen Stoff unter dem reißerisch klingenden Titel *Cruel Intentions* erneut auf die Leinwand bringen würde. Kumble, der zunächst Theaterstücke und Drehbücher verfasste, führte bei dem Filmprojekt nicht nur erstmals Regie, sondern schrieb auch das Skript zu einer »von Unmoral förmlich durchtränkten, niedrig budgetierten modernen Version«[14] der *Liaisons dangereuses*. Seiner Meinung nach war der historische Stoff geradezu dafür geschaffen, die Situation privilegierter Jugendlicher im Amerika der 1990er-Jahre zur Anschauung zu bringen. Im Unterschied zu Miloš Forman, der eine Reinterpretation der Figuren vornimmt, ohne die Vorlage ausdrücklich zu aktualisieren, hält sich Roger Kumble an das Handlungsschema des Romans, reichert dieses jedoch mit Fragestellungen der 1990er-Jahre an. Themen wie Rassismus, die Borniertheit der Neureichen, die Perspektivlosigkeit reicher High-

13 Vgl. Forman im Gespräch mit Ciment (Anm. 10), S. 5.

14 Roger Kumble, in: *Eiskalte Engel: Presseinformation*, Kinowelt Filmverleih 26.08.1999, S. 9 (*Eiskalte Engel* war der Titel der deutschen Synchronfassung des Films *Cruel Intentions*).

School-Kids, Drogen und das Internet als rechtsfreier Raum werden in Kumbles *Coming-off-Age-Drama* ventiliert. Sebastian Valmont und Kathryn Merteuil sind Stiefgeschwister, die eine verbotene, inzestuös konnotierte Liebe verbindet. Beide sind des Luxus überdrüssig und agieren gleichermaßen skrupellos, bis sich Sebastian in die prinzipientreue Tochter des neuen Schuldirektors, Annette Hargrove, verliebt.

Die Briefe werden in dieser aktualisierenden Verfilmung durch das therapeutische Gespräch, Telefongespräche (insbesondere Mobiltelefone spielen eine große Rolle) und Tagebucheinträge ersetzt.[15] Wenngleich diese Verfilmung nicht dieselbe Aufmerksamkeit wie die Adaptationen von Vadim und Frears für sich in Anspruch nehmen konnte, ist doch auffällig, dass Kumble damit den Trend der 1990er-Jahre zu bestätigen scheint: weg vom Kostümfilm, hin zu modernisierenden Teenagerdramen. Der Film, in dem zynische Heranwachsende die Rolle der Libertins des 18. Jahrhunderts übernehmen, stellt das zur Diskussion, was sich im Umgang mit Klassikern der Weltliteratur seit den 60er-Jahren geändert hat. Er zeigt u. a. auf, was der Roman heute nach den liberalistischen 1960er- und den eher prüden, von der Angst vor der Immunschwächekrankheit Aids geprägten 1980er-Jahren an neuen Wirkungspotentialen freizusetzen vermag.

15 E-Mails, neben dem Mobiltelefon *das* Kommunikationsmittel der 1990er-Jahre, werden dagegen kaum thematisiert. Nur an einer Stelle lässt Kumble den Verführer Sebastian Valmont die abfällige Bemerkung kolportieren, E-Mails seien nur etwas für Pädophile und Schwule.

Text

Choderlos de Laclos, Pierre Ambroise François: Gefährliche Liebschaften. Übersetzt von Heinrich Mann. Frankfurt a. M. 2003.
– Les Liaisons dangereuses ou lettres recueillies dans une société, et publié pour l'instruction de quelques autres. Amsterdam/Paris 1782.

Filme

Les Liaisons dangereuses 1960. Regie: Roger Vadim. Frankreich 1959.
Dangerous Liaisons. Regie: Stephen Frears. USA/Großbritannien 1989.
Valmont. Regie: Miloš Forman. Frankreich/Großbritannien 1989.
Cruel Intentions (Eiskalte Engel). Regie: Roger Kumble. USA 1999.

Forschungsliteratur

Brooks, Peter: The Novel of Worldliness. Crébillon, Marivaux, Laclos, Stendhal. Princeton 1969.
Brulé, Claude: Mon journal des Liaisons. In: C. B.: Les Liaisons dangereuses. Paris 1960. S. 152–169.
Koppen, Erwin: Laclos' *Liaisons dangereuses* in der Kritik (1782–1859). Ein Beitrag zur Geschichte eines literarischen Missverständnisses. Wiesbaden 1961.
Kumble, Roger: Eiskalte Engel: Presseinformation. Kinowelt Filmverleih 26.08.1999. S. 9.
Mancini, Marc: Veni, Vidi, Vadim. Interview mit Roger Vadim. In: Film Comment April/Mai 1988. S. 18–23.
Pomeau, René: Laclos, Connaissance des lettres. Paris 1975.
Singerman, Alan J.: Variations on a Dénouement. *Les Liaisons dangereuses* on Film. In: Eighteenth Century Life Mai 1990. S. 49–55.
Stephen Frears im Gespräch mit Michel Ciment. In: Positif 338 April 1989. S. 8 f.
Thelander, Dorothy R.: Laclos and the Epistolary Novel. Genf 1963.

Vadim, Roger: La carrière de Satan. In: Les Liaisons dangereuses. Hrsg. von Claude Brulé (u. a.). Paris 1960. S. 16–20.
Vailland, Roger: En toute Ingénuité. In: Les Liaisons dangereuses. Hrsg. von Claude Brulé (u. a.) 1960. Paris 1960. S. 7–13.
– Laclos par lui-même. Paris 1952.

Die Marquise von O... (Heinrich von Kleist – Eric Rohmer)

Radikale Werktreue

Von Anke-Marie Lohmeier

Selten ist ein literarischer Text so detailgetreu verfilmt worden wie Heinrich von Kleists Novelle *Die Marquise von O...* (1808) durch Eric Rohmer (1975).[1] Kaum ein Wort, geschrieben oder gesprochen, das nicht von Kleist stammte; kaum eine Bewegung, eine Miene, eine Gebärde, die nicht so oder so ähnlich im Text beschrieben würde; kaum eine Abweichung von der Handlungslogik und von den Chronologien der Vorlage, sei es der des Erzählens oder der des Erzählten. Und noch der Erzählgestus, der distanzierte Bericht eines außenperspektivischen Erzählers, findet in der distanzierten Kameraführung des Films seine Entsprechung. Eine derart radikale Werktreue provoziert zwei Fragen. Zuerst: Wie ist das möglich? Und dann: Warum schöpft Rohmer diese Möglichkeit so restlos aus?

1

Die erste Frage verdankt sich der Einsicht, dass die filmische Umsetzung erzählender Texte normalerweise mehr oder weniger starke zeitliche Auslassungen erzwingt, die ihrerseits zu mehr oder weniger starken, insbesondere handlungslogischen Abweichungen von der Vorlage zwingen. Das hat sehr einfache Gründe: Filmisches Erzählen vollzieht sich im Normalfall in der kinematographischen

1 *Die Marquise von O.*, Regie: Eric Rohmer, Frankreich/Deutschland 1975.

Abbildung dramatischer Sprechsituationen.[2] Das in der literarischen Vorlage erzählte Geschehen muss, um von der Kamera ›erzählt‹ werden zu können, in den dramatischen Modus dargestellten Geschehens überführt werden. Das kostet Zeit, und weil Zeitraffung im Film nicht in, sondern nur zwischen den Einstellungen vollzogen werden kann,[3] nimmt die filmische Präsentation eines Geschehens in der Regel deutlich mehr Erzählzeit in Anspruch als deren sprachliche Variante im Erzählerbericht. Ein Beispiel zur Verdeutlichung: »[Er] bot dann der Dame, unter einer verbindlichen, französischen Anrede, den Arm, und führte sie, die von allen solchen Auftritten sprachlos war, in den anderen, von der Flamme noch nicht ergriffenen, Flügel des Palastes, wo sie auch völlig bewusstlos niedersank.«[4]

Für die filmische Umsetzung dieses Satzes, der, gesprochen oder gelesen, etwa 15 Sekunden in Anspruch nimmt, benötigt Rohmer, obwohl er zwischen den Einstellungen Zeit rafft, viermal so viel Zeit, nämlich ungefähr 60 Sekunden. Die Erzählzeit einer detailgenauen Verfilmung eines Romans würde also ein Vielfaches der Erzählzeit des Textes in Anspruch nehmen, weil die Sprache weitaus stärker als das Bild abstrahieren und deshalb knapp zusammenfassend bezeichnen kann, was der Film erst einmal als Vor-

2 Zum Terminus *Sprechsituation* vgl. Manfred Pfister, *Das Drama. Theorie und Analyse,* München ³1982, S. 19–22; zu dessen Anwendung auf filmisches Erzählen vgl. Anke-Marie Lohmeier, *Hermeneutische Theorie des Films*, Tübingen 1996, S. 35–47.

3 Das gilt für den herkömmlichen kinematographischen Film (wobei Zeitraffer-Aufnahmen als nur sporadisch einsetzbare Spezialeffekte vernachlässigt werden können). Der elektronisch hergestellte Film, der sich gegenwärtig noch stark an den Zeichentraditionen des »Lichtspiels« orientiert, wird gewiss neue Zeichenkonventionen hervorbringen, die möglicherweise auch die zeiträumlichen Verhältnisse der Einstellung (die es hier im Grunde ja nicht mehr gibt) berühren werden.

4 Heinrich von Kleist, »Die Marquise von O...«, in: H. v. K., *Die Marquise von O... Das Erdbeben in Chili. Erzählungen,* Anmerkungen von Sabine Döring, Nachwort von Christian Wagenknecht, Stuttgart 2003, S. 3–50, hier S. 5.

gang zeigen muss, bevor er seine Verfahren der Zeitraffung einsetzen kann.[5] Eine Ausnahme bildet die so genannte szenische Darstellung (in direkter Rede wiedergegebene Figurenrede und/oder minutiöse Beschreibungen von Ereignissen). In ihr nähern Erzählzeit und erzählte Zeit sich stark an, kommt der Erzählerbericht also dem Zeitmaß der dramatischen Szene, das auch in der filmischen Einstellung herrscht, sehr nahe.

Hier liegt auch schon die Antwort auf die Frage: Möglich wird eine so detailgenaue filmische Umsetzung, wie Rohmer sie vollzieht, deshalb, weil Kleists Novelle beinahe durchgängig im Modus der *szenischen Darstellung* erzählt ist, das Erzählen sich also stark dem Modus der dramatischen Sprechsituation annähert. Die Handlung vollzieht sich – einer Dramenhandlung nicht unähnlich – in detailliert wiedergegebenen Gesprächssituationen, und die zwischen diesen Gesprächssituationen liegenden Zeiträume werden mit stark raffenden Erzählfloskeln überbrückt. Zwar fehlt meistens die direkte Rede, die Gespräche werden im Modus der indirekten Rede referiert, aber diese bleibt hier so nah am Gestus gesprochener Rede, dass sie in Bezug auf ihr Zeitmaß mit dem der direkten Rede nahezu identisch wird. Hinzu kommt, dass Kleists Erzähler Bewegungen, Gestik und Mimik der Figuren mit so minutiöser Genauigkeit beschreibt, dass die Erzählzeit hier die erzählte Zeit manchmal sogar überschreitet. Die Novelle besteht also im Wesentlichen aus einer Folge von ›szenisch‹ dargestellten Gesprächssituationen. Diese Gesprächssituationen werden durch knappe Zwischenglieder verbunden, in denen die zwischen den ›Szenen‹ vergangene Zeit durch starke Raffungen überbrückt wird. Filme erzählen ähnlich: Sie reihen Szenen, d. h. Einstellungen oder Einstellungsfolgen, die ein zeiträumliches Kontinuum des Erzählten erfassen, aneinander und klären die

5 Vgl. dazu Lohmeier (Anm. 2), S. 150 f.

zeitlichen Verhältnisse zwischen diesen Szenen (die sie ohne Zuhilfenahme der Sprache nicht direkt ausdrücken können) indirekt durch ein System zeiträumlicher Indices (visuelle und akustische Rekurrenzen).[6] Die Erzählweise der Novelle kommt also den Bedingungen filmischen Erzählens stark entgegen.

Das ist aber noch nicht alles. Kleists Erzähler versagt sich zudem mit nur seltenen Ausnahmen einen Blick in das Innere seiner Figuren, erzählt vielmehr distanziert beobachtend und fast durchgehend außenperspektivisch, lässt Innerlichkeit nur über die Beschreibung von Gestik und Mimik sichtbar werden. Auch das kommt dem Film entgegen, ist doch die Kamera gleichermaßen an die Außenperspektive gebunden und, sofern sie innere Vorgänge darstellen (und dabei Formen sprachlicher Informationsvergabe nicht zu Hilfe nehmen) will, auf die Abbildung visueller Indices für Innerlichkeit, darunter vor allem mimischer und gestischer Zeichen angewiesen. Mit ihrer besonderen Zeitstruktur, mit ihrer minutiösen Wiedergabe von Figurenrede, Gestik und Mimik und mit ihrer außenperspektivischen Erzählweise ist Kleists Novelle für eine Verfilmung also in der Tat ein Glücksfall. Sie ist, wie Eric Rohmer meinte, selbst schon »ein echtes ›Drehbuch‹«, und deshalb war ihre Verfilmung »nicht, wie so oft, ein Kampf gegen eine widerstrebende Materie«, sondern gelang fast »wie von selbst«.[7]

6 Vgl. Lohmeier (Anm. 2), S. 134–158.

7 Eric Rohmer, »Anmerkungen zur Inszenierung (1975)«, in: *Heinrich von Kleist. Die Marquise von O... Mit Materialien und Bildern zu dem Film von Eric Rohmer*, hrsg. von Werner Berthel, Frankfurt a. M. 1979, S. 111–114, hier S. 111.

2

Nun ist die bloße erzähltechnische Möglichkeit einer detailgetreuen Verfilmung ja noch lange kein Grund, diese Möglichkeit auch zu nutzen. Rohmer hat sie mit größter Akribie genutzt und zudem jede Aktualisierung und jedes Zugeständnis an heutige Seh- und Hörgewohnheiten vermieden.[8] »Dem Kleistschen Text Wort für Wort zu folgen, war das leitende Prinzip unserer Verfilmung.«[9] Das ist ein überraschendes Bekenntnis, weniger zwar mit Blick auf Rohmer selbst, dessen Filme auch sonst stark von seiner Sensibilität für Sprache, von seinen literarischen Vorlieben und seinem Respekt vor dem geschriebenen Wort geprägt sind,[10] wohl aber mit Blick auf diese Jahre des *cinéma d'auteurs*, in denen die Idee des Autorenfilms doch eher die sehr persönliche Handschrift des Filmemachers sichtbar zu machen nahe legte. Noch überraschender ist die erklärte Absicht des Regisseurs, die Verfilmung ganz dem Verstehen des Textes und seiner Zeit zu widmen, »durch die filmische Übersetzung Sitten und Empfindungen einer vergangenen Epoche besser zu erfassen«, das Werk also nicht aus heutiger Perspektive zu lesen und zu inszenieren, sondern es ganz »in seine Zeit zu stellen«. Rohmer verglich seine Arbeit mit der eines Restaurators von Gemälden, der das Werk vom Firnis befreit und ihm »seine echten Farben wiedergibt«, sodass es wieder in seiner alten, originalen

8 Die einzige Ausnahme betrifft die Vergewaltigung: Sie wird (statt durch eine Ohnmacht) durch einen Schlaftrunk plausibel gemacht, den die Bediensteten der Marquise verabreichen. Rohmer hatte nach eigener Aussage Sorge, dass die Marquise andernfalls »wie eine Verrückte oder eine Heuchlerin« erschienen wäre und dadurch »an Leidenschaft und Tiefe verloren« hätte (Berthel [Anm. 7], S. 114).

9 Berthel (Anm. 7), S. 111.

10 »Das Wort ist für mich etwas Wichtiges. Man kann bei einem Autor kein Wort verändern. Ein Wort verändern, ist für mich ein Verbrechen.« Werner Berthel, *Interview mit Eric Rohmer*, in: Berthel (Anm. 7), S. 115.

Schönheit vor Augen steht.[11] Es ging dem Regisseur also ganz entschieden um Kleists Werk selbst, nicht um dessen mögliche ›Aktualität‹ für die Gegenwart. Wir sollen mit Hilfe der Verfilmung nicht unsere Zeit, sondern Kleists Zeit besser verstehen lernen. Das widerspricht der üblichen Erwartung, die an Verfilmungen zumal älterer Literatur gestellt wird und der die Praxis in der Regel ja auch entspricht: Eine alte Geschichte nach mehr als 150 Jahren noch einmal zu erzählen, besteht, sollte man denken, dann Anlass, wenn diese Geschichte Antworten auch auf die neue Zeit hat. Um solche Antworten war es Rohmer aber sichtlich nicht zu tun. Seine Selbstkommentare deuten eher darauf hin, dass sein Interesse ein entschieden ästhetisches war, dass es der Kleist'schen Erzählweise galt,[12] vor allem der ästhetisch reizvollen Spannung zwischen dem »Paroxysmus« der Gefühle auf Seiten der Figuren und der kühlen Zurückhaltung des Erzählers, die sich dem Leser mitteilt: während die Figuren weinen, bleiben seine Augen trocken.[13] Eine hochdifferenzierte Schauspielerführung und eine betont kühl-registrierende, Nahaufnahmen vermeidende Kameraführung haben diese Spannung erfolgreich übertragen. Wie bei Kleist bleiben auch hier die Augen der Zuschauer trocken. Ob sie nicht lieber geweint hätten, ist eine andere Frage.

11 Berthel (Anm. 7), S. 115. – Deshalb vermied Rohmer es u. a. auch sorgfältig, den befremdlichen Plot der Geschichte, die unwissentliche Schwangerschaft der Marquise, modernen psychologischen Deutungen zugänglich zu machen. Viele Interpreten behaupten freilich das Gegenteil, etwa Walburga Hülk-Althoff, »Hysterisches Theater«, in: *Theater und Kino in der Zeit der Nouvelle Vague*, hrsg. von Volker Roloff und Stefan Winter, Tübingen 2000, S. 75–89.

12 »Ich möchte gern so filmen, wie Kleist erzählt.« Berthel (Anm. 7), S. 118.

13 Vgl. ebd. S. 120. – Vgl. auch Roald Koller, »Gespräche mit Eric Rohmer und Nestor Almendros«, in: *Filmkritik* 20 (1976) H. 1, S. 42.

Text

Heinrich von Kleist: »Die Marquise von O...«. In: H. v. K.: *Die Marquise von O... Das Erdbeben in Chili.* Erzählungen. Anmerkungen von Sabine Döring, Nachwort von Christian Wagenknecht. Stuttgart 2003. S. 3–50.

Film

Die Marquise von O. Regie: Eric Rohmer. Frankreich 1975.

Forschungsliteratur

Berthel, Werner (Hrsg.): Heinrich von Kleist. Die Marquise von O... Mit Materialien und Bildern zu dem Film von Eric Rohmer und einem Aufsatz von Heinz Politzer. Frankfurt a. M. 1979.

Bonitzer, Pascal: Eric Rohmer. Paris 1999 (Cahiers du cinéma / Collection »Auteurs«).

Crisp, Colin G.: Eric Rohmer. Realist and Moralist. Bloomington, Indianapolis 1988.

Felten, Uta / Volker Roloff (Hrsg.): Rohmer international. Tübingen 2001 (Siegener Forschungen zur romanischen Literatur- und Medienwissenschaft. 9).

Hülk-Althoff, Walburga: Hysterisches Theater. Zur *Marquise von O...* Heinrich von Kleists und Eric Rohmers. In: Theater und Kino in der Zeit der Nouvelle Vague. Hrsg. von Volker Roloff und Stefan Winter. Tübingen 2000. S. 75–89.

Kanzog, Klaus (Hrsg.): Erzählstrukturen – Filmstrukturen. Erzählungen Heinrich von Kleists und ihre filmische Realisation. Berlin 1981.

Koller, Roald: Gespräche mit Eric Rohmer und Nestor Almendros. 6 Moralische Erzählungen und Die Marquise von O... In: Filmkritik 20 (1976) H. 1.

Woyzeck (Georg Büchner – Werner Herzog)

Zwischen Film und Theater

Von Peter Schott und Thomas Bleicher

»Früher war der schlimmste Vorwurf, den man einem Film machen konnte, ›das wirkt wie ein Theaterstück‹«, bemerkte der französische Regisseur Eric Rohmer (geb. 1920) 1977 und fügte fragend hinzu, ob denn »der Einfluß des Theaters überhaupt schädlich« für den Film sei[1]. Wie der Versuch einer Antwort auf diese grundsätzliche Frage ließe sich Werner Herzogs (geb. 1942) *Woyzeck*-Film von 1978 deuten; denn seine filmische Version von Büchners erst 1913 uraufgeführtem Drama aus der Zeit um 1835 erweist sich als eine Gratwanderung zwischen dem literarischen Text und dem Film, deren Gemeinsamkeit in beider Ausrichtung auf eine Theaterinszenierung zu liegen scheint.

Der Text selbst fordert, gerade weil er Fragment geblieben ist und daher dramaturgisch immer wieder neu angeordnet wird (und somit auch stets unterschiedlich interpretiert werden kann)[2], zu einer jeweils eigenständigen Spielfassung heraus. Es ist sicherlich nicht allein dieser Fragmentcharakter, der ein traditionelles Drama im klassischen Stil verhindert, es ist vor allem das »Erbarmen mit der Kreatur« selbst eines (authentischen) Mörders, das diesen »Dichter der Kreatur«, wie ihn Paul Celan (1920–1970) in seiner Büchner-Preis-Rede genannt hat, zu einem nicht mehr nach dramatischen Regeln zu ordnenden »schwindelerregenden« Realismus getrieben hat: Handelt

1 Eric Rohmer, *Der Geschmack des Schönen*, aus dem Französischen übers. u. hrsg. von Marcus Seibert, Frankfurt a. M. 2000, S. 157.

2 Siehe hierzu *Georg Büchner*, hrsg. von Wolfgang Martens, Darmstadt [2]1969.

es sich hier also um neue Literatur – oder gar um den Vorschein eines neuen Mediums, das dann wieder auf die antiromantische »Errettung der äußeren Wirklichkeit«[3] abzielt?

Dieser ›revolutionäre‹ Text war, ist und bleibt eine vom Text aus gesehen nicht nur auf den literarischen Bereich begrenzte Herausforderung, sondern zwingt zu neuen künstlerischen Produktionen, die folglich auch über die medialen Grenzen der Literatur und der Theaterfassung eines literarischen Dramas hinausgehen. Am bekanntesten ist sicherlich Alban Bergs (1885–1935) 1925 uraufgeführte Oper *Wozzeck*, die »im Medium eines programmmusikalischen Epilogs [...] auf die Verstümmelung des Menschen durch eine inhumane Gesellschaft« mit der »Verklärung Wozzecks«[4] antwortet. Aber auch die wohl zur gleichen Zeit entstandene *Wozzeck*-Oper Manfred Gurlitts (1890–1973) sowie Gedichte und Prosastücke des französischen Dichters Pierre Jean Jouve (1887–1976), der auch ein Buch über *Wozzeck ou le nouvel opéra* (1953) mitverfasst hat, oder auch die *Woyzeck*-Versionen Johann Kresniks (geb. 1939) und Birgit Scherzers (geb. 1954) im Tanztheater der 1990er-Jahre bezeugen die ungebrochene »Faszination Woyzeck«, der »mittlerweile zum archetypischen Einzelschicksal unserer Zeit geworden« ist[5].

Schon lange vor der Arbeit an seinem Film hat sich auch Herzog von Büchners Schriften beeinflussen lassen; sein Prosastück *Vom Gehen im Eis* und fast wörtliche Übernahmen in seinen Drehbüchern zeugen ebenso wie die Woyzeck-Typen Kaspar Hauser (historisierend) in *Jeder für sich und Gott gegen alle* und Bruno (aktualisierend) in

3 So der programmatische Untertitel von Siegfried Kracauers Schrift *Theorie des Films* von 1964 (Original 1960).

4 *Musik-Konzepte, Sonderband Alban Berg Wozzeck*, hrsg. von Heinz-Klaus Metzger und Rainer Riehn, München 1985, S. 277.

5 Werner Jost, »Faszination Woyzeck«, in: *Sequenz 10, Film und Geschichte*, Goethe-Institut, Nancy 1998, S. 102 f.

Stroszek davon. Ob und wie Herzogs Film Büchners *Woyzeck* theatergetreu oder filmspezifisch wiedergibt, wird im Folgenden durch detaillierte Sequenz-Analysen von vier ausgewählten Szenen untersucht. (Die Einstellungen in den vier behandelten Film-Sequenzen werden durchnummeriert.)

Der Film beginnt mit einer malerischen Einstellung auf »eine kleine verschlafene Stadt an einem großen, stillen Teich«: Abendlicht fällt auf ein Haus. Die anfangs unbewegliche Kamera erfasst nun mit einem langsamen Rechtsschwenk die weitere Silhouette der friedlich und idyllisch in der untergehenden Sonne liegenden Stadt. Einstellung E 2 zeigt mit Kameraschwenk nach links ein altes imposantes Stadtpanorama in einer Luftaufnahme. Aber dieser erste Eindruck trügt; denn die Einstellungen E 3–E 7 beweisen, dass in diesen friedvollen Bildern Gewalt und Barbarei steckt. In dem sonst menschenleeren Stadtinneren malträtiert ein militärischer Vorgesetzter seinen Untergebenen, den Soldaten Woyzeck, mit Stockhieben (E 3). Während der Vorspann abläuft, sieht man in E 4 und 5 Woyzecks militärische Exerzitien. In E 6 führt er vor den übergroß im Bild erscheinenden Schaftstiefeln seine Liegestützen aus. Die Person, zu der diese Stiefel gehören, bleibt anonym, repräsentiert also die instrumentalisierte Macht des Militärs. Woyzeck wird von den Stiefeln kadriert, eingezwängt; der Gegensatz Vertikale/Horizontale verschärft zudem noch durch das grelle Licht das Untertan-Dasein Woyzecks, der im wahrsten Sinne des Wortes im Dreck liegt und Staub frisst. Den Eindruck eines gejagten Tieres spiegelt E 7 wider: Scheu und zugleich verstört sieht Woyzeck in die Kamera; die im Hintergrund hängenden Stricke lassen an einen Galgen denken.

Eine Analyse der rein visuellen Gestaltung dieser Filmszene greift jedoch zu kurz; erst der Einsatz der passenden Filmmusik vervollkommnet den filmischen Gesamteindruck. »Die meiste Zeit verbringe ich mit Arbeit an der

Filmmusik«, bekennt Herzog: »Normalerweise brauche ich mehr Zeit, mehr Energie, mehr Präzision für die Vorbereitung und Aufnahme der Musik als für die Kameraeinstellung.«[6] So verführt seine filmmusikalische Reflexion am Beginn zu einer idyllisch-traumhaften Ruhe, die die Musik einer Spieluhr aus der Biedermeier-Epoche vermittelt. Danach folgt eine wesentlich bewegtere, unruhigere Fidelmusik, die zwar stellenweise melodiös, aber doch eher dissonant-schmerzhaft wirkt – als ob zum Tanz aufgespielt würde und die Paare sich dennoch nicht von der Stelle rühren könnten. Nach der Verführung zum (falschen) Träumen sucht die Musik nun in immer neuen und stets zum Scheitern verurteilten Anläufen eine nicht mehr erreichbare Harmonie und ›ironisiert‹ somit Woyzecks Zerrissenheit und sein von Not und Pein geprägtes Dasein.

Die zweite Sequenz-Analyse beschreibt die Szene in der Praxis des Doktors, der zweiten Autorität, der ebenso wie das Militär instrumentalisierten Wissenschaft, die sich nun auf ihre Weise des immer wieder gleichen ›Opfers‹ Woyzeck bedient. E 8 beginnt als komplexe Plansequenz mit den Vorwürfen des Arztes, Woyzeck habe seinen »Akkord« gebrochen, indem er wie ein Hund an die Wand gepisst habe. Mit diesen Worten beschreitet der Doktor vom Schrank aus einen Kreis, der den ohnehin schon stramm stehenden Woyzeck wie einen Gefangenen einschließt. Nach weiteren Erklärungen verlässt der Doktor sein Versuchsobjekt. Auch die Kamera verlässt Woyzeck als vernachlässigenswerten Gesprächspartner, indem sie sich auf die vom anderen Ende des Zimmers kommenden Aussagen des Arztes konzentriert. Obwohl der Doktor sich an Woyzeck wendet, bleibt Woyzeck außerhalb des Bildkaders das ›Versuchskaninchen‹, das lediglich zu Experimentierzwecken eine Daseinsberechtigung erhält. Dann for-

6 Zitiert nach *Sequenz 10* (Anm. 6), S. 93.

dert der Arzt Woyzeck auf, in ein Glas zu urinieren. Woyzeck begibt sich zum Paravent, während der Doktor aus der Einstellung tritt. Die nun sehr dunkel gehaltene Einstellung wird von Vertikalen geprägt, ja förmlich ›seziert‹, sodass Woyzeck in diesem Geflecht aus senkrechten Linien eingefangen wird. Der leicht rückwärts gewandte Kopf Woyzecks stellt eine diagonale Verbindung zu einem Demonstrationsobjekt, zu einem Rumpf her; die zur Schau gestellten Eingeweide symbolisieren filmästhetisch Woyzecks Befinden, sein Unvermögen: »Ich kann nit, Herr Doktor«. Alle Horizontalen, die die Bildkomposition harmonischer gestalten könnten, werden durch die Lichtverhältnisse weitgehend negiert. In sein eigenes Kamerafeld bricht der Arzt mit Vehemenz ein: »Aber an die Wand pissen! [...] Ich hab's gesehn, mit diesen Augen gesehn«, sagt er aus dem Off; während dieser erneuten Vorwürfe bleibt Woyzeck im Halbschatten.

In E 9 wird in einer *Amerikanischen* (halbnahen Einstellung) gezeigt, wie Woyzeck über die Natur ›philosophiert‹. Auch hier überwiegen die senkrechten Linien, auch hier zeigt sich eine diagonale Verbindung zwischen Woyzeck und dem Rumpf. Der Arzt tritt in die Einstellung, folgt aufmerksam den abstrusen Ausführungen Woyzecks (Naheinstellung), um schließlich genüsslich eine »aberratio« feststellen zu können. Wiederum lässt die Kamera Woyzeck allein. »Er bekommt einen Groschen Zulage«, notiert der Doktor und fährt zufrieden fort: »Meine Theorie, meine neue Theorie«. Der folgende Schwenk zu Woyzeck unterstreicht bildlich die enge Verbindung zwischen dem Doktor und seinem Versuchsobjekt, das ihm diese neue ›wissenschaftliche‹ Theorie geliefert hat.

Wer diese zwei Sequenzen sieht, erkennt: Es geht zwar um ein und dasselbe Thema, aber dieses Thema bietet sich in zwei unterschiedlichen Kunstformen dar. Die erste Sequenz ist rein filmisch angelegt: Wir werden in eine Welt der Vergangenheit (ver-)führt, in der die (nostalgische)

Verklärung alsbald dem (historischen) Bewusstsein vordemokratischer Machtstrukturen weicht. In der zweiten Sequenz steht der Zuschauer aber gleichsam mit auf der Bühne und nimmt (mithandelnd?/mitleidend?) an einem gegenwärtigen Täter-Opfer-Spiel teil. Film gegen Theater: Bedeutet diese formale Unterschiedlichkeit auch künstlerische Unentschiedenheit? Können die folgenden Sequenzen eine Antwort auf diese Widersprüchlichkeit geben?

Mit der dritten Sequenz wird sich aus der Öffentlichkeit ins Privatleben begeben, in dem die unterschiedlichen Charakterkonstellationen Marie/Kind, Marie/Woyzeck und Woyzeck/Kind besonders aufschlussreich sind. Die gesamte Sequenz ist im *Low-Key-Stil* gehalten, die Schattenpartien überwiegen. Über der Szene liegt eine bedrückende Atmosphäre; auch die im Unterschied zu den vorausgegangenen Sequenzen verhältnismäßig vielen wechselnden Einstellungen ändern nichts an der Tatsache, dass die Stimmungslage zwischen den Personen von der Schwere der Ereignisse geprägt ist.

Marie beschäftigt sich mit dem Kind, scheint aber von etwas anderem abgelenkt zu sein. In derselben Einstellung (E 10) begibt sich Marie in den Szenenhintergrund, um ihr Kind schlafen zu legen. Als Marie wieder in den Vordergrund tritt, berührt sie ihr linkes Ohr, an dem ein Ohrring schimmert; ihr Gesicht im Spiegel verrät Freude und Nachdenklichkeit, sie erkennt ebenso wie der Zuschauer den Widerspruch in ihren beiden Rollen als Frau und Mutter (E 11). In der folgenden Einstellung geht Marie wieder zum Bett des Kindes zurück und benutzt den Spiegel wie ein Spielzeug: Der Schein an der Wand (E 13) hindert das Kind daran einzuschlafen, denn es versucht, den Lichtfleck mit seiner Hand zu erhaschen. Als es sich im Bett sogar aufrichten möchte, drückt Marie es mit sanfter Gewalt ins Bett zurück. Im selben Augenblick wird auf Woyzecks Kommen geschnitten (E 14). Die Kamera begleitet ihn, wie er sich leise in Richtung Bett bewegt; Marie erschrickt, als Woyzeck sie berührt: Mit ihren Händen versucht sie die Ohrringe zu verbergen, was aber Woyzecks Aufmerksamkeit noch mehr auf sie zieht. Demonstrativ zeigt er auf die beiden Ohrringe, scheint sich aber dann wieder zu beruhigen, indem er sich zärtlich über das jetzt schlafende Kind beugt. Gegen Ende von E 14 und zu Anfang von E 15 zeigt sich Woyzecks Fürsorglichkeit: zärtlich rückt er den Arm des Kindes zurecht, bevor er ihm Schweißtropfen von der Stirn wischt. Schließlich kümmert Woyzeck sich auch um Marie; er gibt ihr Geld, Marie bricht daraufhin in Tränen aus (E 16). Diese Sequenz weist nun sogar Kammerspiel-Charakter auf, wie er oft auch im Fernsehspiel der 1950er- und 1960er-Jahre eingesetzt wurde.

Dagegen hat die vierte Sequenz wieder deutlich Filmqualitäten. Sie zeigt das Ende einer Entwicklung, die durch öffentliche und private Entwürdigung eines Menschen unweigerlich in die Katastrophe führt: die Mordszene, die durch das von Marie (nicht von der Großmutter) erzählte antizipatorische (Anti-)Märchen der Hoffnungslosigkeit eingeleitet wird. Die Sequenz wird von Herzog durch Großaufnahmen und Zeitlupe, schnelle Schnitte und aggressive Montage sowie durch den Wechsel von schnellen Rhythmen und getragener Musik filmästhetisch stilisiert. »Marie wird mit langsamen – in Zeitlupe gefilmten – Bewegungen des Messers erstochen: die schnelle Fiedelmusik dazu wirkt noch aggressiver. Unmittelbar nach dem Mord dreht Werner Herzog jedoch den Sachverhalt um: das Bild des plötzlich in Trauer versteinerten Woyzeck bleibt nahezu stehen: dennoch wurde im Adagio zu (Alessandro) Marcellos Oboenkonzert eine Musik gefunden, die noch langsamer ist und dadurch die extrem langsamen Bildbewegungen – was als seltsamer Widerspruch empfunden wird – wieder subjektiv beleben kann«[7]. Insbesondere die-

7 Norbert Jürgen Schneider, *Handbuch Filmmusik. Musikdramaturgie im Neuen Deutschen Film* (Kommunikation audiovisuell, Bd. 13), München 1986, S. 121.

ser Wechsel der Musik »artikuliert den Riß, der zwischen triebhafter Natur und moralischem Verstand durch Woyzeck geht; in der orgiastischen Bluttat, die Herzog [...] als befreiende Entäußerung zeigt, machen sich die Extreme in Woyzeck mit solcher Macht geltend, daß er darüber (endgültig) den Verstand verliert«[8]. Diese Film-Sequenz feiert dabei sicherlich nicht eine »Apotheose der Gewalt«, wie Kraft Wetzel behauptet, sondern schockiert durch die so plötzlich aufbrechende und doch nicht unerwartete zerstörerische Kraft einer immer mehr entmenschlichten ›Kreatur‹, die durch die gesellschaftlichen Verhältnisse zwangsläufig zum Mörder werden musste. Damit wahrt Herzog letztlich auch Büchners sozialrevolutionäre Tendenz und verstärkt sie noch im Schlusstableau durch das Originalzitat vom ›guten und echten Mord‹, »so schön, als man ihn nur verlangen tun kann«. Dieser Mord geschah am Teich, dem Ort des Anfangsbildes, dessen Idylle nun durch die Realität des ›echten‹ Lebens endgültig als Illusion entlarvt wird.

Selbst die detaillierte Analyse dieser vier Sequenzen hat eine Antwort auf die Ausgangsfrage nicht gerade leichter gemacht. Denn Herzogs *Woyzeck* bietet nicht nur dramatische Werktreue, die von Medien-Puristen kritisiert wurde, ist also doch mehr als nur eine Text-Präsentation in theatralischer Form und keine Filmaufnahme einer Bühnenfassung wie etwa Gustaf Gründgens *Faust*. Aber er ist auch kein Film mit ausschließlich filmtypischen Eigenheiten. So sind zwar genrespezifische Filmelemente wie Melodram und Krimi erkennbar, aber genauso deutlich wird der Bühnencharakter mit sowohl Kammerspiel- als auch Oper-Effekten betont.

Hierin zeigt sich jedoch keine mediale Unentschiedenheit, sondern bewusstes ›postmodernes‹ Spiel mit den

8 Vgl. Kraft Wetzel, »Kommentierte Filmografie«, in: *Werner Herzog*, München 1979 (Reihe Film 22, hrsg. von Peter W. Jansen und Wolfram Schütte), S. 143.

unterschiedlichen Möglichkeiten der einzelnen Medien. Dabei könnte man allenfalls einwenden, dass dieser Theater-Film-Wechsel noch zu viel ›theatralische Kopie‹ und zu wenig filmische Umsetzung bietet, dass der Film nur zu Beginn und am Ende deutlich hervortritt und somit lediglich den ›Rahmen‹ für eine Theaterinszenierung bildet. Zumindest im Ansatz zeigt sich jedoch eine zeitgemäße ›Original‹-Version im künstlerischen Spannungsfeld zwischen den Medien: Autorenkino, in dem die ›Handschrift‹ des Regisseurs Werner Herzog ebenso zu erkennen ist wie seine Referenz an den ›prämodernen‹ Autor Georg Büchner.

Text

Büchner, Georg: Woyzeck (1878). Studienausgabe. Nach der Edition von Thomas Michael Mayer. Hrsg. von Burghard Dedner. Stuttgart 1999.

Film

Woyzeck. Regie: Werner Herzog. BRD 1979.

Forschungsliteratur

Werner Herzog. Mit Beitr. von Hans Günther Pflaum [u. a.]. Hrsg. von Peter W. Jansen und Wolfram Schütte. München 1979. (Reihe Film. 22.)

Sequenz 10. Film und Geschichte. Hrsg. von Thomas Bleicher, Sylvie Schott-Bréchet und Peter Schott. Goethe-Institut. Nancy 1998. S. 81–105.

Madame Bovary (Gustave Flaubert – Jean Renoir, Claude Chabrol)

Ironische Negativität als intermediale Herausforderung

Von Jörg Dünne

Der Film als technisches Medium orientiert sich besonders in seinen Anfängen an bestehenden Medien und erkundet seine eigenen Spielräume in diesen Experimenten. Während seine Wurzeln vom Umfeld populärer Theateraufführungen geprägt sind, wird ab dem ersten Jahrzehnt des 20. Jahrhunderts mit der Institutionalisierung des Films das Paradigma der fiktionalen Erzählliteratur, insbesondere des realistischen Romans im 19. Jahrhundert vorherrschend.[1]

Im Zuge dieser Entwicklung dient die Erzählliteratur nicht nur als generelles Vorbild für die Entwicklung von Erzählung bzw. Narration im Film überhaupt, sondern es werden auch literarische Sujets zum Gegenstand von Verfilmungen gemacht. Besonders ab etwa 1930 wird, wie André Bazin gezeigt hat, die Verfilmung von Literatur zur Herausforderung an das Erzählkino, das sich gegenüber den experimentellen Formen eines nichtnarrativen Kinos weitgehend durchsetzt.[2] Eine zentrale Bedeutung nehmen hierbei nach Bazin die Filme von Jean Renoir aus den 1930er-Jahren ein. Mit ihnen beginnt eine Entwicklung der ästhetischen Möglichkeiten des Films, die auf die Filme der *Nouvelle Vague* in den 1950er-Jahren zuläuft und in deren unmittelbarer Tradition noch die Neuverfilmung von *Madame Bovary* durch Claude Chabrol in den 1990er-Jahren steht.

Die These von der Herausforderung des Films durch die

1 Vgl. Joachim Paech, *Literatur und Film*, Stuttgart/Weimar, ²1997, S. 25–44.
2 Vgl. André Bazin, »Pour un cinéma impur«, in: A. B., *Qu'est-ce que le cinéma?* (1958), Paris ¹³2002, S. 81–106.

realistische Erzählliteratur erlaubt es, eine vereinfachende Annahme von klassischen Adaptationstheorien der Literaturverfilmung zu korrigieren, nach der sich das jeweilige Medium, in dem erzählt wird, neutral gegenüber dem Kern der erzählten Geschichte verhält. Hier soll es weniger um die Gemeinsamkeiten des Erzählten über Medien hinweg gehen als vielmehr um die Eigenheiten des Erzählens im Schriftmedium Literatur bzw. im Bild- und Tonmedium Film sowie um die Widerstände, die beim Medienwechsel auftreten. Unter den zahlreichen Verfilmungen von Gustave Flauberts *Madame Bovary* werde ich mich darauf beschränken, die beiden relativ nah der erzählten Geschichte des Romans folgenden französischen Produktionen von Jean Renoir und Claude Chabrol zu untersuchen, deren Analyse eine kurze Einführung in die Eigenheiten des Flaubert'schen Erzählens vorausgeht.[3]

Gustave Flauberts *Madame Bovary* von 1857 gilt als der Inbegriff realistischen Erzählens im Frankreich der 1850er-Jahre, das sich besonders in der Untergattung des kleinstädtisch-bürgerlichen Provinzromans entfaltet. Diese Zuordnung ist jedoch nicht ganz unproblematisch. Die erzählte Geschichte des Romans, die auf einen ›fait divers‹, d. h. eine Zeitungsnachricht in der Rubrik ›Vermischtes‹ zurückgeht, handelt von Emma Bovary, der Gattin des Landarztes Charles, die sich für ihre außerehelichen Liebschaften in Schulden stürzt und schließlich Selbstmord begeht. Häufig wurde dieses Sujet als Angriff auf die zeitgenössische gesellschaftliche Moral verstanden, was sogar zu einem Prozess gegen den Roman geführt hat. Diese Sicht greift allerdings insofern zu kurz, als Flauberts Kritik an den gesellschaftlichen Konventionen, an denen Emma scheitert, die Heldin nicht ausnimmt. Die Neuerung Flau-

3 Weitere wichtige Verfilmungen für das Kino stammen von Vincente Minelli (USA 1949), Alexander Sokurov (Russland 1989, Titel: *Spasi i sokhrani*) und Manoel de Oliveira (Portugal 1993, Titel: *Vale Abraão*).

berts, mit der er sich von der zeitgenössischen Schule des Realismus in Frankreich absetzt, besteht nicht in der Proklamation einer bestimmten gesellschaftskritischen Überzeugung, sondern vielmehr in der ironischen Analyse der Unausweichlichkeit klischeehaften Verhaltens sowohl im kleinbürgerlichen Leben der Normandie als auch in Emmas Fluchtversuch, der von einer illusionären romantischen Sehnsucht getrieben wird.[4]

Ihre romantischen Ideale bezieht Emma Bovary aus der identifikatorischen Lektüre von Liebesromanen. Ganz ähnlich wie für ihren entfernten Vorläufer Don Quijote nach der maßlosen Lektüre von Ritterromanen wird auch für Emma Bovary die imaginäre Welt ihrer Bücher zur eigentlichen Wirklichkeit, die ihren realen Lebensraum zunehmend überblendet (Kapitel I/6, S. 36–41/43–50).[5] Die Erzählinstanz in Flauberts Roman hält die romantische Illusion Emmas distanziert und unpersönlich fest, wobei hinter der nach außen hin gezeigten Leidenschaftslosigkeit eine fast obsessive Bindung an die Protagonistin durchscheint. Dieses Durcharbeiten von sozialen Diskursen und vor allem von Emmas romantischen Idealen war für Flaubert, der an den Vorstudien und den verschiedenen Vorstufen seines Romans jahrelang feilte, an das Medium der Schrift gebunden, wohingegen die zeitgenössischen Bildmedien für ihn allenfalls der Illusionsstiftung dienten. Aus diesem Grund verweigerte er sich beispielsweise konsequent jeder Illustration seiner Werke. Vielleicht aber verbirgt sich auch hinter der vordergründigen Bilderfeindschaft eine ambivalente Faszination für das imaginäre Potenzial konkurrierender Medien, die nicht zuletzt den Film dazu herausge-

4 Vgl. zur durchgängigen Ironie bei Flaubert Rainer Warning, »Der ironische Schein: Flaubert und die ›Ordnung der Diskurse‹«, in: *Erzählforschung*, hrsg. von Eberhard Lämmert, Stuttgart 1982, S. 290–318.

5 Ich zitiere nach der französischen Ausgabe von Claudine Gothot-Mersch, Paris 1990, sowie nach der deutschen Übersetzung von Ilse Perker und Ernst Sander, Stuttgart 1972.

fordert hat, der Unpersönlichkeit und der Ironie des Flaubert'schen Erzählens etwas entgegenzusetzen.

Claude Chabrol (geb. 1930) verkündet in Erinnerung an seine Wurzeln in der *Nouvelle Vague* als Prinzip seiner *Madame Bovary*-Verfilmung von 1991 die absolute Treue zum Original.[6] Er wählt einen taktisch geschickten Weg, diese Treue zu begründen, indem er behauptet, Flaubert selbst habe bereits quasi-filmisch gedacht und geschrieben. In der Tat gibt es einige Verfahren des Romans, die Chabrols Cineastenblick nicht entgangen sein können, wie etwa in Kapitel 8 des zweiten Teils (S. 135–159, 162–191), als sich Emma und ihr erster Liebhaber Rodolphe aus Anlass der ›comices agricoles‹, einer Landwirtschaftsschau in Emmas Wohnort Yonville, nahe kommen. Flaubert konfrontiert das vertrauliche Gespräch der beiden Liebenden mehrfach und übergangslos mit einer Wiedergabe von Festreden und Preisverleihungen auf der parallel dazu verlaufenden Landwirtschaftsausstellung. Dieses Verfahren, das die hohlen Phrasen des Verführers Rodolphe mit Tiergeräuschen und patriotischen Reden kurzschließt und so entlarvt, kann man in Analogie zum Film als alternierende Montage bezeichnen, als wiederholten Wechsel der Fokussierung zwischen zwei zeitgleich ablaufenden Erzählsträngen, ohne dass die Erzählinstanz eine kontinuierliche Verbindung zwischen ihnen herstellen würde.[7] Chabrol greift diese Vorlage Flauberts auf und folgt, abgesehen von einigen Kürzungen, recht genau den ›Schnitten‹ Flauberts im Kontinuum seiner Darstellung. (51:30–59:50 min.)[8]

6 Vgl. das ausführliche Interview Chabrols mit Pierre-Marc de Biasi, erschienen unter dem Titel »Un scénario sous influence«, in: *Autour d'Emma. ›Madame Bovary‹, un film de Claude Chabrol*, hrsg. von François Boddaert, Paris 1991, S. 21–109, hier S. 23.

7 Zur Analyse der ›comices‹ vgl. Paech (Anm. 1), S. 51–54.

8 Ich zitiere nach folgender Edition: *Madame Bovary*, Regie: Claude Chabrol, DVD, Paris 2002. *Madame Bovary*, Regie: Jean Renoir, VHS/NTSC, o. O. USA 1998.

Allerdings ist das Verfahren der Montage, das im Roman die Ausnahme bildet und so eine besondere Markierung darstellt, in der filmischen Umsetzung der eigentlich unauffällige Normalfall und konstitutives Prinzip. Während Flaubert durch den Einsatz der Montagetechnik die Illusion einer romantischen Liebe bereits im Keim erstickt, stellt die filmische Montage das romantische Klischee bei weitem nicht im selben Maß in Frage.

Die Vermutung, dass Chabrol Flauberts Herausforderung der Lektüregewohnheiten filmisch entschärft, bestätigt sich bei näherer Betrachtung einer anderen Strategie der filmischen Vermittlung, die Chabrol anwendet. Anstatt das Erzählen in technischer Umsetzung des Flaubert'schen Unpersönlichkeitspostulats dem beobachtenden Kameraauge zu überlassen, führt Chabrol über die Tonspur einen extradiegetischen Erzähler (also einen Erzähler, der außerhalb der Erzählung steht) ein, der in regelmäßigen Intervallen auftaucht. Im Vergleich mit den entsprechenden Textpassagen im Roman suggeriert Chabrol durch die Wahl einer sonoren männlichen Stimme stets einen allwissenden, auktorialen Erzählerkommentar, wo im Text zumindest die Möglichkeit der Bindung an die Perspektive Emmas oder anderer Figuren gewahrt bleibt: Bereits das erste Auftauchen der Erzählerstimme zeigt die Akzentverschiebung:

»[À] mesure que se serrait davantage l'intimité de leur vie, un détachement intérieur se faisait qui la déliait de lui. La conversation de Charles était plate comme un trottoir de rue, et les idées de tout le monde y défilaient dans leur costume ordinaire, sans exciter d'émotion, de rire ou de rêverie.« (S. 42; 14:30–14:50 min.) (»Aber je enger die Intimität ihres Zusammenlebens wurde, in desto stärkerem Maß vollzog sich eine innere Loslösung, die sie von ihm entfernte. Charles' Unterhaltung war flach wie ein Trottoir; er hatte nur Allerweltsgedanken, die in Allerweltsgewandung vorüberspazierten, ohne eine Gefühlsregung, ein Lachen oder ein träumerisches Sinnen zu erregen.« [S. 51])

Im Film hinterlegt der wörtlich aus dem Roman übernommene Erzählerkommentar eine lange Einstellung, bei der Charles von einem Patientenbesuch zurückkehrt und sich an den Esstisch setzt. Dort äußert er in eine Pause der *Off*-Stimme hinein genau die Plattitüden, die ihm der Erzähler zuvor vorgeworfen hat, indem er Emma davon berichtet, dass es seiner Meinung nach bald regnen wird. So wird die »Wahrheit« des extradiegetischen Erzählerkommentars unmittelbar am intradiegetischen Geschehen (also am Geschehen in der Erzählung) bestätigt – der Erzähler erweckt den Anschein allwissender, auktorialer Glaubwürdigkeit.

Von solcher Verlässlichkeit findet sich jedoch im Roman keine Spur. Die Beurteilung Charles' ist nämlich dort nicht in eine Konversation eingebettet, sondern in Emmas Nachdenken über ihre Situation nach der Heirat. Die Unzufriedenheit der unerfüllten Romantikerin macht sich in ihrer Phantasie breit, und vor diesem Hintergrund ist die Charakterisierung Charles' nicht einfach als auktorialer Kommentar, sondern eher als ressentimentgeladene, persönliche Perspektive Emmas zu erkennen. Ausgehend vom Schlüssellexem der »rêverie« (Träumerei) imaginiert Emma in der Folge das ideale Gegenbild eines Ehemanns, was durch die Wahl der erlebten Rede unzweifelhaft auf die Beteiligung ihrer eigenen Perspektive verweist: »Un homme, au contraire, ne devait-il pas tout connaître, exceller en des activités multiples, vous initier aux énergies de la passion, aux raffinements de la vie, à tous les mystères? Mais il n'enseignait rien, celui-là, ne savait rien, ne souhaitait rien.« (S. 42) (»Aber mußte ein Mann nicht alles wissen, sich in mannigfachen Betätigungen auszeichnen, einen in die Kraftäußerungen der Leidenschaft einweihen, in die Verfeinerungen des Lebens, in alle Geheimnisse? Er jedoch lehrte nichts, dieser Mensch, wußte nichts und wünschte nichts.« [S. 51])

Das Raffinierte der Textpassage besteht darin, dass die Identifizierung der Erzählinstanz mit der Perspektive Emmas nur vordergründig ist. Es handelt sich um den prototypischen Fall einer ironischen Ablösung bzw. Desolidarisierung des Flaubert'schen Erzählers von seiner Protagonistin, die für den Leser dadurch wahrnehmbar wird, dass er ein Kapitel zuvor über Emmas romantische Lektüren informiert worden ist. Anstatt mit ihr Charles zu verurteilen, wird der Leser dazu gebracht, Emmas Perspektive, wie auch alle anderen Figurenperspektiven des Romans, kritisch zu hinterfragen, sodass in der umfassenden ironischen Negativität keine verlässliche Orientierung übrig bleibt. Bei Chabrol wird dagegen aus der ironisierten eine weitgehend ungebrochene romantische Heldin, die im ausdrucksvollen Spiel der Schauspielerin Isabelle Huppert zum Opfer einer verständnislosen Gesellschaft stilisiert wird.

Zusammenfassend rehabilitiert Chabrol durch sein buchstäbliches Verständnis der Originaltreue, auch wo er von Flaubert vorgegebene Erzählverfahren übernimmt, eher die figurale Perspektive Emmas, als dass er Flauberts distanziertem Erzählen folgen würde. Er gibt dem Stoff im Medienwechsel das Identifikationspotenzial und auch die ›Lesbarkeit‹ zurück, die Flauberts Roman dem Leser weitgehend entzieht – damit wird aber sein eigener Anspruch auf Originaltreue zumindest auf der Ebene filmischer Verfahren problematisch, denn nicht immer haben vergleichbare Techniken in unterschiedlichen Medien dieselben Effekte.

Jean Renoirs (1894–1979) wesentlich ältere Verfilmung erhebt keinen Anspruch auf Originaltreue, auch wenn sie den Plot des Romans und dessen Chronologie weitgehend respektiert. Einige Auslassungen in der Ereigniskette des Originals mögen damit zu tun haben, dass die Verfilmung 1934 nur in einer stark gekürzten Fassung in die Kinos kam.[9] Dass die gekürzte Fassung weder beim Publikum noch bei der Kritik sonderlich gut ankam,[10] muss noch nicht unbedingt gegen den Film sprechen. Man kann vielmehr die immer wieder geäußerte Kritik, es handle sich um eine im Vergleich zu den bekannten Filmen Renoirs in den 1930er-Jahren zweitrangige Produktion, in der die Theatralität des frühen Stummfilms noch die Oberhand gegenüber dem realistischen Erzählkino behalte, ins Positive wenden: Gegenüber einem naiven, identifikatorischen Realismus entdeckt Renoir im theatralischen Moment seiner mise-en-scène ein Mittel, das er als filmischen Alternativentwurf zu Flauberts Ironie verwendet.

Renoirs Verfilmung ist in Zusammenarbeit mit bekannten Bühnenschauspielern entstanden, allen voran Valentine Tessier in der Rolle der Emma Bovary. Doch nicht nur deren fortgeschrittenes Alter sowie ihr melodramatisches Überspielen, auch die Kameraarbeit trägt zu einem theatralischen Effekt der Distanzierung bei, die dem identifikationsstiftenden filmischen Erzählen bei Chabrol diametral entgegengesetzt ist. Anders als Chabrol verwendet Renoir selbst in der Todesszene Emmas kaum Naheinstellungen, und noch deutlicher als durch die Entfernung wird durch die Kadrierung des Kamerabildes Distanz angezeigt. Renoir inszeniert vor allem seine Intérieurs bewusst als Bühnen, auf der die auftretenden Personen stets posieren anstatt sich harmonisch in ihre Umgebung einzupassen. Häufig entdeckt man hierbei in der Bildkomposition neben dem äußeren Rahmen des Kameraausschnitts einen zweiten oder sogar dritten Rahmen im Bild, der den im Vordergrund gege-

9 Vgl. zur Produktion und Rezeption des Films Christopher Faulkner, *Jean Renoir. A Guide to References and Resources*, Boston 1979, S. 86 f.

10 An dieser negativen Einschätzung des Films hat sich bis heute wenig geändert. Eine der wenigen Ausnahmen bildet Alexander Sesonske, »Madame Bovary«, in: A. S., *Jean Renoir. The French Films 1924–1939*, Cambridge/London 1980, S. 142–164, dem meine Analyse wichtige Anregungen verdankt.

benen Raum deutlich einschränkt und ihn dafür in die Tiefe öffnet.

In einer Auseinandersetzung Emmas mit ihrer Schwiegermutter (17:30–19:10 min.; vgl. S. 197 f./237 f.), die im Film zum Großteil im Treppenhaus spielt, wird beispielsweise durch einen Vorhang links sowie eine Tür rechts ein innerer Rahmen konstruiert, der den Bildausschnitt auf etwa die Hälfte verkleinert. Dort entspinnt sich vor der frontal zum Geschehen postierten Kamera wie auf einer Theaterbühne ein Reigen von Auftritten und Abgängen, wobei alle Akteure mehr oder weniger direkt zur Kamera gerichtet stehen und den Eindruck erwecken, sie sprächen auf der Bühne zu einem imaginären Publikum.

Renoir nützt das theatralisch-übertriebene bildliche Zeigen zu einer ähnlichen Distanzierung des Zuschauers von den handelnden Personen wie Flaubert das an Sprache gebundene ironische Erzählen. Obendrein steht die innere Rahmenbildung in Zusammenhang mit einer immer wieder auftauchenden Medienreflexion, bei der nicht nur das Theater, sondern auch Bilder und Stiche eine Rolle spielen. Bereits im Roman ist Emma in ihrer Jugend nicht nur eine Leserin romantischer Texte, sondern sie betrachtet mit Vorliebe so genannte ›keepsakes‹, eine Art von illustrierten literarischen Kalendern, die vor allem von Frauen gelesen wurden und in denen insbesondere die Abbildungen den Sprung in imaginäre Sehnsuchtsräume eröffnen. Wie Carol Rifelj gezeigt hat, steht Emmas aktive Vorstellungswelt weitgehend im Zeichen einer visuellen Imagination, die durch die Abbildungen auf ›keepsakes‹ geprägt ist.[11] Während Flaubert die visuelle Imagination Emmas aus dem Medium der Schrift heraus auf Distanz hält, treten in Renoirs mise-en-scène imaginäre und ›reale‹ Bilder durch ihr unmittelbares Nebeneinander in der Bildkomposition in ein besonderes Spannungsverhältnis.

11 Carol Rifelj, »›Ces tableaux du monde‹. Keepsakes in ›Madame Bovary‹«, in: *Nineteenth-Century-French-Studies* 25/3–4 (1997), S. 360–385.

Besonders aussagekräftig hierfür ist eine weitere Interieurszene, für die es bei Flaubert kein unmittelbares Vorbild gibt: (12:30–13:30 min.) Emma steht vor einem Pult, an dem sie offensichtlich ein Landschaftsbild gemalt hat. Das Bild konstituiert einen inneren Rahmen, der durch das Stehpult, auf dem es liegt, noch zusätzlich hervorgehoben wird. Von der Position der Kamera aus weist die perspektivische, auf den gemalten Horizont zulaufende Fluchtlinie des von Emma gemalten Bildes auf eine bestimmte Stelle in der Tiefe des Raums, jenseits des Bildes hin. Genau dort befindet sich ein Fenster, das Charles Bovary, Emmas Mann, sogleich weit öffnet. Draußen vor dem Fenster und wiederum in Fortsetzung der gedachten Linie in die Tiefe des Raums hinein steht ein Geschenk für Emma. Es handelt sich um eine Kutsche, die in Zukunft als Transportmittel für ihre Hoffnung dienen wird, aus den kleinbürgerlichen Interieurs in einen draußen im Freien gelegenen Sehnsuchtsraum auszubrechen und so zur romantischen Heldin zu werden.

Die figurale Imagination Emmas ist jedoch immer schon durch die neutrale Beobachtungsperspektive der Kamera gebrochen, die in ihrer Position verharrt, als Emma mit Charles freudig zur Kutsche hinausläuft und wegfährt. Die Kamera, die die gedachte Verbindungslinie zwischen Imagination (das von Emma gemalte Bild) und ›realen‹ Gegenständen (die Kutsche draußen vor der Tür) erst konstituiert, lässt in der Besetzung der Tiefenachse des Raums erkennen, dass Emmas Flucht nach draußen auf einer imaginären Projektion ihrer bildhaften Vorstellungen auf die Realität beruht. Im Zuge der Reflexion auf den Stellenwert seiner eigenen Bilder demonstriert der Film also Emmas Gebrauch von visuellen Medien, mit denen sie sich ein illusionäres Weltbild konstituiert, in ähnlicher Weise, wie der Text Emmas identifikatorische Lektüren distanziert vorführt.

Der gesamte Film Renoirs wird durch eine Serie von Kutschenfahrten strukturiert. Die im Roman in einer Szene erwähnte »Bewegungswut« Emmas (S. 250/302) macht Renoir zum Grundprinzip der räumlichen Sujetbewegung, wobei sich die anfängliche Hoffnung auf ein romantisches Entkommen durch Fahrt in der Kutsche sehr bald in ihr Gegenteil verkehrt: Aus dem positiv konnotierten Mittel zur Flucht wird zumindest für den Blick des Zuschauers immer deutlicher ein rollender Sarg in Gestalt der langen, schwerfälligen Postkutsche, die zwischen Yonville und Rouen verkehrt. (Vgl. v. a. 1:11:45–1:11:55 min., wo man eine Bemerkung Emmas über die Grabesruhe mit der darauf folgenden Aufnahme der Kutsche assoziieren kann.) Renoir zieht jedoch aus den Kutschfahrten nicht nur einen symbolischen Vorverweis auf Emmas Tod, wie er bei Flaubert in dieser Deutlichkeit nicht zu finden ist, sondern er geht noch über den Einsatz von visuellen Mitteln im Dienst der erzählten Geschichte hinaus. Damit schafft er abermals ein visuelles Äquivalent zu Flauberts Text, das zu der abschließenden Frage führt, ob es etwas jenseits der ironischen bzw. theatralischen Negativität gibt, durch die die erzählte Geschichte jeweils aufgebrochen wird.

In Renoirs Verfilmung werden bei den zahlreichen Kutschenfahrten immer wieder Landschaftsbilder gezeigt, die aus dem Zusammenhang der Erzählung herausgerissen scheinen.[12] Obwohl diese Bilder teilweise aus der sich bewegenden Kutsche heraus gefilmt sind, lassen sie sich dennoch nicht als subjektive Kameraeinstellungen mit der optischen Perspektive einer Figur in der Kutsche verrechnen, sondern machen die Bewegungsdarstellung durch das ki-

12 Auch die Ehebruchsszene auf der Fahrt durch Rouen mündet im Film, der sich an die strikte Außensicht des Romans hält und keine Einblicke ins Innere der Kutsche gewährt, in eine Fahrt übers freie Land, wobei sich ein zunächst heller Sommertag in eine kahle Herbstlandschaft verwandelt. (1:06:30–1:07:20 min.)

nematographische Dispositiv selbst spürbar.[13] Da die kahlen Herbstlandschaften unabhängig von dem erzählerischen Kontext, in den sie eingebettet sind, in ähnlicher Form mehrmals wiederkehren, verlieren sie zunehmend ihre Bindung an den vorgestellten kontinuierlichen Raum der erzählten Geschichte – sie werden zum »Leerstellenraum«[14], der den erzählerischen Zusammenhang des gesamten Films punktuell durchlöchert. Auch Flaubert kennt ähnliche Leerstellen, in denen die Figurenwahrnehmung und der Handlungsfortgang punktuell aussetzen.[15] Ebenso wie bei Renoir werden diese Leerstellen häufig von Naturbeschreibungen gefüllt – im Roman wie auch im Film scheint an diesen Stellen momenthaft eine ›Realität‹ jenseits der Figurenperspektive und somit zumindest potenziell auch jenseits des klischeebeladenen gesellschaftlichen Lebens auf. Selbst diese Momente gewähren jedoch keinen unmittelbaren Zugang zur Materialität der umgebenden Natur, sondern stellen, was im subjektlosen Blick der Kamera vielleicht noch deutlicher wird als im unpersönlichen Beschreiben der Erzählinstanz, in erster Linie die Materialität des jeweiligen Mediums heraus.

Alles in allem konstituiert Renoirs Verfilmung ein visuelles, seine eigene Medialität reflektierendes Äquivalent zur verbalen Komplexität ironischer Rede und weist überdies, wie bereits der Text Flauberts, darauf hin, dass das so genannte realistische Erzählen von Anfang an seine eigene

13 Zur Entwicklung des Kinodispositivs, d. h. des filmischen Projektionsapparats aus den Wahrnehmungssituationen, die durch mechanische Bewegung bei Kutschen- oder Eisenbahnfahrten im 19. Jahrhundert geschaffen werden, vgl. Paech (Anm. 1), S. 72–75.

14 Dieser Ausdruck ist ein Versuch der Übersetzung des von Gilles Deleuze verwendeten Begriffs »espace quelconque«, mit dem er das Phänomen der Nichttotalisierbarkeit des erzählten Raumes im Kino beschreibt, wodurch das klassische Erzählkino in Frage gestellt wird (Gilles Deleuze, *L'Image-mouvement. Cinéma 1*, Paris 1983, v. a. S. 154 f./170 f.).

15 Gérard Genette spricht in diesem Zusammenhang von den »Silences de Flaubert«, in: G. G., *Figures I*, Paris 1966, S. 223–244.

Infragestellung in sich trägt. Darin liegt das anhaltende Provokationspotenzial Flauberts auch für die Filmgeschichte.

Text

Flaubert, Gustave: Madame Bovary (1857). Hrsg. von Claudine Gothot-Mersch. Paris 1990.
– Madame Bovary. Übers. von Ilse Perker / Ernst Sander. Stuttgart 1972.

Filme

Madame Bovary. Regie: Jean Renoir. Frankreich 1934.
Madame Bovary. Regie: Claude Chabrol. Frankreich 1991.

Forschungsliteratur

Bazin, André: Pour un cinéma impur. In: A. B.: Qu'est-ce que le cinéma? (1958). Paris [13]2002.
Chabrol, Claude: Un scénario sous influence (Interview mit Pierre-Marc de Biasi). In: Autour d'Emma. *Madame Bovary*, un film de Claude Chabrol. Hrsg. von François Boddaert (u. a.). Paris 1991. S. 21–109.
Deleuze, Gilles: L'Image mouvement. Cinéma 1. Paris 1983.
Faulkner, Christopher: Jean Renoir. A Guide to References and Resources. Boston 1979.
Genette, Gérard: Silences de Flaubert. In: G. G.: Figures I. Paris 1966. S. 223–244.
Paech, Joachim: Literatur und Film. Stuttgart/Weimar [2]1997.
Rifelj, Carol: ›Ces tableaux du monde‹. Keepsakes in *Madame Bovary*. In: Nineteenth-Century-French-Studies 25/3–4 (1997). S. 360–385.
Sesonske, Alexander: Madame Bovary. In: A. S.: Jean Renoir. The French Films 1924–1939. Cambridge/London 1980. S. 142–164.
Warning, Rainer: Der ironische Schein: Flaubert und die ›Ordnung der Diskurse‹. In: Erzählforschung. Hrsg. von Eberhard Lämmert. Stuttgart 1982. S. 290–318.

Dr. Jekyll and Mr. Hyde (Robert Louis Stevenson – Rouben Mamoulian, Victor Fleming, Jean Renoir, David Wickes)

Filmische Doppelgänger

Von Erika Greber

Stevensons Erzählung *The Strange Case of Dr. Jekyll and Mr. Hyde* (1886) ist die mit Abstand meistverfilmte Literaturvorlage aller Zeiten: mit über hundert Filmversionen innerhalb von knapp hundert Jahren.[1] Dazu passt es, dass schon der Autor eine verblüffend genaue kinematographische Imagination besaß, wie jene Passage zeigt, wo Jekylls Freund und Rechtsanwalt Utterson nachts im dunklen Raum den beunruhigenden Bericht eines Bekannten über das seltsame Gebaren eines gewalttätigen Unbekannten rekapituliert, nämlich in Form einer Bilderfolge, die wortwörtlich als Rolle belichteter Bilder (»scroll of lighted pictures«) bezeichnet wird.[2] Allerdings unterliegt die Erzählung als ganze keineswegs einer Poetik des kinematographischen Schreibens.

Der Erfolg der *Jekyll and Hyde*-Filmtradition beruht auf Missachtung bzw. kreativem *misreading* des Originaltextes. Die Diskrepanz zwischen Buch und Film(en) ist nun für eine intermediale Analyse nutzbar: die beiden Medien und die unterschiedlichen Adaptationen beleuch-

1 1908 entstand die erste Stummfilmversion; 2004 umfasst die Filmographie 105 Titel (darunter allerdings auch Kurzfilme und Filmeinlagen). Vgl. Richard Dury, »Film Versions of *Dr. Jekyll and Mr. Hyde*«. http://www.esterni.unibg.it/siti_esterni/rls/films-jh.htm <10.1.2004>. Dury verweist auf die Materialbasis bei Charles King, »*Dr. Jekyll and Mr. Hyde*: A Filmography«, in: *Journal of Popular Film and Television* 25 (1997) No.1, S. 9–20.

2 Robert Louis Stevenson, *The Strange Case of Dr. Jekyll and Mr. Hyde* Stuttgart 1984, S. 17.

ten einander, wobei die jeweiligen Konstruktionen kultur- und medienhistorisch erklärt werden können. Im Vergleich mehrerer Verfilmungen lässt sich die Realisation des Zentralmotivs verfolgen und hierbei zeigen, wie eng der Motivkomplex von Spaltung und Doppelgängerei in die Medienästhetik eingeht. Ausgewählt wurden vier repräsentative Verfilmungen, von der klassischen Periode bis zur Gegenwart, aus USA, Frankreich und England: die verbreitetste, die angeblich beste, die werkgetreueste und eine der erfolgreichsten jüngsten Verfilmungen.

Der Prototyp des Jekyll and Hyde-Stoffs (Hollywood)

Die Rezeption des Stoffes ist so sehr vom Filmgenre dominiert, dass die gängige Vorstellung davon deutlich vom Film geformt wurde. Dieser bei Literaturverfilmungen sicherlich gar nicht so selten anzutreffende Tatbestand ist im vorliegenden Falle allerdings extrem, wie der Blick auf die Klassiker zeigt, die beiden unter dem Titel *Dr. Jekyll and Mr. Hyde* in Hollywood gedrehten Schwarz-Weiß-Filme (23 bzw. 33 in der Filmographie). Als beste Adaptation[3] gilt die von Rouben Mamoulian mit Frederic March und Miriam Hopkins (Paramount, 1931); sie bekam Konkurrenz durch ein Remake von Victor Fleming mit Spencer Tracy und Ingrid Bergman (MGM, 1941), welches sich als verbreitetste Fassung durchsetzen konnte[4] und mit der im Wesentlichen unveränderten Stoffkonzeption weiter zur Festigung des Prototyps beitrug.

Dr. Jekyll, ein honoriger Arzt und ambitionierter Wissenschaftler, erforscht die chemische Manipulation der

3 Vgl. King und Dury (Anm. 1) »usually regarded as the best version«.

4 Um den eigenen Film zu promoten, hatte die Produktionsgesellschaft MGM die Filmrechte des Mamoulian-Films gekauft und selbigen aus dem Verkehr gezogen, erst 1967 tauchte er wieder auf.

Persönlichkeit: eine Droge soll das Böse vom Guten trennen. Im schmerzhaften Selbstexperiment erlebt er eine monströse Veränderung: er mutiert zu einer skrupellosen Kreatur von abscheulichem Aussehen, um sich dann in einer Music Hall das reizende Barmädchen Ivy zu schnappen. Die Bilder der nächtlichen Halbwelt kontrastieren effektvoll mit denen der opulenten bürgerlichen Salons. Die geplante standesgemäße Heirat wird von dem sittenstrengen Vater der engelhaften Auserwählten Muriel weiter verzögert, sodass Jekyll als Hyde seinem geheimen Lasterleben mit der als Mätresse versklavten Ivy frönt. Zurückverwandelt, führt er sein normales Leben. Als Arzt wird er von der nichts ahnenden Ivy konsultiert, die ihm die von Hyde zugefügte Marter klagt – eine Szene voller Doppeldeutigkeiten. Erschrocken über die entfesselte Bestialität, will Jekyll zur ehrbaren Lebensweise zurückfinden. Nachdem ihn aber ausgerechnet unterwegs zum offiziellen Verlobungsdinner im Park ganz ohne Chemikalien die Metamorphose überkommt, begeht er völlig enthemmt einen Lustmord an Ivy. Seine ahnungslose düpierte Verlobte verteidigt ihre Liebe gegenüber dem Vater. Hyde kann sich nicht mehr ohne Droge zurückverwandeln und braucht die Hilfe seines Opponenten Dr. Lanyon, zu dessen ungläubigem Entsetzen er sich in Jekyll verwandelt. Triumph und Verzweiflung. Er gibt die Verlobte frei, kommt aber in Hydes Gestalt zurück, um sie zu vergewaltigen, und bringt den zu Hilfe eilenden Vater um. Das Tatwerkzeug Stock führt auf seine Spuren; in einer atemlosen Verfolgungsjagd entkommt er gerade knapp genug, um sich im Labor in den ›unschuldigen‹ Jekyll zurückzuverwandeln. Aber Lanyon identifiziert ihn, und tatsächlich mutiert er unwillkürlich zu Hyde und wird erschossen. Als Toter verwandelt er sich ein letztes Mal – eine Verklärungsszene mit Höllenfeuer.

Mamoulians Opus ging als ein Meisterwerk des frühen Horrorfilms in die Geschichte ein und stiftete einen Kinomythos: von nun an war »Jekyll and Hyde« ein ›Movie‹. Erstmalig hatte die Tricktechnik die Verwandlung sinnlich audiovisuell erlebbar gemacht. Zu den für damalige Verhältnisse verblüffenden Verwandlungsszenen kamen innovative Toneffekte und eine außergewöhnliche Kameraführung hinzu (subjektive Kamera, schwindelnde 360°-Drehungen mit Herztönen für die erste Metamorphose). Alle Schauerelemente der Gothic-Tradition werden aktiviert, die Raum- und Bildkomposition folgt einer expressionistischen Filmästhetik (diagonale Treppen, Torbögen, Säulen, Dächer, Zäune, Gitter, *chiaroscuro*), bildliche Kontrapunkte setzen hoch aufgeladene symbolische Akzente.

Mamoulians Inszenierung wurde im Wesentlichen nur in einem Punkt angegriffen: wegen der rassistischen Tendenzen in der Ausgestaltung von Hyde als primitivem Typus mit affenartigen und negroiden Zügen, was an das diskriminierende Filmstereotyp des ›black rapist‹ gemahnte.[5]

Das Remake 1941 trug dieser Kritik Rechnung: hier unterscheidet sich Hyde von Jekyll nur durch ein etwas gealtertes Aussehen mit buschigen Augenbrauen, ungleichen Glotzaugen, schmalen Lippen, durch die rauere Stimme und das dreckige Lachen und natürlich das ausfällige Benehmen. Ansonsten nahm der Regisseur Fleming gewisse ideologische Akzentuierungen vor: Hydes lustbetonter Sadismus ist stärker hervorgekehrt, zugleich wird die Prostituierte als aufdringliche Verführerin charakterisiert; die Verlobte wirkt etwas selbstbestimmter und aktiver, der Schwiegervater weniger rigide. Die Rolle der Religion wird satirisch überzeichnet. Der Wissenschaftsanspruch ist unterstrichen (die erste Verwandlung wird experimentell dokumentiert: Notizbuch, Uhr, Pulsmessung), das Problem der Wissenschaftsethik wird noch

5 Virginia Wright Wexman, »Horrors of the Body: Hollywood's Discourse on Beauty and Rouben Mamoulian's *Dr. Jekyll and Mr. Hyde*«, in: *Dr. Jekyll and Mr. Hyde after One Hundred Years*, hrsg. von William Veeder / Gordon Hirsch, Chicago 1988, S. 283–307.

deutlicher profiliert. Als neues Detail werden Tierversuche Jekylls gezeigt.

An dieser Aktualisierung ist das stetige Modernisierungspotential des Stoffs zu ermessen, der periodisch dazu dient, gesellschaftliche Problemkomplexe und Ängste[6] zu verhandeln: In der Folge werden jeweils zeitgenössische Topoi der Wissenschaftsdiskussion eingebracht (z. B. Hormonforschung, Leichenhandel, Genmutation), die aktuellen Sexualdebatten werden aufgegriffen (z. B. Trans- oder Bisexualität und Inzest), die Emanzipation zeigt sich (Frauenfiguren nehmen immer mehr Raum ein; *gender*-Stereotypen verschieben sich ein bisschen), die Verfolgungsjagden werden perfektioniert (auch Scotland Yard lässt grüßen), die Pornoindustrie mischt mit (*soft*- und *hardcore*), und last but not least wird der technologische Fortschritt der Tricktechnik demonstriert (z. B. Computernachbearbeitung, *morphing*). Am Grundschema ändert sich, mit wenigen Ausnahmen, kaum etwas. Daher eignet sich der Stoff auch zu witzigen Parodien (unter Titeln wie *Dr. Prickle and Mr. Pride* oder *Hyde and Hare* oder *Dr. Heckyl and Mr. Hype*), die erkennbar Kino-Stereotypen parodieren.

Vom Film zum Buch

Es ist dieses Hollywoodschema, was man kennt und was man sich so landläufig unter »Jekyll and Hyde« vorstellt. Auf der Basis solcher Prototypisierung wird in der Regel diskutiert; der Originaltext spielt eine nachgeordnete

6 In einem kulturspezifisch auf die USA ausgerichteten Längsschnitt mit drei Etappen untersucht Brian A. Rose eine Reihe von Theater-, Kino- und Fernseh-Adaptationen unter dem Aspekt der ›anxiety‹: »From allegory to domestic melodrama, 1887–1920.« – »From domestic to psychological melodrama, 1932–1948.« – »Towards a paratragedy of violence, 1955–1990.« (*Jekyll and Hyde Adapted: Dramatizations of Cultural Anxiety*, Westport/CT 1996).

Rolle. Dieses Rezeptionsprinzip soll hier in einer Versuchsanordnung kritisch aktiviert werden: der erste Analyseschritt führt nicht vom Text zur Filmversion, sondern vom Film zur ›Textversion‹ – und dann erneut zu Filmversionen. Damit ist ein Diskursmuster der herrschenden Populärkultur zu simulieren und gleichzeitig ein Verfremdungs- und Aha-Effekt zu erreichen. Film und Buch erweisen sich nämlich als geradezu diametral entgegengesetzt, wie die folgende systematische Strukturanalyse zeigt.[7] Bis auf die eskalierende Persönlichkeitsspaltung – das sujetkonstitutive Minimalelement – trifft nichts vom Filmplot auf das Original zu!

Filmversion (Prototyp Hollywood 1931/1941)	Originaltext
Die Story ist von Jekyll aus entwickelt	Die Story ist von dem Beobachter Utterson aus entwickelt; Dr. Jekyll tritt als Letzter auf
Zuschauer kennt Jekylls Geheimnis	Niemand kennt das Geheimnis
Hauptfigur ist als Held konzipiert Mann zwischen zwei Frauen; mächtige Gegenspieler	Kein eigentlicher Held; wichtig ist der ganze Bekanntenkreis – ausschließlich Junggesellen ohne weibliche Kontakte. Keine Sympathielenkung zugunsten der Hauptfigur; hingegen Verdächtigungen gegen alle Beteiligten

7 Manches davon ist genauer nachzulesen bei Siegbert S. Prawer, »Book into Film: I. Mamoulian's *Dr. Jekyll and Mr. Hyde*«, in: S. S. P., *Caligari's Children: The Film as a Tale of Terror*, Oxford 1980, S. 86–107. – James B. Twitchell, »Dr. Jekyll and Mr. Wolfman«, in: J. B. T., *Dreadful Pleasures. An Anatomy of Modern Horror*, New York 1985, S. 204–257; hier bes. S. 227–257.

Der tragende Konflikt ergibt sich aus der Persönlichkeitsspaltung und deren Eskalation vom willentlichen Forschungsexperiment zur unbeherrschbaren Naturgewalt	Die Handlung beruht nicht auf einem tragenden Konflikt, sondern auf Heimlichkeit und Rätsel
Spaltung hat neben der wissenschaftlichen eine soziale und sexuelle Begründung (manifestiert in den Frauenbeziehungen: sittsame Verlobung mit Gesellschaftsdame vs. Lustleben mit Freudenmädchen)	Persönlichkeitsspaltung (erst spät als eine solche manifestiert) basiert auf Jekylls Theorem der Duplizität und resultiert aus dem Wunsch nach Loslösung von gesellschaftlichen Zwängen
offener Bezug auf Sex; Heterosexualität	verdeckte Homosexualität
die beiden Personae: Antinomie gut-böse (kultivierter Gentleman vs. Primitivling)	die beiden Personae: kein symmetrischer Gegensatz, *mixed characters*
Metamorphosen: mehrfaches Spektakel, sensationeller Mittelpunkt der Darstellung	Metamorphosen: spät und selten; kurz und eher sensationsarm geschildert
chronologisch – einlinig	nicht chronologisch – verschachtelt (Anfänge erst am Schluss in Jekylls chronologischer Lebensbeichte nachgeliefert)
Handlungsschema einer Tragödie (Zwischenhöhepunkte, Anagnorisis- bzw. Wiedererkennungsmomente, Peripetie bzw. Umschwung, Katastrophe)	Handlungsschema von *mystery story* und Detektivgeschichte (fortschreitende Verunklarung und schlussendliche Aufklärung des Falls); *strange case*
Scheitern ist (gemäß Tragödienkonzept) quasi unverschuldet und tragisch unausweichlich.	Konzept der Suche; individuelle Verantwortung

Held wird bei Verfolgungsjagd in Showdown erschossen	Selbstmord
»one man is two men«	»the two men are one man«

Allein schon Handlungslogik und Personenkonstellation erweisen also die völlige Diskrepanz zwischen Film und Buch. »The real stab of the story is not in the discovery that the one man is two men; but in the discovery that the two men are one man.«[8] Zieht man nun noch die narrative Präsentationsform hinzu, das eigentliche mediale Differenzkriterium, wird der Unterschied noch deutlicher. Die komplexe Erzählstruktur ist in der klassischen Verfilmung nicht nachgebildet worden. Vielmehr ist ein einziger Baustein herausgegriffen und umgesetzt worden, nämlich das Schlusskapitel. Da nun das komplexe Erzählen nicht etwa als automatisches Wertkriterium zur Höherbewertung von Literatur gegenüber Film angesetzt werden darf (sonst kämen Verfilmungen generell ziemlich schlecht weg), ist nach medialen Korrespondenzen zu fragen, also danach, welche Mittel der Film mit ähnlicher Funktion einsetzen kann. Und deshalb muss man zunächst die Funktion der narrativen Textverfahren ermitteln.

Stevensons Text ist insgesamt polyperspektivisch angelegt, d. h., er ist aus Erzählungen verschiedener narrativer Instanzen zusammengesetzt, in Er- und in Ich-Formen. Die ersten acht Kapitel sind von einer namenlosen Erzählinstanz präsentiert, die häufig durch interne Fokalisierung die personale Perspektive des Juristen Utterson (Detektiv auf der Spur des unheimlichen Geheimnisses) einnimmt, aber auch genügend ironische Akzente und beunruhigende Andeutungen anbringt, um selbst als ominöse Wissensquelle ins Spiel zu kommen. Am Schluss dieser Sequenz steht der mysteriöse Tod Jekylls im Labor und die Vermutung, sein heimlicher Freund Hyde habe ihn ermordet und

8 Gilbert K. Chesterton, *Robert Louis Stevenson*, London 1928, S. 72.

sich davongemacht. Die beiden aufklärenden Schlusskapitel sind eingebettete Erzählungen, die sich vielfach auf das zuvor schon Erzählte beziehen und dasselbe nun aus anderen Perspektiven, nämlich denen von Eingeweihten, beleuchten. Und zwar handelt es sich um zwei an den Juristen adressierte nachgelassene Schriftstücke: einen Brief von Dr. Lanyon (der ins Vertrauen gezogen worden war, um Nachschub für die Verwandlungsdroge zu sichern, Augenzeuge einer markerschütternden Metamorphose wurde und am Schock starb) und Dr. Jekylls eigene Lebensbeichte, »Henry Jekyll's Full Statement of the Case«.

An dem Ausdruck »Full Statement« lässt sich das große Missverständnis der Stevenson-Rezeption festmachen. Das Schlusskapitel (ein Viertel des Gesamttextes) wird für das Ganze genommen. Die retrospektive chronologische Darbietung der Entwicklung aus Jekylls Sicht bildet alleinige Grundlage der klassischen Verfilmungen. Damit kommt die auf einen Protagonisten zentrierte geradlinige und potentiell ›heldische‹ Dynamik in den Vordergrund.

Schrift ist ein entscheidendes Medium im Originaltext, mit vielfachen Aspekten: Briefkommunikation, die Schriften im Safe als Geheimversteck, körperliche Handschrift, Erzählmedium der Toten – in dieser Vielfalt eine Herausforderung für die Verfilmung, der das klassische Hollywood (ganz im Unterschied zum Stummfilm, der viel mit Schriftzeichen operierte) nicht gewachsen war bzw. worauf es wegen seiner Fixierung auf ungebrochene Illusion gar nicht achtete. Metamedial könnte man dies so interpretieren, dass das Hollywoodkino durch Ignorieren der Schriftlichkeit den ›literarischen‹ Ursprung von Jekyll and Hyde ausblendet.

Besonders interessant beim intermedialen Vergleich ist das Motiv der Hand. Im Original ist die Hand deshalb so wichtig, weil sie Sitz der Identität, der individuellen Handschrift ist (*hand* ist doppeldeutig verwendet: Hand und

Handschrift). Bei der Metamorphose verändert sich daher auch Jekylls Hand, und infolge des Identitätswechsels bekommt Hyde eine eigene, linkische Handschrift und Signatur (S. 57, S. 92). Im Film geht diese motivierte Beziehung zwischen Hand und Identität völlig verloren, man kann sich wundern, warum immer gerade die Hände so stark mutieren.

Als »enclosures« stehen die versiegelten, »in the inmost corner of his private safe« (S. 47) hinterlegten Briefe für den Geheimnischarakter und damit den Hauptpunkt der Geschichte: die Verdrängung.

Mit der Verschachtelungstechnik überträgt der Autor die ›undurchsichtigen Verhältnisse‹ auf das Textmodell, und zwar mit mehr als nur symbolischer Bedeutung oder bloß ästhetischem Selbstwert. Denn die narrative Struktur ist so gefügt, dass sie selbst etwas verheimlicht. Es gibt eine Lücke im Erzählaufbau, deren Bedeutung durch den Film-Text-Vergleich auszuwerten ist. Und zwar sind die beiden Schlusskapitel nicht wirklich eingebettet, weil der Text mit ihnen aufhört und keine Diegese mehr zu der Rahmensituation zurückführt. Der Jurist Utterson geht nach Hause, um aus seinem Safe den nachgelassenen Brief Lanyons sowie Jekylls Papiere zu lesen. Nach der Lektüre, mit deren Erkenntnissen ausgerüstet, will er sich mitternachts mit dem Butler an der Leiche treffen und die Polizei holen (S. 68). Dies tritt aber nicht ein; nach den beiden Briefen ist der Text jäh zu Ende. Was passiert sein könnte, muss der Leser ausspekulieren. Starb Utterson ebenso wie schon Lanyon am Schock der Enthüllungen? Beging er Selbstmord, weil in den Briefen seine Verstrickung in die dubiosen Beziehungen erkennbar wurde? Ging er auf und davon, um seiner Rolle als Testamentsvollstrecker zu entkommen und die Wahrheit nicht mitteilen zu müssen? Und was bedeutet es, dass gerade die juristische Instanz, der Vertreter des Gesetzes, aus der Geschichte verschwindet?

Noch wesentlich prekärer als diese auf die Person bezogenen Rätsel ist das Rätsel um die Erzählinstanz. Wieso bricht plötzlich die Erzählung ab? Ist hier womöglich wortlos der Selbstmord eines ungenannten Erzählers performiert? Die Fragmentation betrifft also das Herz der Sache. Stevenson hat die Erzählung so strukturiert, dass die fädenziehende Diskurs-Instanz plötzlich demonstrativ ausfällt und selbst unter den Verdacht der Geheimniskrämerei und Verdrängung fällt. In dieser Geschichte gibt es niemanden und nichts, was unverdächtig wäre und frei von Verdrängung. Selbst die innersten Mechanismen dieser Welt sind betroffen. Auch der Leser hat keinen sicheren Ort, von dem aus sich alles übersichtlich darstellen würde. Stevenson erzählt hier nicht bloß ein Einzelschicksal, sondern die fundamentale Gespaltenheit der Gesellschaft und gibt dies diskursiv und performativ dem Publikum zu lesen.

Wenn Inhalt und Form literarischer Werke einander entsprechen, ist das an sich schon eine enorme Hypothek für jegliche Visualisierung. Wenn aber die narrative und textuelle Form, wie in diesem »Strange Case«, zum Inhalt beiträgt und ihn fortspinnt, wenn die verschachtelte und lückenhafte Struktur selbst eine Aussage trägt, und zwar eine negative – Verdrängung –, müssen sich die Filmregisseure etwas einfallen lassen.

Die originalgetreueste Verfilmung

Jean Renoirs später Fernsehfilm *Le Testament du docteur Cordelier* (1959) ist die werkgetreueste Verfilmung. Beibehalten ist die Beobachterperson, ein Notar Joly, der an fast allen Szenen zuschauend oder handelnd beteiligt ist, und die Zeitstruktur, wo die aufklärende Lebensbeichte Jekyll-Cordeliers erst am Schluss als Rückblende kommt. Beibehalten ist also das Mysterium und die detektivische

Aufklärung des Geheimnisses. Damit das funktionieren kann, muss der Zuschauer unwissend sein – der eigentliche Grund dafür, dass im Titel nicht die Namenskombination Jekyll–Hyde genannt sein darf, weil man sonst die Lösung von Beginn an kennen würde. Der Film spielt also mit verdeckten intertextuellen bzw. interfilmischen Prämissen.

Eine raffinierte medientechnische Lösung findet Renoir für die Verschachtelung, die er auf ein Element konzentriert, das hier »Testament« genannte »Full Statement«: ein Tonband. Die vom Band abgespielte Stimme des Arztes weiht den Notar in das Geheimnis ein – eine Filmviertelstunde lang, teils als aktuelles Zuhören, teils in Form von Rückblenden ausagierter Szenen mit *voice-over* vom Tonband. Damit ergibt sich eine Dissoziierung von Stimme (alter Mann) und Bild (junger Mann); wie beim Textmedium in einem Satz »Ich« und »Er« paradox kombiniert sind, so hier im Film die Stimme und die Person, gleich und doch verschieden.

Die erste der wenigen Transformationsszenen kommt wie im Buch spät (nach einer Stunde und nicht schon nach zwanzig Minuten). Der Sensationalismus ist zurückgenommen, es gibt bei den Metamorphosen keine *close-ups* und keine spektakuläre Ausstaffierung. Nur Krämpfe und Zuckungen werden gezeigt, in einem quasi choreographierten Raum. Die Charakteristik von Hyde, der hier Opale heißt, stellt auf pantomimische Bewegungsmuster ab und wird eher schauspielerisch als per Filmtrick bewerkstelligt. Seine Bewegungen sind grotesk, konfus, gelegentlich spastisch, sie wirken anarchisch, ja sogar fröhlich, slapstickartig, mit dem Stock als (Chaplin'sches und Stevenson'sches) Signum, was im Original dem Motiv der »impatient gaiety« (S. 81) entspricht.

Es gibt keine großen *enface*-Aufnahmen, sondern die Mutation vollzieht sich im abgewandten Körper oder gar demonstrativ *off-screen*: wie im Original fehlt dem Unwesen im Hauptmoment sozusagen das Gesicht. Hier gelingt der filmischen *mise-en-scène* die Darstellung von Nicht-sehen und Unsagbarem. Dies setzt aber wohlgemerkt gerade als Folie die Hollywoodfilme voraus, die die Metamorphose als zentrales Spektakel von Sichtbarkeit konditioniert haben.

Der Vor- und Abspann rahmt das Ganze mit einem Erzählerkommentar: eingangs ist der Regisseur ins Bild gesetzt, im Schlussbild ist nur *voice-over* zu hören. Die Verschachtelung/Einbettungsstruktur hat also auch hier eine offensichtliche Lücke.

Die Anfangssequenz bietet eine hoch medienreflexive Konstellation. Gezeigt werden die Senderäume des französischen TV-Senders, Vorbereitungen für die Aufnahme von Renoirs Filmeinführung, dann selbige Einführung, und wenn irgendwann der ›eigentliche‹ Film anfängt, wirkt er auf dem Hintergrund des Vorigen wie ein Breitwandkinofilm, obwohl er faktisch nichts anderes als ein Fernsehfilm ist. Mit dieser Film-im-Film-Masche schafft Renoir es, das neue Medium TV als kino-ebenbürtig zu beglaubigen. Das weist auf die medienhistorischen Implikationen hin.

Filmtechnische und medienhistorische Formungen des Doppelgängermotivs: die Transformationsszenen

Die Möglichkeiten der Filmadaptation stehen gerade bei diesem Stoff in engster Korrelation zur Medien- und Technikgeschichte und zur Stoffüberlieferung. Man könnte die These wagen, dass die originalgetreue Verfilmung der Textvorlage filmkunstbedingt überhaupt erst nach den freien Variationen möglich war.

Das gegebene Doppelgängerschema bietet im Prinzip folgende Alternative: zwei verschiedene Personen erweisen sich letztlich als eine (Kap. 1–9) – ein Mensch spaltet sich in zwei verschiedene Personae auf (Kap. 10). Für die

Umsetzung ins Filmmedium war die Wahl keineswegs beliebig. Das im frühen Film realisierte zweite Modell war das damals einzig kinogerechte. Erstens wegen der Wirkung: »Aus eins mach zwei« ist effektvoller in Szene zu setzen als das Umgekehrte. Zweitens macht ein aktiver Held mehr her als ein schlussfolgernder Beobachter. Drittens lässt sich die Potenz des neuen Mediums gerade mit der Metamorphose effektvoll demonstrieren – Maske, Trickaufnahme, Montage machen das Unmögliche möglich. Daher ist jenes Modell vorzuziehen, welches Transformationsszenen privilegiert – also nicht das Originalmodell. Viertens, und filmtheoretisch am wichtigsten, bleibt dem Publikum zu beweisen, dass es sich – so Kernpunkt dieses Doppelgängerstoffs – tatsächlich um ein und dieselbe Person handelt, was im Film per se ein semiotisches Problem ist. Denn weil der Film keine ›Realpräsenz‹ hat und durch Schnitt und Montage beliebigen Anschein produzieren kann, ist nicht zu verifizieren, wie bzw. ob zwei auf Zelluloid erscheinende Gestalten tatsächlich miteinander zusammenhängen, ob der eine ›wirklich‹ der andere ist. Auf irgendeine Weise muss die Identität beglaubigt werden, und das geht in der optischen Logik des Films eben nur durch eine Transformationsszene: wenn der eine sichtbar aus dem anderen hervorgeht (damit stellt sich zugleich die Medialität autoreflexiv selbst aus) – was ein weiteres Mal gegen das Originalmodell spricht. Alles in allem war daher eine originalnahe Verfilmung cineastisch zunächst unattraktiv.

Das historische Material der vier herangezogenen Filme passt zu dieser These: Mamoulian 1931 bringt acht, sein Konkurrent Fleming 1941 zehn Transformationen. Renoir 1959 braucht nicht mehr die Macht der Traumfabrik zu beweisen und kann das Originalmodell wählen, obwohl da die Metamorphosen spät, selten, kurz und sensationsarm konzipiert sind. Und 1990 steht die Kunst des Kinos längst außer Frage, sodass Wickes sich auf fünf – nunmehr computertechnisch unterstützte – Metamorphosen beschränken kann, wovon auch bestimmte Momente nur hörbar, nicht sichtbar sind.

Die Transformationsszenen waren also aus filmkünstlerischen Gründen unverzichtbar für die Erstverfilmungen des Stoffs und blieben weiterhin interessant für allfällige filmtechnologische Neuerungen; fast jede Fassung versucht die vorige zu überbieten, sei es parodistisch oder ernst gemeint. Abgesehen von den erwähnten Quantitäten hat die technische Realisation der Metamorphosen jedoch auch semantische Bedeutung für die jeweilige Doppelgängeridee, wie anhand von Highlights gezeigt werden soll.

Mamoulian 1931 inszeniert die erste Metamorphose (85 sec.) mit den Point-of-View-Shots der so genannten ›subjektiven Kamera‹, sodass man quasi mit den Augen Jekylls schaut: dem Zuschauer vermittelt sich die Erfahrung eines Selbstexperiments, das schwindelnde unsichere Gefühl des Neuen, Angst und Neugier auf das Ergebnis mit prüfendem Blick auf das Spiegelbild. Die berühmte *enface*-Transformation im Park (30 sec.) demonstriert die perfekte apparative Verwandlungstechnik (verschiedenfarbige Make-up-Schichten für Infrarot und Spezialfarbfilter) fast ohne Schnitte durch Schwenks zwischen Hand und Gesicht (mit superschnellem Maskenbildner) – und zelebriert damit das neue, bisher so nicht da gewesene Doppelwesen aus Zelluloid. Bei der Rückverwandlung vor Lanyons Augen (36 sec.) sind die Überblendungen leicht stufenartig sichtbar. Die Schlussverwandlungen (jeweils 11 sec.) sind magisch überhöht, gebannt schauen die Anwesenden zu. Als zugrunde liegende Poetik lässt sich erkennen, dass Mamoulian die Erfahrung der Akteure und Augenzeugen für einen Mitvollzug durch das Publikum inszeniert.

Fleming 1941 zeigt jede dieser Formen doppelt: zweimal subjektive Kamera (intensiver, aber auch kitschiger als Mamoulian), jeweils mit dem Blick in den Spiegel endend (80 u. 49 sec.); zweimal *enface* vor dem Zuschauer (46 u.

60 sec.); zweimal indirekt: die Unheil verkündende Rückkehr vom Gartentor (36 sec.) und der Wettlauf mit der Polizei (22 sec.); zweimal im Profil (38 u. 29 sec.). Flemings Grundtendenz besteht in der Funktionalisierung der Metamorphosen für den Aufbau von Spannung. Die *enface*-Transformationen sind gerade andersherum und sinnvoller als bei Mamoulian motiviert: Die Rückverwandlung vor Lanyons Augen läuft illusionistisch glatt als Teil der realen Filmwelt, während die Verwandlung im Park keinen anderen Zuschauer hat als den Filmzuschauer, welcher tatsächlich den Film als Film, als Montage sieht – die Bilder sind ruckartig sichtbar aufeinander geschichtet, das technische Prinzip des Mediums wird vor Augen geführt.

Renoir 1959 bringt pantomimisch sehenswerte, aber medienästhetisch unspektakuläre Metamorphosen, nur vier an der Zahl. Möglicherweise ist es die unterdosierte Beglaubigung durch Transformationsszenen, was einen anderen Identitätsbeweis nötig macht: eine Narbe, die die beiden Figuren als ein und dieselbe erscheinen lässt. Das Medium Tonband erlaubt eine raffinierte Präsentation des Spaltungssujets: die gleichzeitige (*und* zeitversetzte) Anwesenheit der beiden Personae.[9]

Wickes belegt einerseits den medientechnologischen Sprung in der Verwandlungstechnik und andererseits die sinkende Bedeutung der Verwandlungsszenen durch die Bekanntheit des Plots, der durch Bordellszenen, Skandalreporter und Polizeijagden angereichert werden muss. Von den Metamorphosen werden zwei als *off-screen* inszeniert aus der intimen Horchposition an der Labortür. Bei der ersten und letzten Transformationsszene (58 u. 76 sec.) stammt ein Teil der Bilder so offensichtlich aus dem Computer (Detailaufnahmen der ausbeulenden Stirn und Hände, der blasenwerfenden Haut), dass diese Anspielung

9 Genauer zur Medienästhetik der Renoir-Verfilmung vgl. den ausführlichen Aufsatz der Verf. in *Poetica* 36 (2004) 2.

auf *Alien*-Figuren fast lächerlich wirkt. Das Neue und Bemerkenswerte an dieser Verfilmung bildet ohnehin nicht die digitale *morphing*-Technik, sondern der Einsatz des alten Mediums Fotografie.

Die Revue der Versionen zeigt, dass das Doppelgängersujet nicht nur zur Abarbeitung der filmtechnischen Innovationen einlädt oder gar zwingt, sondern überhaupt zur Medienreflexion auffordert.

Doppelgängerische Medienkonfrontation

Nur während der Metamorphose lässt sich die Doppelgängerpaarung Jekyll – Hyde filmisch ausstellen und beglaubigen. Paradox bleibt, dass man dies sehen können soll und zugleich auch der Illusion zuliebe nicht sehen soll. Daher rührt die – sonst unerklärliche – Koexistenz von ›perfekten‹ und ›schlecht gemachten‹ Metamorphosen in ein und demselben Film. Und vielleicht demonstriert die vermeintlich nicht perfekte Bildsequenz die Macht der filmischen Tricktechnik noch triumphaler als die vollkommene, die glatte Sequenz.

So ist die Verfilmbarkeit des Jekyll-Hyde-Sujets mit einem medienreflexiven Touch versehen, der ganz generell im Verhältnis der Doppelgängeridee zum Film spürbar ist. Es ist fast ein Topos der Filmtheorie, die apparativ erzeugte und vervielfältigbare Filmexistenz als eine zweite, ›doppelgängerische‹ Existenz zu charakterisieren. Der Doppelgängereffekt hat als »Filmproblem aller Filmprobleme« (Willy Haas) bzw. als »Filmtrick aller Filmtricks« (Friedrich Kittler) den frühen Film bestimmt, wie Kittler am Beispiel des Doppelgängerfilms *Der Student von Prag* (1913) ausführt: »Mit Spiegeln und Mehrfachbelichtungen ist es ein Leichtes, den Darsteller des Studenten zweimal zu zeigen. Eben noch hat er vor dem Spiegel das Fechten geübt, und gleich darauf tritt sein Spiegelbild aus dem

Rahmen.« Die Filmfiguren sind »Zelluloidgespenster der Schauspielerkörper«, von der Filmtechnik kann gesagt werden, »daß sie Verfilmung selber verfilmt«.[10] Während beim Studenten von Prag die identische Gestalt repliziert wird, benötigt man bei Jekyll-Hyde die metamorphotische Doppelgestalt; in beiden (und vielen weiteren) Doppelgängerfilmskripts zeigt sich die besagte Repräsentationsproblematik, die eine Selbstreflexion des Films als Medium bedingt.

Alle vier untersuchten Verfilmungen kommen dieser Maxime einfallsreich nach und präsentieren – weit über die medial geprägten Transformationsszenen hinausgehend – das Filmmedium als solches in bloßgelegter Form mit engem Bezug zum Gespaltenheits-/Doppelgängerthema. Zur Untermauerung dieser These werden nun abschließend Beispiele aus jedem der vier Filme angesprochen – zentrale Sequenzen, in denen die Bewusstmachung des technischen Mediums an das Konzept der Doppelgängerei und Spaltung geknüpft ist.

Mamoulians berühmte *split-screen*-Bilder gehören hierher (diese Bilder werden meist in Scheibenwischertechnik getrennt, d. h., dass eine neue Szene herangerollt wird, während die vorige noch sichtbar bleibt, wobei die beiden Szenen in Schräglinie kurz fixiert werden und gekoppelt erscheinen): Alle fünf Doppelbilder zeigen Facetten der sozialen Gespaltenheit: Spital/Salon, Park/Salon, Verlobte/Maitresse, Vater-General/Hyde-Outcast. Die *split screens* machen das Medium als Medium bewusst und sind zugleich Symbole der Doppelexistenz.

Fleming inszeniert in einer geschickt gemachten Spiegelszene (109:48–111:30) als Vorzeichen der Katastrophe einen dramatischen Doppelgängerdialog zwischen Hyde

10 Alle Zitate S. 130 f. in Friedrich Kittler, »Romantik – Psychoanalyse – Film: Eine Doppelgängergeschichte«, in: *Eingebildete Texte: Affairen zwischen Psychoanalyse und Literaturwissenschaft*, hrsg. von Jochen Hörisch / Georg Christoph Tholen, München 1985, S. 118–135.

und Jekyll – mit Anleihen an Oscar Wildes Roman *The Picture of Dorian Gray*: Jekyll betrachtet sich im Spiegel, da schiebt sich von hinten neben ihn das Gesicht von Hyde und überlagert seines im Spiegel. Aus dem Spiegel spricht Hyde den Jekyll an (Schnitt, Gegenschnitt), der verzweifelte Jekyll zerschmettert den Spiegel mit dem Bild Hydes. Die Spiegelbilder sind tricktechnisch dissoziiert, der Spiegel führt ein mediales Eigenleben: er dient hier als Fremdmedium des unheimlichen Anderen.

Renoirs Medieneinsatz verbindet Stummfilm und Tonfilm und bewirkt die unheimliche doppelgängerische Begegnung der beiden Personen als Tonbandstimme und Figur (intradiegetisch, auf Handlungsebene); überdies inszeniert er (extradiegetisch, auf Metaebene) die Relation von Kinofilm und Fernsehfilm – eine andere Doppelgängergeschichte. Die vergleichsweise intensive Medienreflexion Renoirs hängt mit seinem engen Textbezug zusammen, denn er kreiert filmische Äquivalente für die intensive Medienreflexion in Stevensons Erzählung.

Wickes hat eine – dem Original absolut zuwiderlaufende, aber medienreflexiv faszinierende – neue Idee: ein Foto von Hyde, das dieser per Selbstauslöser in der Transformationsszene (25:16) angefertigt hatte. Wieder ermöglicht das Fremdmedium eine Kopräsentation der beiden Personae: Als Jekyll der Hausfreundin sein Dilemma beichtet, zeigt er zum Beweis Hydes Bild – das Schwarz-Weiß-Foto eines Verbrechers (60:30). Damit korrespondiert ein gespenstischer Moment am Schluss, als der postum zur Welt gekommene kleine Sohn Jekyll-Hydes der Kamera sein Monstergesicht zuwendet und der Farbfilm einen Moment lang schwarz-weiß wird (90:00): durch diese Medienmanipulation entsteht quasi ein Fahndungsfoto des zur nächsten Doppelgänger-Inkarnation verdammten Abkömmlings.

Mit dem Mittel der doppelgängerischen Medienkonfrontation, wie sie hier abschließend beispielhaft aufgezeigt wurde, kreieren die *Jekyll and Hyde*-Verfilmungen die allerunheimlichsten Doppelmomente. Da Stevensons Sujet die Verwandlung in beide Richtungen bietet: von Jekyll zu Hyde und von Hyde zu Jekyll, ergibt sich innerhalb der Spielfilme sogar ein Effekt, der dem Rückspulen von Film gleicht und die Möglichkeiten des Mediums auf einzigartige Weise einfängt.

Text

Stevenson, Robert Louis: The Strange Case of Dr. Jekyll and Mr. Hyde and Other Stories. London 1979.
– The Strange Case of Dr. Jekyll and Mr. Hyde. Stuttgart 1984.
– Dr. Jekyll und Mr. Hyde. Übers. von H. W. Draber. Stuttgart 1961.

Filme

Dr. Jekyll and Mr. Hyde. Regie: Rouben Mamoulian. USA 1931.
Dr. Jekyll and Mr. Hyde. Regie: Victor Fleming. USA 1941.
Le Testament du Docteur Cordelier. Regie und Drehbuch: Jean Renoir. Frankreich 1959.
Jekyll & Hyde. Regie und Drehbuch: David Wickes. Großbritannien 1990.

Forschungsliteratur

Chesterton, Gilbert K.: Robert Louis Stevenson. London 1928.
Doležel, Lubomir: Le triangle du double. Un champ thématique. In: Poétique 16 (1985), S. 463–472. Gekürzte englische Fassung: A Semantics for Thematics: The Case of the Double. In: Thematics. New Approaches. Hrsg. von Claude Bremond / Joshua Landy / Thomas Pavel. New York 1995. S 89–102.
Dury, Richard: »Film Versions of *Dr. Jekyll and Mr. Hyde*«. http://www.esterni.unibg.it/siti_esterni/rls/films-jh.htm.

Kane, Michael: The Double: Jekyll and Hyde. In: M. K.: Modern Men. Mapping Masculinity in English and German Literature, 1880–1930. London 1999. S. 17-26.
King, Charles: *Dr. Jekyll and Mr. Hyde*: A Filmography. In: Journal of Popular Film and Television 25 (1997) No.1. S. 9–20.
Kittler, Friedrich: Romantik – Psychoanalyse – Film: Eine Doppelgängergeschichte. In: Eingebildete Texte: Affairen zwischen Psychoanalyse und Literaturwissenschaft. Hrsg. von Jochen Hörisch / Georg Christoph Tholen. München 1985. S. 118–35.
Prawer, Siegbert Salomon: Book into Film: I. Mamoulian's *Dr. Jekyll and Mr. Hyde.* In: S. S. P.: Caligari's Children: The Film as a Tale of Terror. Oxford 1980. S. 86–107.
Rose, Brian A.: Jekyll and Hyde Adapted: Dramatizations of Cultural Anxiety. Westport/CT 1996.
Twitchell, James B.: Dr. Jekyll and Mr. Wolfman. In: J. B. T.: Dreadful Pleasures. An Anatomy of Modern Horror. New York 1985. S. 204–257; hier bes. S. 227–257.
Wexman, Virginia Wright: Horrors of the Body: Hollywood's Discourse on Beauty and Rouben Mamoulian's *Dr. Jekyll and Mr. Hyde.* In: Dr. Jekyll and Mr. Hyde after One Hundred Years. Hrsg. von William Veeder / Gordon Hirsch. Chicago 1988. S. 283–307.

Effi Briest (Theodor Fontane – Rainer Werner Fassbinder)

Zum filmischen Spiegel-Portrait des weiblichen Subjekts und deren Ausstreichung

Von Marion Villmar-Doebeling

Das Ich – eine Illusion aus Spiegeln.
Jacques Lacan

Rainer Werner Fassbinder (1945–1982), einer der Gründerväter des Neuen Deutschen Films, entschloss sich Anfang der Siebzigerjahre, eine ›strenge Literaturverfilmung‹ eines der bekanntesten realistischen Romane des 19. Jahrhunderts, Theodor Fontanes *Effi Briest*, durchzuführen. Zu Fassbinders filmischem Œuvre, das bis zu diesem Zeitpunkt sozialkritische Studien wie *Katzelmacher* (1969), *Liebe ist kälter als der Tod* (1969) oder *Warum läuft Herr R. Amok?* (1969/70) in eine zum Teil an Bertolt Brecht angelehnte Dramaturgie zu übersetzen suchte, scheint die ›strenge Literaturverfilmung‹ eines Romans des literarischen Realismus in paradigmatischem Widerspruch zu stehen.

Bei der geplanten Literaturverfilmung setzt Fassbinder zudem auf eine enge Vernetzung der Medien Schrift und Film. Er hofft, dadurch eine möglichst große Anbindung an das Schrift-Medium des Fontane-Romans zu erzielen. Helmut Schanze nennt Fassbinders Verfilmung in seiner Studie über dessen Drehbuch sogar primär literarisch.[1] Eva J. Schmid hebt die expressive Bipolarität zwischen Romantext und Filmmedium hervor. Es ist, »als wolle Fassbinder dezidiert keine Illustrationen geben, sondern zwei völlig

1 Helmut Schanze, »Fontane. Effi Briest. Bemerkungen zu einem Drehbuch von Rainer Werner Fassbinder«, in: *Literaturverfilmung*, hrsg. von Wolfgang Gast, Bamberg 1993, S. 101.

divergierende Informationsstränge anbieten: den Text Fontanes, der fast stets Zitatcharakter behält, und eine diesem Text gegenläufige Inszenierung«[2]. Diese Doppelstruktur oder Vernetzung beider Medien soll im vorliegenden Beitrag näher betrachtet werden.

Peter Berling erinnert an eine Formulierung Fassbinders aus der Zeit der Vorbereitung des Films: »Es ist der Versuch, einen Film ganz klar für den Kopf zu machen, also einen Film, in dem man nicht aufhört zu denken, sondern anfängt zu denken.«[3] Der Philosoph und Literaturwissenschaftler Walter Benjamin (1892–1940) zählt zum Denken nicht das Problemlösen oder die Versprachlichung von Gedanken, sondern genau das Gegenteil, nämlich »die Bewegung wie das Stillstehen der Gedanken. Wo das Denken in einer von Spannungen gesättigten Konstellation zum Stillstand kommt, da erscheint das dialektische Bild. Es ist die Zäsur in der Denkbewegung.«[4] Inwiefern der Begriff des Benjamin'schen dialektischen Bildes, eines Bildes, das die Geschlossenheit und Kontinuität in der Denkbewegung unterbricht und dadurch die Unabgeschlossenheit und notwendige Unterbrechung von linear anmutenden Repräsentationen produziert, wird im vorliegenden Beitrag auf die Literaturverfilmung Fassbinders bezogen. Immer dann nämlich, wenn sich in Fassbinders Verfilmung die gesellschaftlich bedingten Spannungen um die weibliche Zentralfigur Effi Briest häufen, erscheint das erwähnte »dialektische Bild«, und zwar in Gestalt von Effis Spiegelportrait. Das traditionelle Bild des Bewusstseins als großer Spiegel soll auf die Bespiegelung eines nicht zu sich

2 Eva J. Schmid, »Vier Verfilmungen. War Effi Briest blond? Bildbeschreibungen und kritische Gedanken zu vier ›Effi Briest‹-Verfilmungen«, in: Gast (Anm. 1), S. 79.

3 Peter Berling, *Die 13 Jahre des Rainer Werner Fassbinder*, Bergisch Gladbach 1995, S. 206.

4 Walter Benjamin, »Das Passagenwerk«, in: *Gesammelte Schriften*, hrsg. von Rolf Tiedemann und Hermann Schweppenhäuser, Frankfurt a. M. 1972 ff., Bd. 5., S. 595.

selbst kommenden weiblichen Subjekts umgelenkt und entsprechend umgedeutet werden. Insofern konstruiert der Regisseur Fassbinder Effi Briests Portrait als immer schon in und durch einen optischen Apparat gebrochen; als eine »Illusion aus Spiegeln«, wie es Jacques Lacan formulierte.

Der Autorenfilmer Fassbinder. Filmästhetische Implikationen

Dem Medium Film kommt im Zusammenhang mit der Technikgeschichte besondere Bedeutung zu. Es ist die Technik als paradigmatische Erfindung des 19. Jahrhunderts, die, wie es Anne Marie Freybourg formuliert[5], »die Wahrnehmungsweisen wie auch die Erfahrungsgehalte von Realität verändert hat«. Anders als bei jenen Künstlerautoren, die zu Beginn des 20. Jahrhunderts über die große Objektivierungskraft des neuen Mediums frohlockten, geht es Fassbinder wie auch Godard darum, die Position zwischen Technik und Realität neu zu bestimmen. Wie gelingt es Fassbinder, seinen filmischen Darstellungen interpretatorische Offenheit zu verleihen?

Was die Kreation einer eigenen Autorenfilmersignatur anbetrifft, vernetzt Fassbinder in dieser Literaturverfilmung die Medien Schrift und Film auf eine Weise, die die Nahtstellen der Vernetzungen nicht nur sichtbar macht, sondern sogar filmisch hervorhebt. Dies geschieht zum einen durch die von Fassbinder selbst ausgewählten und aus dem *Off* gesprochenen Romanzitate sowie durch die Einblendung von *Inserts* bzw. Zwischenbildern mit schriftlich fixierten Sätzen aus dem Roman. Auf diese Weise wird jeglicher visueller Illusionismus des Films aufgelöst und

5 Anne Marie Freybourg, *Bilder lesen. Visionen von Liebe und Politik bei Godard und Fassbinder*, Wien 1996, S. 22.

eine möglichst enge Vernetzung der Medien Schrift und Bild in Form von Schrift als Bild im Bild erreicht. Zum anderen sind es die oftmals nur als Fragmente sichtbaren Spiegelportraits der weiblichen Zentralfigur Effi, die als Bild im Bild figurieren. Sie werden über eine halbe Minute lang eingeblendet, um paradoxerweise die Konstruktion des weiblichen Subjekts gerade daran zu hindern, sich als solches zu konstituieren. Fassbinders Spiegelportraits verstören, denn sie brechen das narrative Kontinuum des Films im Sinne von Walter Benjamins dialektischem Bild an Schlüsselstellen immer wieder auf, und zwar immer dann, wenn Effi in eine gesellschaftliche Außenseiterposition manövriert wurde. Fassbinder erfindet jene Spiegelstruktur, die es im Roman nicht gibt, um Effi Briest und ihre scheiternde Existenz in und nach ihrer Ehe mit dem ungeliebten Baron von Innstetten bildlich einzufangen und zu bespiegeln. Dadurch stellt er gleichzeitig auf fast makabre Weise dar, dass dieses weibliche Subjekt eigentlich niemals ›sein‹ darf. Der Zuschauer bekommt in jenen Spiegelszenen gerade nicht die eigentliche Person, Effi Briest bzw. deren filmische Repräsentantin Hanna Schygulla, zu sehen, sondern lediglich deren Abspiegelung in diversen Spiegeln. Dies korrespondiert mit einer Lesart des Romans, derzufolge Effi immer nur auf eine Welt reagieren kann, die alle relevanten Entscheidungen für sie schon getroffen hat. Insofern erscheint die filmische *freeze-frame*-Fokussierung auf Effi als Bild im Spiegel paradox. Fassbinder hat hier auf die ihm eigene Weise die »Problematisierung von ästhetischer Nachahmung unter besonderer Berücksichtigung der Technik«[6] an jenen Nahtstellen der Spiegelportraits erfolgreich demonstriert, aber auch gleichzeitig dekonstruiert.

Effi Briest bleibt in Fassbinders Verfilmung wie im Roman Fontanes stets gefangen in den Mechanismen des ge-

6 Freybourg (Anm. 6), S. 25.

sellschaftspolitischen Systems. Durch die Spiegelstruktur bei Fassbinder wird aber darüber hinaus die als historische »Natur« sich gebende historische »Realität« als ebenso aufwändig konstruierte entlarvt. Denn, so dechiffriert Fassbinder, nicht Effi, sondern soziale Mechanismen bestimmen ihr Schicksal, und das bedeutet hier die Nicht-Anerkennung des weiblichen Subjekts. Filmtechnisch gesehen gelten die langen *takes* der Interieurs einer Darstellung menschlicher Zusammenhänge, aus denen der Einzelne, der Agierende längst verbannt wurde. Insofern sind Fassbinders Filme, wie Freybourg zusammenfasst, »Demonstrationsmodelle sozialer Mechanismen, die Abhängigkeiten sichern und Unterdrückung ermöglichen«[7]. Nicht umsonst gibt Fassbinder seiner Literaturverfilmung den langen Untertitel: »Fontane Effi Briest oder viele, die eine Ahnung haben von ihren Möglichkeiten. Und Bedürfnissen und dennoch das herrschende System in ihrem Kopf akzeptieren. Und ihre Taten und es somit festigen und durchaus bestätigen.«

Film- und medientheoretische Aspekte der Literaturverfilmung

Auf welche Art adaptiert Fassbinder Literatur? Hier bietet Helmut Kreuzers Adaptationsform als »Illustration«[8] der bebilderten Literatur einen ersten Ansatzpunkt. Jene Art filmischer Illustration der Literaturvorlage hält sich, so Kreuzer, an den romanesken Handlungsvorgang »und die Figurenkonstellation der Vorlage und übernimmt auch wörtlichen Dialog, ja unter Umständen einen längeren auktorialen Erzähltext, der aus dem *Off* gesprochen wird«.

7 Freybourg (Anm. 6), S. 89.

8 Helmut Kreuzer, »Arten der Literaturadaptation«, in: *Literaturverfilmung. Adaptation oder Kreation?*, hrsg. von Dieter Erlang / Bernd Schurf, Berlin 2001, S. 13 f.

Diese Feststellungen lassen sich problemlos auf Verfahren Fassbinders mit der Stimme aus dem *Off* und den *Inserts* übertragen. Es ergibt sich folglich eine vom Schrift-Bild aus gesehene ›bebilderte Illustration‹.

Wenn man Kreuzers negativer Wertung[9] einer derartigen filmischen Illustration einer literarischen Vorlage nicht folgt – denn Kreuzer reproduziert immer noch das Primat der Absolutheit des literarischen Original –, dann ergibt sich daraus eine an die barocke Emblematik in ihrer Verbindung von Schrift und Bild erinnernde Struktur in Fassbinders Film. Es handelt sich um eine Gleichschaltung von Bild und Text im Medium des Films. Die *Inserts* haben hier die Funktion, Einzelsätze des Romans hervorzuheben. Sie strukturieren den Film sowohl auf inhaltlicher als auch auf formaler Ebene. Helmut Schanze weist zu Recht darauf hin, dass diese Technik der *Inserts* aus der Praxis des Stummfilms stammt. Im Tonfilm verwendet, erhält dieses Verfahren aber etwas Atavistisches. Schanze erläutert die Implikationen, denn hier werden bewusst die medialen Möglichkeiten reduziert. Die *Inserts* vermitteln Fassbinders ›Lesefrüchte‹ und betonen die Quintessenz seiner Romanlektüre. Gleichzeitig motivieren sie »aber sein Produkt, den Film, und legen dem Rezipienten eine bestimmte Interpretation nahe«[10].

Diese bestimmte, dem Zuschauer nahe gelegte Interpretation ergibt sich sowohl aus dem von Fassbinder gewählten langen Untertitel seiner Verfilmung, als auch aus der ›Le-

9 Helmut Kreuzer formuliert: »Eine solche Illustration kann auf einem künstlerischen Irrtum beruhen, auf einer Vorstellung von Werktreue, die in der Verbildlichung der Handlungsinhalte und in der Unantastbarkeit des Wortes ihre Kriterien hat, darüber aber die Verschiedenheit von Medium und Zeichenmaterial und mit ihr verbundene Formgesetzlichkeiten außer Acht lässt und nicht bedenkt, dass das für die Lektüre oder Bühne geschriebene Wort anders wirkt, wenn es im und zum Film gesprochen wird […]« (vgl. Kreuzer [Anm. 9], S. 13).

10 Helmut Schanze, in: Gast (Anm. 1), S. 101.

sung‹ aller filmischen *Inserts*. Diese fungieren, ähnlich der *inscriptio* im Emblem, als kurze, prägnante Sinnsprüche, kulturspezifische Illuminationen, Moralia, die den jeweiligen subjektiven Blickwinkel des Autors widerspiegeln. Interessanterweise geben die meisten davon Effis Einsichten wieder. Es sind Einsichten einer gesellschaftlich geächteten und entmachteten Frau, wie »Eine Geschichte mit Entsagung ist nie schlimm«, »Freilich, ein Mann in seiner Stellung muss kalt sein«, »Woran scheitert man denn im Leben überhaupt? Immer nur an Wärme« oder »Es muss doch außer kleinen Leuten auch eine Elite geben«.

Es handelt sich hier um Allgemeinplätze und Moralia, die immer aus der Perspektive des Über-Ichs, um es freudianisch zu formulieren, gegeben werden, fast so, als besäße Effi selbst keine eigene Sprache. Eigenständig äußert sie sich, wie wir aus dem Roman wissen, nur an wenigen Stellen. Insofern thematisiert die Filmsprache Fassbinders ein zentrales Anliegen des Romans: die Handlungs- und Sprachlosigkeit der weiblichen Zentralfigur. Fassbinders Effi spricht primär in und aus ihren Spiegelportraits. Es wird über sie und ihren Körper verhandelt, gesprochen, wie etwa in den Gesprächen ihrer Eltern oder im als Wendepunkt in der Romanhandlung angelegten Gespräch Innstettens und Wüllersdorffs über das bevorstehende Duell. Am Ende nimmt auch sie selbst Abschied von einer Welt, in der sie sich als Subjekt nicht konstituieren kann. Hierzu stehen ihre Spiegelportraits sowohl formal als auch philosophisch in traurig-schöner Korrespondenz. Im Folgenden sollen einige dieser Korrespondenzen freigelegt werden.

Wenn sich nach Walter Benjamin die so genannten ›echten Bilder‹ allein in der Sprache finden lassen, dann verkehrt er damit die platonische These von der Unzulänglichkeit der Sprache, die als beweisende in der *Theorie* der Sicht und Schau wurzelt, und vertritt eine Auffassung von Bildlichkeit, die Bilder immer in einer spezifischen Weise als Schrift-Bilder, also als Zeichenstruktur versteht.[11] Bezieht man Benjamins Konzept der Schrift-Bilder auf die *Inserts* in Fassbinders Literaturverfilmung, dann ergeben sich daraus sinnfällige Korrespondenzen: Dadurch, dass Fassbinder sowohl auf die Präsenz von Sprach-Bildern, also auf den *Inserts*, aber auch auf die im *Off* gesprochenen Romanzitate besteht, setzt er sowohl auf die platonische These der Unzulänglichkeit der Sprache als auch gleichzeitig auf die Relevanz der *theoria*, der Sicht oder Schau. Insofern vernetzt Fassbinder beide Medien. Beide werden ineinander geblendet, um einerseits ihre Differenz immer wieder zu unterstreichen und um andererseits die Bedeutungsstrukturen beider Medien zu problematisieren. Denn nur beide zusammengenommen zeugen für Fassbinder von der komplexen Vernetzung der menschlichen Kulturalität. Die Spiegel- und *Insert*-Strukturen in Fassbinders Verfilmung produzieren im narrativen Kontinuum des Films Unterbrechungen und Leerstellen, wie sie Freybourg in Bezug auf Fassbinder bereits angesprochen hat. Diese gewinnen sozusagen als »Reflektionsapparat« Raum. Dieser »Reflektionsapparat« Fassbinders kann dem Fontane'schen »Angstapparat aus Kalkül«, wie Fassbinder selbst die zentrale Spukstruktur des Romans nennt, gleichgesetzt werden. In dieser Erfindung optischer Strukturen, die den Roman aber nicht einfach ›bebildern‹, besteht die künstlerische Signatur des Autorenfilmers Rainer Werner Fassbinder.

11 Tilman Lang, *Mimetisches oder semiologisches Vermögen? Studien zu Walter Benjamins Begriff der Mimesis*, Göttingen 1998, S. 162.

Text

Fontane, Theodor: Effi Briest. Mit einem Nachwort von Kurt Wölfel. Stuttgart 2002.

Film

Effi Briest. Regie: Rainer Werner Fassbinder. BRD 1974.

Forschungsliteratur

Benjamin, Walter: Das Passagenwerk. In: Gesammelte Schriften. Hrsg. von Rolf Tiedemann und Hermann Schweppenhäuser. Frankfurt a. M. 1972 ff. Bd. 5.

Berling, Peter: Die 13 Jahre des Rainer Werner Fassbinder. Bergisch Gladbach 1995.

Freybourg, Anne Marie: Bilder lesen. Visionen von Liebe und Politik bei Godard und Fassbinder. Wien 1996.

Lang, Tilman: Mimetisches oder semiologisches Vermögen? Studien zu Walter Benjamins Begriff der Mimesis. Göttingen 1998.

Laplanche, Jean / Pontalis, Jean-Baptiste: Vocabulaire de la psychoanalyse. Paris 1967.

Schanze, Helmut: Fontane. Effi Briest. Bemerkungen zu einem Drehbuch von Rainer Werner Fassbinder. In: Literaturverfilmung. Hrsg. von Wolfgang Gast. Bamberg 1993. S. 100–104.

Schmid, Eva J.: Vier Verfilmungen. War Effi Briest blond? Bildbeschreibungen und kritische Gedanken zu vier *Effi Briest*-Verfilmungen. In: Literaturverfilmung. Hrsg. von Wolfgang Gast. Bamberg 1993. S. 75–96.

Franz Kafka (Orson Welles: *The Trial* – Steven Soderbergh: *Kafka*)

Bilderpolitik

Von Benno Wagner

Literaturverfilmungen haftet der Makel parasitärer ästhetischer Kreativität an. Auf diesen Makel reagieren auch die Selbstkommentare der beiden Regisseure, von deren Kafka-Verfilmungen hier die Rede sein soll. Orson Welles bemerkte im Hinblick auf seine *Proceß*-Verfilmung von 1962 (*The Trial*), er sei kein Kafka-Experte und Kafka nicht unbedingt sein Lieblingsautor. Bei anderer Gelegenheit freilich bezeichnete er *The Trial* als seinen besten Film. Steven Soderbergh reagierte auf eine Nachfrage zu der seinem *Kafka* von 1991 zugrunde liegenden Motivation zwar nicht widersprüchlich, aber tautologisch: »Ich habe *Kafka* gemacht, weil ich *Kafka* machen wollte.« Im Folgenden werden am Beispiel dieser beiden Filme Überlegungen zur Analyse der Grundlagen und der Beurteilungskriterien von Literaturverfilmungen angestellt.

1. Bilderpolitik

Das Kompositum ›Literaturverfilmung‹ verweist auf einen einfachen und einsinnigen Transformationsprozess. Ein Objekt ›a‹ (Literatur, d. h. hier: ein literarisches Werk) wird durch ein Verfahren ›b‹ (Verfilmung) in ein Objekt ›ab‹ (das verfilmte Werk) transformiert. Tatsächlich orientieren sich die meisten Typologien der ›Literaturverfilmung‹ an diesem Schema, so sehr sie es auch von Fall zu Fall variieren mögen.[1] Gegen einen solchen Substanzialismus des Erzählens lassen sich zwei Einwände erheben. Aus medientheoretischer Sicht hat man schon früh bemerkt, dass es keinen »abtrennbaren Inhalt« gibt, den man im anderen Medium lediglich »reproduzieren« muss, und dass die literarische Vorlage keine »Norm« ist, von der der Film »auf eigene Gefahr« abweicht; vielmehr sei der Übergang vom sprachlichen ins bildliche Medium notwendigerweise mit grundlegenden Veränderungen verbunden.[2] Während unterschiedliche Ansätze der Transformationsanalyse eine Reihe mehr oder weniger scharfsinniger Antworten auf diesen Einwand geben, reagiert die vorliegende Untersuchung auf einen zweiten Einwand: In dem Maße, in dem die Entstehung eines literarischen Werks von seiner Verfilmung durch einen zeitlichen Abstand getrennt ist, wird die mediale Differenz zwischen Vorlage und Übersetzung von einer historischen überlagert. Diese historische Differenz verweist zum einen auf das *Motiv* für eine je spezifische Verfilmung – »Warum verarbeiten Künstler ein bestimmtes Material zu einem bestimmten Zeitpunkt?«[3] –, zum anderen betrifft sie aber auch die *diskursive Konstellation*, aus der die Vorlage und ihre Verfilmung jeweils hervorgehen. Auf dieser letztgenannten Ebene besteht der Bezugspunkt des Vergleichs nicht mehr in der Einheit eines Stoffes oder eines persönlichen oder Perioden-Stils[4], sondern in einer epochalen Problemstruktur. Unter dem hiermit skizzierten Gesichtspunkt der einem spezifischen Werk zugrunde liegenden *Bilderpolitik* wird zunächst das literarische Werk Franz Kafkas beleuchtet. Anschließend werden die beiden filmischen Anlehnungen an dieses Werk verglichen.

1 Vgl. Giddings, Robert (u. a), *Screening the novel: the theory and practice of literary dramatization*, Basingstoke 1990, S. 11.

2 George Bluestone, *Novel into Film*, Berkeley 1957, S. 5.

3 Eric Rentschler, »Introduction«, in: E. R., *German Film and Literature. Adaptions and Transformations*, New York / London 1986, S. 5.

4 J. Dudley Andrew, *Concepts in Film Theory*, New York / Oxford 1984, S. 104.

2. Literatur

Das Vorhaben einer ›Übertragung‹ oder ›Übersetzung‹ des Kafka'schen Werks in das Medium des Films wird durch zwei Faktoren erheblich erschwert. Erstens ist seine Unterteilung in abgeschlossene Erzähleinheiten nur schwach ausgeprägt. Die drei großen Romane (*Der Verschollene*, *Der Proceß*, *Das Schloß*) blieben unvollendet, ihren Eintritt ins Literatursystem verdanken sie allein den nach dem Tode Kafkas vorgenommenen editorischen Eingriffen und Anpassungen Max Brods. Ganz unabhängig von solchen Zufälligkeiten der Entstehungsgeschichte besteht die eigentlich vitale Struktur des Kafka'schen Schreibkontinents im quer zu den Erzähleinheiten verlaufenden Netzwerk seiner literarischen Bilder.

Zweitens, und darin zeigt sich die für die Frage der ›Verfilmbarkeit‹ Kafkas entscheidende Problematik, ist jede vereindeutigende Entschlüsselung der Kafka'schen Bilder unzulässig. Im Anschluss an Wilhelm Emrich, der Kafka die »Verkehrung aller seitherigen dichterischen Bildstrukturen« bescheinigt hat, spricht Karl-Heinz Fingerhut von einer »Andeutungs-Stilistik«, die dem Leser zwar immer wieder Entschlüsselungssignale sendet, die jedoch zugleich »vorschnelle Sinngebungen« problematisiert bzw. vereitelt.[5] Dieses prinzipiell offene Spiel der Konnotationen unter Kafkas Sprachbildern erhält seine Begrenzung und Ausrichtung auf der Ebene der Narration. Hier werden Kafkas Bilder zu komplexen Problemlösungsspielen[6] ausgestaltet, wobei die verschiedenen Erzählansätze sich häufig als experimentelle Lö-

5 Karl-Heinz Fingerhut, »Bildlichkeit«, in: *Kafka-Handbuch in zwei Bänden*, unter Mitarbeit zahlreicher Fachwissenschaftler hrsg. von Hartmut Binder, Bd. 1: *Das Werk und seine Wirkung*, Stuttgart 1979, S. 138–176, hier S. 142.

6 Vgl. Heinz Hillmann: »Kafkas ›Amerika‹. Literatur als Problemlösungsspiel«, in: *Der deutsche Roman im 20. Jahrhundert*, hrsg. von Manfred Brauneck, Bd. 1, Bamberg 1976, S. 135–167.

sungsvariationen für identische Grundprobleme beschreiben lassen.

Das gilt auch für die beiden Problem-Chiffren, die den Zugang zu den hier zu besprechenden Kafka-Filmen eröffnen: ›Gericht‹ und ›Schloss‹. Sie eröffnen den Blick auf zwei tragende Dispositive des modernen Staates – Recht (bzw. Gesetz) und Verwaltung –, deren enge gegenseitige Durchdringung in *Der Proceß* und in *Das Schloß* aus je verschiedener Perspektive geschildert wird: das Dachbodengericht löst sich bei näherer Nachforschung in einen unüberschaubaren Verwaltungsapparat auf, während die Schlossverwaltung mit ihren Erlassen zur Richtinstanz über das Leben der Dorfbewohner wird. Verschieden ist auch die strategische Ausgangslage im Problemlösungsspiel: im Hinblick auf das Gericht ist Kafkas Held der Reagierende (auf seine Verhaftung), im Hinblick auf das Schloss ist er der Agierende (im Kampf um seine amtliche Anerkennung als Landvermesser). In beiden Fällen sind die taktischen Alternativen des Protagonisten prekär. Gegenüber dem Gericht kann er entweder gefügig sein, um dann, wie der Kaufmann Block, als »Hund des Advokaten« zu leben, oder aber resistent bleiben, um dann, wie schließlich K., »wie ein Hund« zu sterben.[7] Gegenüber dem Schloss hat K. die Wahl, »ob er Dorfarbeiter mit einer immerhin auszeichnenden, aber nur scheinbaren Verbindung mit dem Schlosse sein wollte oder aber scheinbarer Dorfarbeiter, der in Wirklichkeit sein ganzes Arbeitsverhältnis von den Nachrichten des [Schloß-Boten] Barnabas bestimmen ließ«[8].

Im Feld ihrer angespielten Referenzen wird die Komplementarität der beiden Problem-Chiffren noch deutlicher. Das Gesetz des Dachbodengerichts, mit dem K. es

7 Franz Kafka, *Der Proceß*, Stuttgart 2003, S. 178 u. S. 211.
8 Franz Kafka, *Das Schloß*, Stuttgart 1982, S. 30.

zu tun hat, trägt alle Züge der modernen Biomacht[9]: es steht nicht ›über dem Leben‹ (als oberster Gerichtshof, nach dem K. vergeblich fragt), sondern ›im Leben‹ der großstädtischen Mietskasernen, mit dem es räumlich, personell und materiell aufs engste verflochten ist. Die Details der ersten Verhandlung hat Kafka den Debatten um die Funktionsweise der Laienschiedsgerichte für Unfallversicherungsfragen entnommen, mit denen er beruflich zu tun hatte. Die nach Auskunft des Malers Titorelli, einer Figur im Roman, in allen Häusern tagenden Dachbodengerichte spielen überdeutlich auf die zweite Freud'sche Topik an (›Über-Ich – Ich – Es‹), in der das ›Über-Ich‹ als kritisierende und richtende Instanz fungiert. Gleichzeitig durchziehen Spuren der traditionellen Instanzen des biblischen Gesetzes und des römischen Rechts den Roman. Zu diesem aus allen Traditionen zusammengestellten Arsenal gehört schließlich auch der archaische Ritus, dessen ungebrochene Potentiale in der Schlachtung K.s am Ende des Romans hervortreten.

Während sich für Kafkas ›Schloss‹-Chiffre die gleichen Serien von Referenzbereichen nachweisen lassen, besteht ein entscheidender und keineswegs zufälliger Unterschied im Hinblick auf den autobiographischen Bezugsbereich. Der Josef K. in *Der Proceß* gibt keinerlei Hinweise auf die Problematik der schriftstellerischen Existenz seines Schöpfers. Während der Roman eine Vielzahl von Bezügen zu der kurz vor Beginn vorläufig gescheiterten Beziehung mit Felice Bauer enthält, fehlt jeder Hinweis auf den Grund des Verfahrens, ja dessen Unergründlichkeit gehört vielmehr zu den zentralen Motiven der Handlung. Das K.-Ex-

9 Mit diesem Begriff bezeichnet Michel Foucault die zunehmende Unterstellung des Lebens unter die Mechanismen der Disziplinierung des individuellen und der Regulierung des sozialen Körpers durch den entstehenden Sozialstaat (vgl. Michel Foucault, »Leben machen und sterben lassen. Zur Genealogie des Rassismus«, in: *Lettre international*, Frühjahr 1993, S. 62–67).

periment der ›Gerichts‹-Chiffre vollzieht sich aus dem Blickwinkel der Biomacht und ihrer sozialen Normierungen. Die spezifische Differenz zwischen *Proceß* und *Schloß* tritt am Beruf der beiden K.s besonders deutlich hervor. Während der Bankangestellte Josef K. einen wirklichen Beruf ausübt, den er, zumindest zu Beginn der Handlung, sogar als Stützpunkt im Kampf gegen das Gericht betrachtet, ist der berufliche Status des *Schloß*-K. äußerst fragwürdig. Hier dreht sich die gesamte Handlung darum, überhaupt erst eine Bestätigung seiner Berufung zum gräflichen Landvermesser zu erhalten. Alles geschieht hier aus dem Blickwinkel des Künstlers und seiner permanenten Normüberschreitungen. Beruf und Berufung, Sozialverwaltung und Schriftstellerei, die beiden großen, im Leben unentwirrbar miteinander verflochtenen Linien der Produktivität Kafkas, sind in der Literatur offenbar in zwei getrennte experimentelle Anordnungen aufgeteilt, wobei freilich sowohl der ›Berufsmensch‹ in der ›Gerichts‹-Anordnung als auch der ›Berufungsmensch‹ der ›Schloss‹-Anordnung an den Normen der sozialen Integration scheitern.

3. Film

Orson Welles, *The Trial*

Von hier aus lassen sich die beiden Kafka-Filme von Welles und Soderbergh einer vergleichenden Betrachtung unterziehen. Zunächst ist die nahe liegende Kritik Buchkas an der Verfilmung der oben skizzierten Schreibweise – »Welles' Aggression besteht [...] darin, daß er für einen der rätselhaftesten Texte des 20. Jahrhunderts eindeutige Bilder sucht«[10] – als unzulässige Vereinfachung zurückzuweisen.

10 Peter Buchka, »The Trial (Le Procès)«, in: *Orson Welles*, hrsg. von P. B., München 1977, S. 120–128, hier S. 126.

Denn neben der medialen Schwelle zwischen Sprachbild und Filmbild ist die historische Schwelle in Rechnung zu stellen, die den Roman von seiner Verfilmung trennt. Kafkas Roman entsteht in den ersten Monaten des Ersten Weltkrieges, also exakt an der historischen Schwelle, an der die moderne, lebensanreizende und -regulierende Biomacht sich mit der archaischen, über Leben und Tod seiner Bürger entscheidende Macht des Souveräns zur lebensvernichtenden Macht des Rassenstaates vereinigt.[11] Die Unbestimmtheit und Vieldeutigkeit des Dachbodengerichts ist demnach nicht nur auf Kafkas erzählerischen Spielzug zurückzuführen, jeden Hinweis auf eine Schuld K.s zu verweigern, sondern auch auf die Unbestimmtheit bzw. Offenheit der historischen Entstehungssituation des Romans. An diese Stelle dieser Unbestimmtheit ist zur Zeit des Welles-Filmes eine immer noch schockartig gegenwärtige Bestimmtheit getreten. Bei Welles weist die Umgestaltung der Hinrichtungsszene auf den Unterschied zwischen den drohenden Archaisierungspotentialen des modernen Staates zu Beginn des Ersten und der furchtbaren Gewissheit nach dem Ende des Zweiten Weltkrieges hin. Während der Roman noch darauf abstellt, die humane bzw. zivilisatorische Schwelle zum Mord als Illusion zu erweisen, verdeutlicht der Film, dass diese Problematik durch die technische Anonymisierung des Mordes schon überholt ist. Die beiden Schergen töten K. erst, nachdem sie ihn allein gelassen haben, durch den Abwurf einer Sprengstoffladung. Der Atompilz, zu dem sich der aufsteigende Rauch in einem sarkastischen Schlussakkord formt, verweist zudem auf die exterministische Dimension dieses anonymisierten Tötens.

Analoges lässt sich für den zweiten großen Problembereich der ›Gerichts‹-Chiffre feststellen, den der Kontrolle. Kafkas Roman entsteht »an der Nahtstelle« zwischen zwei

11 Vgl. Foucault (Anm. 9), S. 67.

historischen Formationen der Biomacht: den von Foucault beschriebenen »Disziplinargesellschaften« des 19. Jahrhunderts mit ihren starren Einschließungsmilieus (Schule, Fabrik, Gefängnis etc.) und den »Kontrollgesellschaften« des 20. Jahrhunderts mit ihren flexiblen und offenen Verfahren der sozialen Überwachung[12]: Josef K.s Verhaftung hat, entgegen seiner Erwartung, keine Einschränkung seiner Bewegungsfreiheit zur Folge. Umgekehrt aber ist das Gericht immer schon dort, wo er sich gerade hinbewegt. Welles zeigt bereits die Synthese von Einschließung und Kontrolle im Modell des totalitären Überwachungsstaates: Die horizontale Dimension der Bewegung K.s durch verschiedene Räume wird nicht begrenzt, aber sie wird überzeichnet durch eine überdimensionierte Vertikale (z. B. K. vor der Tür des Gerichtssaales), die auf eine zentrale Instanz über K.s Bewegungen verweist. Dieser Verweis wiederholt sich auch auf inhaltlicher Ebene, wenn Welles die pornographischen Schreibhefte des Dachboden-Richters durch einen Zentralrechner ergänzt, der nach der Vermutung des Onkels Max das Geheimnis des K.-Prozesses enthalten könnte.

Diese historische Differenz zwischen Roman und Film wird durch die mediale Differenz überlagert und verstärkt. Kafkas Roman ist lediglich als eine nicht-lineare Gruppe einzelner Kapitel überliefert, die erst durch seinen ersten Herausgeber, Max Brod, in eine (in der Forschung nicht unumstrittene) lineare Abfolge gebracht worden waren. Diese nachträglich hergestellte Abfolge wird durch das grundlegende Verfahren der Welles'schen Filmsprache nicht nur weiter modifiziert, sondern vor allem auch dynamisiert: »Für mich ist die Montage nicht ein Aspekt des Kinos, die ist *der* Aspekt«, bemerkt Welles zur Zeit der

12 Vgl. Gilles Deleuze, »Postskriptum über die Kontrollgesellschaften«, in: G. D., *Unterhandlungen. 1972–1990*, Frankfurt a. M. 1993, S. 254–262, hier S. 255.

Prozeß-Verfilmung.[13] Einen zentralen Einsatzpunkt dieses Verfahrens bieten die Übergänge von einem Raum zu einem anderen. Die maßgebliche Bedeutung, die den Ein- und Ausgängen bereits in Kafkas Bildsprache zukommt, wird bei Welles noch gesteigert, indem seine Filmschnitte jede natürliche Kontinuität des Raumes zerstören: K.s abrupte Übergänge von engen und überfüllten in weite und leere Räume (und umgekehrt), die häufigen Wechsel zwischen Belle Epoque- und Barock-Architektur einerseits und einem kalten Modernismus auf der anderen Seite sowie die Wechsel von Licht und Perspektive verwandeln die stationäre Erzählfolge des Romans in eine zunehmend dynamische Fluchtbewegung des Helden.[14] So wie der Film die dezentralen Dachbodengerichte des Romans durch ein zentralisiertes Überwachungssystem ersetzt, so verwandelt er den a-psychologischen, lediglich als Daten sammelnde Sonde fungierenden Kafka-Protagonisten notwendigerweise in eine physisch und akustisch wahrnehmbare Person, an deren Körpersprache und Stimme sich (jedenfalls in der Verkörperung durch Anthony Perkins) eine Semiotik der Schuld anschließen lässt, die auch die zweite konstitutive Leerstelle des Romans schließt – die objektive und subjektive Unergründlichkeit der Schuld Josef K.s.

Steven Soderbergh, *Kafka*

Auch Steven Soderberghs *Kafka* entsteht an einer Nahtstelle der in Kafkas Problemchiffren (kon)notierten sozialen und politischen Entwicklung. Es ist das Ende der totalitären, Kontrolle und Einschließung kombinierenden

13 André Bazin, *Orson Welles*. Mit einem Vorwort von François Truffaut, Wetzlar 1980, S. 56.

14 Vgl. John Orr, »›The Trial‹ of Orson Welles«, in: *Cinema and Fiction. New Modes of Adapting. 1950–1990*, hrsg. von J. O. und Colin Nicholson, Edinburgh 1992, S. 13–27.

Staaten des Warschauer Paktes, das Soderberghs Zugang zu Kafka im wörtlichen wie im übertragenen Sinne ermöglicht und bestimmt. Wörtlich insofern, als die Dreharbeiten in Prag stattfinden und dort auf eine Vielzahl von für ›Kafka‹ (im Sinne des Labels der Tourismusindustrie) signifikante Schauplätze zurückgreifen konnten. Im übertragenen Sinne deshalb, weil die Ästhetik der seit 1989 entstehenden ›grenzenlosen‹, globalisierten Kontrollgesellschaft unter Leitbegriffen wie ›Paradoxie‹, ›Selbstreferenz‹, ›Kopie‹, ›Entidentifizierung‹ etc. eine neue Dimension des Experimentierens mit kulturellen Beständen und sozialen oder politischen Fragestellungen eröffnet.

Letzteres deutet bereits Soderberghs Titel an, der den Namen des Autors Kafka und nicht denjenigen eines seiner Werke trägt. Tatsächlich handelt es sich aber weder um eine Werkverfilmung noch um eine Autorenbiographie, sondern gewissermaßen um eine ›Metalepse zweiten Grades‹, d. h. um den Eintritt des Autors in seine eigene Erzählwelt, dies aber aus der Sicht einer zusätzlich hinzutretenden Erzählinstanz (dem Kafka-Film). Kafka (Jeremy Irons), ein vornamenloser, in seiner Freizeit schriftstellernder Angestellter der Prager Arbeiter-Unfallversicherungsanstalt, ist hier Protagonist eines aus Figuren, Orten und Motiven des Prager Schriftstellers und Versicherungsbeamten JUDr. Franz Kafka zusammengefügten Plots. Ein Kollege, der den Namen eines frühen literarischen *alter ego* des jungen Franz Kafka trägt (Eduard Raban, der Held der *Hochzeitsvorbereitungen auf dem Lande*), ist auf rätselhafte Weise verschwunden. Mit seiner Bürokollegin Gabriela Rossmann (Theresa Russell) (Gabriela trägt den Nachnamen des ersten, in Amerika verschollenen Romanhelden Kafkas) macht sich Kafka auf die Suche nach Raban, bis er von Inspektor Grubach (Armin Müller-Stahl), einem Namensvetter der Zimmerwirtin Josef K.s im *Proceß* (die ihrerseits als Vorlage für die Zimmerwirtin des

Film-Raban gedient hat), zur Identifikation eines Leichnams aufgefordert wird. Es ist Raban. Während die Polizei den Tod als Unfall darzustellen versucht, stößt Kafka bei seinen Nachforschungen im Versicherungsarchiv auf die Akten angeblich verunglückter, tatsächlich aber spurlos verschwundener Arbeiter und wird von Gabriela in eine Anarchisten-Gruppe eingeführt, die mit Propaganda und Terror gegen die vom Schloss ausgehende Herrschaft der Behörden kämpft. Während Kafka diesen Kampf zunächst missbilligt und sich vor allem gegen die politische Funktionalisierung seiner Schriftstellerei verwahrt, erklärt er sich, nachdem auch Gabriela verschwindet, dazu bereit, im Auftrag der Anarchisten einen Koffer mit einer Bombe ins Schloss zu bringen. Im Schloss wird Kafka Augenzeuge der Menschenexperimente, die dort ein gewisser Dr. Murnau, gleichen Namens wie der Regisseur Friedrich Wilhelm Murnau (1888–1931), hier gespielt von Ian Holm, mit den verschwundenen Arbeitern anstellt. Nachdem die Bombe der Anarchisten dem ein Ende gesetzt hat und Murnau von seinem letzten Opfer in seinen Folterapparat gestoßen worden ist (um das Schicksal des Offiziers in Kafkas *Strafkolonie* zu erleiden: Ingenieur und Maschine verschmelzen im Prozess einer gemeinsamen Zerstörung), sehen wir Kafka ein letztes Mal im Leichenschauhaus. Er identifiziert die von Murnaus Schergen zu Tode gefolterte Gabriela und bestätigt das Protokoll, das ihren Tod als Selbstmord klassifiziert, um sich schließlich wieder seinem Schreiben (im Film repräsentiert durch diverse Einschübe des am *Brief an den Vater* schreibenden Kafka) zuzuwenden.

Selbstverständlich ist dieser Eingriff in die Kafka'sche Bilderpolitik, ihre Rückwendung auf sich selbst, noch sehr viel willkürlicher und folgenreicher als die Eingriffe bei Welles. Zu der von E. M. Forster im Bezug auf die Struktur des Romans eingeführten Unterscheidung zwischen den »feineren Wachstumsvorgängen« (›growths‹) und dem

Grundgerüst der Handlung (›story‹)[15] tritt hier eine zusätzliche Dimension mitlaufender Selbstbezüglichkeit, die man am ehesten als ›autostory‹ bezeichnen könnte. Diese Bilderpolitik ersetzt die historisch-politische Bezugsfolie durch eine ästhetisch-reflexive. Die Selbstbezüglichkeit ästhetischer Produktion, die bei Kafka als lediglich konnotierte ›autobiographische Spur‹ an der Schwelle des literarischen Textes verbleibt, wird hier mit dem Auftritt Kafkas ins Zentrum der Handlung gerückt: der ›Berufsmensch‹ K. im *Proceß* und der ›Berufungsmensch‹ K. im *Schloß*, bei Kafka wohlweislich auf zwei große Problemprotokolle verteilt, werden in *Kafka* zu einem mit sich selbst identischen Handlungssubjekt reintegriert. Selbst die zentralen Bezugspunkte der Kafka'schen Problem-Chiffren – Biopolitik und Kontrolle – kehren bei Soderbergh überdeutlich als postmodernes Pastiche wieder.[16] Nicht Literatur als Werk, sondern Literatur als Verfahren ist der Gegenstand der Kafka-Verfilmung Soderberghs. Ob der Film als Medium einen solchen analytischen bzw. dekonstruktivistischen Zugriff tatsächlich hergibt, ist eine andere, hier nicht zu entscheidende Frage.

Der Vergleich der beiden Kafka-Verfilmungen zeigt vor allem die Schwierigkeit, übergreifende Bewertungsnormen für dieses filmische Genre zu definieren. Während man Welles' aus bilderpolitischer Perspektive fraglos bedeutenden Film verkennen muss, wenn man ihn am Kriterium der Bilderpolitik Kafkas misst, liegt der Fall bei Soderbergh gerade umgekehrt: nur in seinem Dialog mit Kafkas stets im Werk mitlaufenden ästhetischen Reflexionen, nur als Parasit, als eines Parasiten *in aestheticis*, kommt diesem Versuch ein spezifischer Stellenwert zu.

15 Vgl. Siegfried Kracauer, *Theorie des Films. Die Errettung der äußeren Wirklichkeit*, Frankfurt a. M. 1985, S. 307.

16 Vgl. Hans Gerhold, »Kafka / Kafka (1991). Der Dritte Mann unter Prager Anarchisten«, in: *Steven Soderbergh und seine Filme*, hrsg. von Stefan Rogall, Marburg 2003, S. 39–52, hier S. 45.

Text

Kafka, Franz: Der Proceß. Stuttgart 2003.
– Das Schloß. Stuttgart 1982.

Filme

The Trial. Regie: Orson Welles. USA 1963.
Kafka. Regie: Steven Soderbergh. USA 1991.

Forschungsliteratur

Bazin, André: Orson Welles. Mit einem Vorwort von François Truffaut. Wetzlar 1980.
Bluestone, George: Novel into Film. Berkeley 1957.
Buchka, Peter: The Trial (Le Procès). In: P. B. (u. a.): Orson Welles. München 1977. S. 120–128.
Deleuze, Gilles: Postskriptum über die Kontrollgesellschaften. In: G. D.: Unterhandlungen. 1972–1990. Frankfurt a. M. 1993. S. 254–262.
Fingerhut, Karl-Heinz: Bildlichkeit. In: Kafka-Handbuch in zwei Bänden. Unter Mitarbeit zahlreicher Fachwissenschaftler hrsg. von Hartmut Binder. Bd. 1: Das Werk und seine Wirkung. Stuttgart 1979. S. 138–176.
Foucault, Michel: Leben machen und sterben lassen. Zur Genealogie des Rassismus. In: Lettre international. Frühjahr 1993. S. 62–67.
Gerhold, Hans: Kafka / Kafka (1991). Der Dritte Mann unter Prager Anarchisten. In: Steven Soderbergh und seine Filme. Hrsg. von Stefan Rogall. Marburg 2003. S. 39–52.
Hillmann, Heinz: Kafkas *Amerika*. Literatur als Problemlösungsspiel. In: Der deutsche Roman im 20. Jahrhundert. Hrsg. von Manfred Brauneck. Bd. 1. Bamberg 1976. S. 135–167.
Orr, John: *The Trial* of Orson Welles. In: Cinema and Fiction. New Modes of Adapting. 1950–1990. Hrsg. von J. O. und Colin Nicholson. Edinburgh 1992. S. 13–27.

Der Tod in Venedig (Thomas Mann – Luchino Visconti)

»Musiker unter den Dichtern«.[1] Zum Stellenwert des Musikalischen

Von Roger Lüdeke

Friedrich Nietzsches *Geburt der Tragödie* (1872) und das darin entwickelte Begriffspaar des Dionysischen und des Apollinischen bilden einen der wesentlichen Bezugspunkte von Thomas Manns 1912 erschienener Novelle *Der Tod in Venedig*.[2] Diesem intertextuellen Bezug im vorliegenden Zusammenhang nachzugehen erscheint viel versprechend, weil sich daraus – über die Grenzen von Wort, Bild und Ton hinaus – eine Unterscheidung zwischen verschiedenen Repräsentationstypen entwickeln lässt, die als Grundlage für einen Vergleich der Novelle mit ihrer Verfilmung durch Luchino Visconti dienen kann. Vor diesem Hintergrund kann die filmische Variante als wesentliches Indiz dafür gelten, dass Viscontis Adaptation – Aschenbach wird im Film zum Musiker – insbesondere auf die von Mann angestrebte *Musikalisierung* der sprachlichen Darstellung ästhetisch reagiert. Insofern dies bei Visconti wie bei Mann mit einer gezielten Erweiterung der literarischen und filmischen Darstellungskonventionen einhergeht, mündet der Vergleich von Film und Text so in eine funktionale Unterscheidung verschiedener Formen intermedialer Grenzüberschreitung.

1 Thomas Mann, »Einführung in den ›Zauberberg‹. Für Studenten der Universität Princeton. (1939)«, in: T. M., *Reden und Aufsätze 3*, *Gesammelte Werke* in 13 Bänden. Bd. 11, Frankfurt a. M. ²1974, S. 602–617, hier: S. 611. – Dank gilt Nathalie Huber, Sebastian Donat, Jörg Dünne und Peter Kolb für hilfreiche Gespräche.

2 Vgl. etwa Manfred Dierks, *Studien zu Mythos und Psychologie bei Thomas Mann*, Bern 1972.

Gestützt auf verschiedene Ansätze der Selbstdeutung von Thomas Mann,[3] hat die literaturwissenschaftliche Forschung wiederholt auf das *epische Leitmotiv* als zentrales Verfahren der Mann'schen Erzählkunst hingewiesen. Es bezeichnet die »Wiederholung eines identischen textlichen Grundelement[s] – Adjektiv oder Substantiv, aber auch Verbindungen von beiden«, das sich in verschiedenen Bedeutungszusammenhängen durch den Text zieht.[4] Die dem Gesamtkunstwerk-Programm des Komponisten Richard Wagner entlehnte Leitmotiv-Technik bildet bei Mann einen Zusammenhang zwischen verschiedenen Textelementen, der die lineare Vermittlung einer vom Leser empirisch nachvollziehbaren Welt übersteigt: Durch die Verknüpfung von verschiedenen Räumen, Zeitebenen und Figuren, »die in der Lebenswirklichkeit [...] klar und eindeutig voneinander unterschieden sind«, entsteht ein Beziehungssystem, das immer wieder die »Scheinhaftigkeit der empirischen Welt und der dargestellten Wirklichkeit«[5] in den Vordergrund spielt und so auf einen dahinter gelegenen Sinnzusammenhang verweist. Beispiele für diese Verdoppelung von Bedeutungsebenen finden sich auch in *Der Tod in Venedig.* Ein Detail zu Ende der Erzählung erscheint gerade im Blick auf die Verfilmung besonders relevant.[6] »Ein photographischer Apparat, scheinbar herrenlos, stand auf seinem dreibeinigen Stativ am Rande der See, und ein schwarzes Tuch, darübergebreitet, flatterte klatschend im kälteren Winde.«[7] Das »flatterte klatschend im

3 So z. B. in: Mann (Anm. 1), S. 611.

4 Borge Kristiansen, »Das Problem des Realismus bei Thomas Mann. Leitmotiv – Zitat – Mythische Wiederholungsstruktur«, in: *Thomas Mann-Handbuch*, hrsg. von Helmut Koopmann, Stuttgart 1990, S. 823–835, hier S. 829–831.

5 Kristiansen (Anm. 4), S. 830.

6 Vgl. zum folgenden Matías Martínez, *Doppelte Welten. Struktur und Sinn zweideutigen Erzählens*, Göttingen 1996, S. 168–169.

7 Thomas Mann, »Der Tod in Venedig«, in: T. M., *Frühe Erzählungen*, hrsg. von Peter de Mendelssohn, Frankfurt a. M. 1981, S. 559–641, hier S. 639.

kälteren Winde« ist mit einer vorhergehenden Passage verbunden, welche bereits das »Flattern, Klatschen und Sausen« erwähnt, dieses aber den »Windgeister[n] üblen Geschlechts« zuordnet, die den »unter seiner Schminke [f]iebernden« Aschenbach bedrängen.[8] Damit wird das schwarze Tuch des Fotoapparats auf die Harpyien der griechischen Mythologie bezogen, »Sturmgeister«, die den Menschen ins Reich des Todes entführen.[9] Tadzio stellt in diesem Zusammenhang den »Psychagog«[10] dar, der die Seelen der Toten in die Unterwelt begleitet; der fotographische Apparat aber – dessen dreibeiniges Stativ auf den Dreifuß des delphischen Orakels anspielt – dient als das Auge einer transzendenten Übermacht.

Die inhaltliche Nähe zur *Geburt der Tragödie* von Nietzsche legt es nahe, das leitmotivische Darstellungsverfahren auf die Unterscheidung zwischen apollinischem und dionysischem Weltbezug zu beziehen, die sich Nietzsche zufolge ästhetisch in einer eher *plastischen* bzw. eher *musikalischen* Darstellungsweise manifestiert. Tatsächlich ermöglicht es der lineare Textverlauf dem Leser von *Der Tod in Venedig*, das darin dargestellte Geschehen als »fortwährendes Werden in Zeit, Raum und Causalität, mit anderen Worten, als empirische Realität«[11] zu erfahren und so in der apollinischen Geschlossenheit einer *plastisch* vor Augen tretenden »Erscheinungs- oder Bilderwelt«[12] zu aktualisieren. Dagegen scheint das leitmotivische Verweisungssystem in Manns Novelle eine Darstellungsform einzubeziehen, die Nietzsche zufolge kennzeichnend ist für ästhetische Verfahren, die darauf zielen, »die Musik nachzuahmen«: »das Wort, das Bild, der Begriff sucht einen der

8 Mann (Anm. 7), S. 636.

9 Vgl. Erwin Rohde, *Psyche. Seelencult und Unsterblichkeitsglaube der Griechen,* Darmstadt 1991, Bd. 1, S. 71.

10 Mann (Anm. 7), S. 641.

11 Friedrich Nietzsche, *Die Geburt der Tragödie. Oder: Griechenthum und Pessimismus.* Stuttgart 1993. S. 33.

12 Nietzsche (Anm. 11), S. 42.

Musik analogen Ausdruck und erleidet jetzt die Gewalt der Musik an sich.«[13] Dabei, so Nietzsche weiter, erzeugen auch die in diesem Sinne musikalischen Darstellungsformen noch Bildähnliches, jedoch fügen sich die »Bilder«, welche Musik und ›musikalisierte‹ Sprache »um sich aussprüh[en]«, zu keiner geschlossenen Gegenstandswahrnehmung mehr: als Ausdruck einer dionysischen Erfahrung der Selbst-Entgrenzung und der Auflösung einer in Zeit und Raum geordneten Wirklichkeitserfahrung »offenbaren [sie] in ihrer Buntheit, ihrem jähen Wechsel, ja ihrem tollen Sichüberstürzen eine dem epischen Scheine und seinem ruhigen Fortströmen wildfremde Kraft«[14].

Nun dient die leitmotivische Verkettung in Manns Novelle aber offensichtlich dazu, eine semantische Konkurrenzordnung neben der empirisch nachvollziehbaren Aktualisierung des Dargestellten einzuführen, indem sie ein »mythisch-übernatürliches Verständnis des Geschehens«[15] nahe legt. Dieser semantischen Konkurrenzordnung zufolge erscheint der geschilderte Niedergang und Tod Aschenbachs in quasi mythischer Perspektive nicht mehr nur als organischer Verfall, sondern zugleich als Eintritt in die transzendente Ordnung eines ›Verheißungsvoll-Ungeheure[n]‹. In dem Maße also, wie die Leitmotiv-Technik dazu führt, dass die empirisch-katastrophische »*Verfallsgeschichte*« Aschenbachs durch eine mythisch-erfolgreiche »*Initiationsgeschichte*«[16] verdoppelt wird, setzt die Erzählung der von ihr erzeugten Bildproduktion gleichsam ein Regulativ entgegen. Dies allerdings bewirkt nicht, dass sich die sukzessive Abfolge der Darstellungselemente zu keinem konsistenten Sinnzusammenhang mehr verdichtet; stattdessen bleibt das Dargestellte dadurch weiterhin im Geltungsrahmen der sprachlichen Bedeutungsfunktion ge-

13 Nietzsche (Anm. 11), S. 42.
14 Ebd.
15 Martínez (Anm. 6), S. 173.
16 Ebd.

halten. Manns Leitmotivik verhält sich somit geradezu gegensätzlich zu einer mit dem Ende des 19. Jahrhunderts einsetzenden *musicalization of fiction*, bei der sich die Sprache – in der Lyrik des Symbolismus etwa, aber auch im modernen Roman – aus ihrer Verweisfunktion auf außersprachliche Sachverhalte zu lösen beginnt. Bei Mann hingegen entthront die über den kausal-logischen Erzählverlauf hinausgehende Verknüpfung von heterogenen Textsegmenten nicht etwa die *plastische* Kraft der Erzählung; die Binnenverweise der Darstellungselemente auf andere Darstellungselemente betonen hier keineswegs den Eigenwert der Verlaufsstruktur des Textes unabhängig von dessen Bedeutungsfunktion. Vielmehr bleibt die von Mann angestrebte *Musikalisierung* seines Textes funktional der inhaltlichen Verdeutlichung untergeordnet, denn sie erzeugt den nachdrücklichen Verweis auf die Anwesenheit einer numinosen Gegenordnung zum Apollinischen, in die Aschenbach durch seinen Tod eintritt. Das Dionysische wird hier nicht im Sinne Nietzsches auf der Ebene des ästhetischen Vermittlungsprozesses wirksam, sondern bleibt auf die inhaltliche Ebene des Erzählten und die Funktion seiner möglichst plastischen Vermittlung beschränkt.

Visconti greift mit seiner Wandlung Aschenbachs zum Komponisten auf die Entstehungsgeschichte von *Der Tod in Venedig* zurück. Ein Zeitungsausschnitt mit einer Fotografie Gustav Mahlers, der sich in den Arbeitsnotizen Manns findet, legt nahe, dass sich nicht nur der Vorname, sondern auch die äußere Erscheinung Aschenbachs an den Komponisten anlehnen. An Viscontis Betonung dieses entstehungsgeschichtlichen Aspekts interessieren hier nicht die daraus resultierenden inhaltlichen Differenzen zwischen Film und Erzählung, die insbesondere in den Rückblenden wirksam werden.[17] Stattdessen soll die Erset-

17 Vgl. Béatrice Delassalle, *Luchino Viscontis ›Tod in Venedig‹. Übersetzung oder Neuschöpfung*, Aachen 1994, S. 28–32.

zung des Literaten durch den Musiker als erster Hinweis darauf gelten, dass sich Visconti mit Manns Orientierung am Musikalischen auf der Ebene der filmischen Darstellung auseinander setzt. Hinweise für eine Musikalisierung der filmischen Darstellung im Sinne von Nietzsches Unterscheidung finden sich bereits zu Beginn von *Morte a Venezia* (00:00–02:20)[18]. Der Hintergrund der (weiter laufenden) Titelei wird langsam als grauer Meereshorizont erkennbar, auf dem sich nach und nach eine horizontale Linie von Rauchschwaden abzeichnet. Am Ende eines langsamen Schwenks nach links, der der Linie des Rauchs folgt, wird ein Schiff mit qualmendem Schornstein sichtbar, das nach links aus dem Bild fährt. Es bleibt der Blick auf das Kielwasser des Schiffs, das sich auf der Meeresoberfläche abzeichnet. Nach einem Schnitt ist Aschenbach in einem Liegestuhl an Bord des Schiffs zu sehen; er lässt das Buch, in dem er liest, auf seinen Schoß sinken. Ein Zoom hebt die Lehne des Stuhls hervor, auf dem Aschenbach sitzt: ein Bastgeflecht aus kleinen Rechtecken, die durch doppelte Verstrebungen miteinander verbunden sind. Während die lineare Abfolge der Bilder von Rauch, Schornstein und Kielwasser sich für den Zuschauer noch in das einheitliche semantische Paradigma des Schiffs fügt, signalisieren das durchbrochene Bastgeflecht von Aschenbachs Lehnstuhl wie auch die Unregelmäßigkeiten in der klaren geometrischen Struktur der (durch Weichzeichner) stark schematisierten Uferlandschaft bereits Brüche und Leerstellen, die dem Idealverlauf einer linear sinnstiftenden Rezeption entgegenstehen.

Dieses Spannungsverhältnis beherrscht auch die Einführung der für den Handlungsverlauf so zentralen Figurenkonstellation Tadzio-Aschenbach (21:46–29:38). Die erste Wahrnehmung des Jungen durch den Komponisten im Salon des Hotels bildet den Endpunkt einer langen Folge

18 *Death in Venice*, Regie: Luchino Visconti, Italien 1971.

von Impressionen aus dem Leben der Bourgeoisie, welche die Kamera, begleitet von Walzern aus Léhars *Lustiger Witwe*, in einem langen, mehrmals wechselnden Schwenk parallel zur Bildfläche von rechts nach links einfängt. Erst mit der Fixierung der Schwestern und der Erzieherin Tadzios, die ihr Ende in einer längeren Naheinstellung des Jungen findet, ist die Sicht des Zuschauers mit dem Blickwinkel des Komponisten identisch. Dabei erfolgt Aschenbachs erste Wahrnehmung von Tadzio zeitgleich mit dem Ende des ersten Walzers. Neben dieser auffälligen Synchronisierung von Bild und Musik wird der Umschlag von filmischer Reihung in die semantische Verdichtung der zentralen Figurenkonstellation auch durch den Wechsel von einem flachen Bildraum in die Illusion eines tiefen Handlungsraums markiert.[19]

Während das Prinzip der handlungsrelevanten Verdichtung der Darstellung des Erzählten untergeordnet bleibt, betont das Prinzip der Reihung von logisch-kausal nicht näher verknüpften Einzeleindrücken den Eigenwert der filmischen Vermittlung. Visconti verbindet mit dieser formalen Opposition eine Reflexion auf die Bedingungen seiner filmischen Darstellung. Dies wird besonders deutlich an der Aufwertung jenes Bildelements, das bereits in Manns Version der Novelle angelegt ist: Während der ›fotographische Apparat‹ am Ende von Manns Erzählung seinen eindrucksvollen, aber einmaligen Auftritt hat, tritt dieses Requisit im Film gleich fünfmal in Erscheinung. Auch ist es zunächst nicht ›herrenlos‹, da es einem Fotographen unter seinem schwarzen Tuch wiederholt Schutz bietet. Die auf den ersten Blick kaum wahrnehmbaren Auftritte des Fotographen durchkreuzen hierbei jeweils die zwischen Aschenbach und Tadzio sich entwickelnde Leiden-

19 Vgl. zu dieser Unterscheidung David Bordwell: »Modelle der Rauminszenierung im zeitgenössischen europäischen Kino«, in: D. B. (u. a.), *Zeit, Schnitt, Raum*, Frankfurt a. M. 1997, S. 17–42 (vgl. Knut Hickethier, *Film- und Fernsehanalyse*, Stuttgart u. a. [3]2001, S. 73–74).

schaftsbeziehung: Die Blickrichtung der Kamera ist dabei – mit einer Ausnahme – immer parallel zur Bildfläche ausgerichtet und bildet so ein deutliches Gegengewicht zu der vertikalen Bildachse, die in diesen Sequenzen durch wechselseitige Blicke zwischen Tadzio und Aschenbach, parallel zur Blickachse des Zuschauers, in die Tiefe des Handlungsraums weist. Die so im Film gefilmte Kamera betont nachdrücklich die Vermitteltheit des Gezeigten und die technische Gemachtheit der ästhetischen Illusionsbildung. Vor diesem Hintergrund aber erhalten jene Sequenzen ihre Bedeutung, in denen die Blickrichtung des Fotoapparats quer steht zu der für die Illusion der Filmhandlung so zentralen Inszenierung der Beziehung Aschenbach-Tadzio und die hierfür kennzeichnende Betonung der Bildtiefe. Denn dadurch signalisieren sie eine optisch-ästhetische Gegenordnung, die sich mit dem horizontal geprägten Darstellungsprinzip der diskontinuierlichen Reihung von Einzeleindrücken solidarisch erklärt, die wie gezeigt ebenfalls parallel zur Bildfläche erfolgt.

Die Schlussszene schließlich zeigt den Fotoapparat – entsprechend der Textvorlage – ›herrenlos‹ auf einem Stativ. Vor dem infolge der Gegenlichtaufnahme des Sonnenaufgangs stark schematisierten Hintergrund des Meeres, der in seiner Betonung der Waagerechten von Horizont und Meeressaum an die Uferlandschaft des Beginns erinnert, weist das Objektiv der Kamera parallel zur Bildfläche in dieselbe Richtung, in die auch Tadzio zeigt: nach links gen Norden. Wenn der frontal in Naheinstellung gezeigte Aschenbach daraufhin in Richtung des linken Bildrands – geographisch gesehen aber nach rechts: gen Süden – tot in seinem Strandstuhl zusammenbricht, so vervollständigt diese Bewegung die Waagerechte in jener Richtung, in der die herbeistürmenden Strandwärter den toten Aschenbach unmittelbar darauf in einer langen Einstellung abtransportieren: entlang einer Reihe von identischen Strandhäuschen, die infolge ihrer bemalten Türrahmen und Fenster wie eine ornamentale Begrenzung des oberen Bildrands wirken.

In Viscontis Version der Mann'schen Novelle hat sich das Requisit des fotographischen Apparats vom Bestandteil der mythisch-transzendenten Erzählhandlung zum Selbstverweis auf die Kamerahandlung gewandelt. Die Eigengesetzlichkeit der filmischen Verlaufsstruktur, der Eigenwert der Filmzeit und der in ihrem Verlauf vermittelten Bilder, wird dadurch nachdrücklich betont. Wie hier nur angedeutet, wird dieses Darstellungsprinzip bei Visconti immer auch dort wirksam, wo der Film die geschichtlich und gesellschaftlich bestimmte Situation seines Helden zur Darstellung bringt: in Versuchen einer quasi dokumentarischen Repräsentation der Belle Epoque. Durch die filmtechnisch gekennzeichnete Ausgliederung dieser Darstellungsintention aus dem Illusionsraum der zentralen Filmhandlung markiert Visconti womöglich sein Scheitern daran, jenen »Zwiespalt des Künstlers zwischen seinen ästhetischen Bestrebungen und dem Leben, zwischen seinem Dasein jenseits der Geschichte und seiner Zugehörigkeit zu seiner geschichtlichen, bürgerlichen Bestimmung« zu überwinden, der für ihn offensichtlich den wesentlichen inhaltlichen Anlass zur Verfilmung von Manns Novelle bildete.[20] Andererseits aber realisiert die Verweigerung dieses Darstellungsanspruchs nun gerade jenes ästhetische Glücksversprechen eines dionysisch aufgelösten Selbst- und Wirklichkeitsbezugs, von dem Mann ›nur‹ erzählt, wo doch sein erzählerischer Rückgriff auf das Prinzip der Leitmotiv-Technik das semantische Kontinuum der Erzählung und ihre apollinisch-plastische Kraft nur umso nachdrücklicher aufrechterhält. Bei Visconti dagegen lösen sich die musikalische und die bildliche Darstellungsebene immer wieder aus dem raumzeitlichen

20 Lino Micciche, *Morte a Venezia*, Bologna 1971 (übersetzt zitiert nach Delassalle [Anm. 17], S. 1).

Kontinuum einer kausallogischen Filmhandlung, um sich nur noch über die Achse einer gleichsam gegenstandslos vergehenden Filmzeit miteinander zu verbinden. So etwa in jener Sequenz, die zur Musik von *Zarathustras Mitternachtslied* aus dem vierten Satz von Mahlers dritter Symphonie eine weitgehend zusammenhangslose Folge von raumzeitlich unverbundenen Szenen überspannt, die in einem traumähnlichen Tanz Tadzios mündet; an dessen Ende wendet sich Aschenbach parallel zur Bildfläche ab und bricht nach einem langen Gang vor der klaren geometrischen Struktur von geraden, vor allem vertikalen, Linien der Strandhäuschen zusammen (01:04:34–01:09:31). Wenn der Liedtext aus *Also sprach Zarathustra* im Ausschnitt der Filmmusik dabei nun unmittelbar vor Nietzsches Beschwörung jener »tiefe[n], tiefe[n] Ewigkeit« von Lust (und Weh) endet, dann ist damit angezeigt, dass Visconti sich dem ästhetischen Anspruch einer dauerhaften Einheits- und Sinnstiftung nicht mehr wie Mann im Rückgriff auf mythische Ordnungsmuster, sondern nur noch negativ über die inszenierte Eigengesetzlichkeit des filmischen Mediums – in der Flüchtigkeit der von ihm produzierten Bilder und Töne – anzunähern vermag.

Text

Mann, Thomas: Der Tod in Venedig (1912). In: T. M.: Frühe Erzählungen. Hrsg. von Peter de Mendelssohn. Frankfurt a. M. 1981. S. 559–641.

Film

Morte a Venezia (Death in Venice). Regie: Luchino Visconti. Italien 1971.

Forschungsliteratur

Delassalle, Béatrice: Luchino Viscontis *Tod in Venedig*. Übersetzung oder Neuschöpfung. Aachen 1994.

Dierks, M.: Studien zu Mythos und Psychologie bei Thomas Mann. Bern 1972.

Martínez, Matías: Doppelte Welten. Struktur und Sinn zweideutigen Erzählens. Göttingen 1996.

Nietzsche, Friedrich: Die Geburt der Tragödie. Oder: Griechenthum und Pessimismus. Neue Ausgabe mit dem Versuch einer Selbstkritik (1886). In: F. N.: Die Geburt der Tragödie. Unzeitgemäße Betrachtungen I–IV. Nachgelassene Schriften 1870–1873. (Kritische Studienausgabe. Hrsg. von Giorgio Colli / Mazzino Montinari, Bd. 1.) München [u. a.] 1988. S. 9–156.

Rohde, Erwin: Psyche. Seelencult und Unsterblichkeitsglaube der Griechen. Darmstadt 1991. Bd. I.

Thomas-Mann-Handbuch. Hrsg. von Helmut Koopmann. Stuttgart 1990.

Der Untertan (Heinrich Mann – Wolfgang Staudte)

»... die ganze kleinbürgerliche Misere ...«

Von Brigitte Braun

Der Untertan ist die zweite erfolgreiche Realisation eines Films nach einem Roman von Heinrich Mann und gehört ebenso wie die erste, Josef von Sternbergs *Der blaue Engel* (1930) nach dem Roman *Professor Unrat*, zum Kanon der deutschen Filmgeschichte[1]. Anders jedoch als *Der blaue Engel*, der sich von seiner Literaturvorlage in wesentlichen Punkten löst, gilt *Der Untertan* zugleich als besonders gelungenes Beispiel einer Literaturverfilmung, die nicht nur filmästhetisch Herausragendes leistet und jeglichen Ansprüchen an das Medium genügt, sondern auch den Erzählgestus der Romanvorlage von Heinrich Mann exakt trifft.

Welche Kriterien zu erfüllen sind, um einen Film als Kunst bezeichnen zu können, hat Heinrich Mann bereits 1938 unzweideutig erklärt: »Die Filmkunst, von ihr ist selten die Rede in Deutschland. Hier hört man immer nur von der Filmindustrie. Der Unterschied ist, daß Industrien nur gegen sich selbst und ihre Geldgeber Pflichten haben. Die Kunst ist verantwortlich der Mit- und Nachwelt und steht noch ein für ihre fernsten Auswirkungen. Kunst, auf die ein Volk blickt«, so heißt es weiter, »verführt es nicht, sondern erzieht es. Sie verkauft sich nicht, sie gibt sich nicht dazu her, das Volk nur abzulenken, anstatt es sehen und denken zu lehren. Es denken lehren, es vergeistigen, jede Kunst, die ernstlich sich selbst will, plant dies mit dem

1 Beide Filme sind in das von Thomas Koebner herausgegebene Kompendium *Filmklassiker*, Stuttgart [3]2001, aufgenommen worden.

Volk.«[2] Es besteht kein Zweifel daran, dass der Regisseur Wolfgang Staudte in kongenialer Weise dieses Postulat an die Filmkunst erfüllt und sich sowohl des künstlerischen Anspruchs als auch seiner Verantwortung als Filmschaffender bewusst ist. Als Konsequenz dieser Haltung löste der Film *Der Untertan* im geteilten Nachkriegsdeutschland – ähnlich wie nach dem Ersten Weltkrieg der Roman – heftige Kontroversen aus. Die Beschäftigung sowohl mit der Rezeptionsgeschichte des Romans und ihrem Einfluss auf die Filmadaptation, als auch mit der Aufnahme des Films in den 1950er-Jahren, die wiederum wesentlich auf die Rezeption Heinrich Manns in den beiden deutschen Staaten zurückgewirkt hat, erweist sich dadurch als besonders aufschlussreich. Während Manns *Der Untertan* nach seinem Erscheinen von vielen Kritikern als Pamphlet und Satire, bestenfalls als maßlose Übertreibung abgelehnt wurde, rühmten andere wie z. B. Kurt Tucholsky ihn als »Anatomie-Atlas« des Reiches und exaktes, ja fotografisches Abbild der Wilhelminischen Gesellschaft.[3] Unter der Herrschaft der Nationalsozialisten erreichten die Gegner Manns, dass der Roman verboten wurde. Nach dem Zweiten Weltkrieg jedoch entdeckten die Kulturpolitiker der DDR den Emigranten Heinrich Mann als Vertreter einer neuen »volksverbundenen«[4] und nun auch antifaschistischen Tradition für sich, Mann sollte Präsident der neu gegründeten Akademie der Künste werden. Die DEFA bemühte sich parallel hierzu um die Filmrechte am Roman *Der Untertan*: »Blickt man auf die letzten 50 Jahre deutsche Geschichte zurück, so erkennt man erst, mit welcher vorausschauenden Kraft Sie ihren Roman *Der Untertan*

2 Heinrich Mann, »Der Film. Rede gehalten auf der ersten Veranstaltung des Volksverbandes am 26. Februar 1928 im Capitol.«, in: H. M., *Essays*, Bd. 1, Berlin 1954, S. 292–300, hier S. 297.

3 Kurt Tucholsky, *Gesammelte Werke*, Bd. 2: 1925–1928, Reinbek bei Hamburg 1961, S. 856.

4 So Wilhelm Piek und Otto Grotewohl in einem Glückwunschbrief vom 12.3.1948 anlässlich Heinrich Manns Geburtstag.

gestaltet haben. Sie haben mit dieser Figur die ganze deutsche kleinbürgerliche Misere erfasst«[5], so Frank Harnack, Künstlerischer Direktor der DEFA, in einem Brief an Mann. Dieser stimmte der Verfilmung seines Romans zu, verlangte jedoch, dass die Bearbeitung des Werks die Zeit der Handlung, die beiden Jahrzehnte vor dem Ersten Weltkrieg, zu respektieren habe: »Sie [Harnack] werden schon bedacht haben, daß auch der Aktualität des Stoffes hiermit besser genügt wird, als wenn man ihn modernisiert.«[6]

Mit der Realisierung des Films betraute die DEFA Wolfgang Staudte (1906–1984), der zu diesem Zeitpunkt bereits zu den erfolgreichsten deutschen Regisseuren zählte und sich in seinen Filmen *Die Mörder sind unter uns* (1946), *Die seltsamen Abenteuer des Herrn Fridolin B.* (1947/48) und *Rotation* (1948/49) mit politischen und gesellschaftlichen Themen der Gegenwart auseinander gesetzt hatte. *Der Untertan* war seine erste Literaturadaptation für einen abendfüllenden Film. Zusammen mit seinem Vater Fritz Staudte schrieb er das eng an die Vorlage angelehnte Drehbuch: Die DEFA hatte Mann dessen Wünschen entsprechend zugesichert, dass der Roman »unbeschädigt in die filmische Gestalt« übertragen würde und ihm die Prüfung des Drehbuchs vorbehalten bleibe. Mann starb jedoch am 12. März 1950 im amerikanischen Exil.

Schon im Vorspann des Films betont Staudte, dass es sich bei seinem Werk um eine Verfilmung *nach* dem Ro-

5 Brief von Frank Harnack an Heinrich Mann vom 23.5.1949 (Heinrich Mann Archiv 2828), zitiert nach Michael Grisko, »›Der Untertan‹ (Wolfgang Staudte) – LiteraturverFILMung und Zeitgeschichte«, in: *Materialien zur Lehrerfortbildung*, Bd. 2: *Heinrich Manns Roman ›Der Untertan‹. Forschungsbericht – Romanverfilmung – Unterrichtsmodell*, hrsg. vom Heinrich-und-Thomas-Mann-Zentrum, Lübeck 1999, S. 19–36, hier S. 25.

6 Heinrich Mann an Frank Harnack am 24.10.1949, zitiert nach: Thomas Bleicher, »Der Untertan in Roman und Film: Ästhetische Varianten eines historischen Typs«, in: *Sequenz (Film und Pädagogik) 9: Literatur und Film*, hrsg. vom Goethe-Institut Nancy, Nancy 1996, S. 92.

man *Der Untertan* von Heinrich Mann handle, und weist damit die Richtung der Relationsbildung zwischen Roman und Film. Beide erschienen in einer Zeit des Umbruchs und Neubeginns und hielten den jeweiligen Zeitgenossen den Spiegel vor Augen: Es ist das Gesicht einer obrigkeitsgläubigen Untertanengesellschaft, die in der Figur des Diederich Heßling exemplifiziert wird. In rasch aufeinander folgenden Episoden wird in der Tradition des Bildungsromans seine Geschichte erzählt, die Erziehung und Sozialisation in Familie, Schule, Studium und Militär. Aufgewachsen als Papierfabrikantensohn in einer Kleinstadt, ängstlich und weich, lernt Heßling früh, sich jeder Macht zu beugen und ihr zu dienen. Sein Studium in Berlin, die studentische Verbindung und der Militärdienst formen ihn zu einem treuen Untertanen seines Kaisers, dem Opportunismus und Doppelmoral eine steile Karriere in seiner Heimatstadt ermöglichen. Der Bildungsroman erfährt seine Umkehrung zum Miss-Bildungsroman: Diederich Heßling hat gelernt, die Macht nun auch selbst anzuwenden, nach oben zu buckeln und nach unten zu treten.

Manns zwischen 1906 und 1914 entstandener, 1918 erschienener Roman begünstigt eine filmische Adaptation durch seine narrative und stilistische Struktur: In chronologisch gereihten Episoden aus dem Leben Diederich Heßlings wird das Panorama einer Epoche entworfen, die »Geschichte der öffentlichen Seele unter Wilhelm II.«, wie es im Untertitel des Buches heißt. Heßling und die Nebenfiguren agieren zwar als Individuen, sind aber von Mann auch als Typen, als Repräsentanten bestimmter sozialer Schichten und Klassen konzipiert. Um die Diskrepanz zwischen Schein und Sein, die Doppelbödigkeit der wilhelminischen Moral zu entlarven, arbeitet er mit den Mitteln der Satire, mit kontrastierenden Arrangements, variierten Wiederholungen und Zitatmontagen aus Kaiserreden.

In der Verfilmung greift Staudte den narrativen Verlauf auf und behält den satirischen Gestus des Romans bei. Er reduziert jedoch die Gesellschaftsschilderung und konzentriert sich auf die Hauptfigur. Heßling und seine Begegnungen mit der Macht werden zum Ausgangs- und Mittelpunkt der Handlungsführung. Die visuell starken Bilder der sozialen Typen, die die Handlung im Wilhelminismus verorten, entlehnt er dabei den Karikaturen aus politischen Zeitschriften und den kritischen Graphiken eines George Grosz (1893–1959), der wie Mann – allerdings mit den Mitteln der bildenden Kunst – seinen Zeitgenossen »den Spiegel vor die Fratze« zu halten versuchte und sich in seiner 1927 entstandenen Graphik *Seid untertan der Obrigkeit* explizit auf den Roman *Der Untertan* bezog.[7]

Mit Hilfe unterschiedlichster filmischer Stilmittel wie Montage und Überblendung, Einstellungsgröße, Perspektive und Kameraführung, Musikeinsatz und einem Erzähler aus dem *Off* verdeutlicht Staudte die Kontrastwirkungen und Überzeichnungen der Vorlage noch und versteht es so, mit einem »Feuerwerk optischer Einstellungen [...] seine literarische Vorlage in adäquate Bilder zu übersetzten«[8]. Die Differenz zwischen Schein und Sein des Untertanen werden in bestimmten wiederkehrenden Situationen »offen sichtlich« und durch Musik, Dialog und Kommentar aus dem *Off* auch »offen hörbar«, wie Michael Grisko es treffend formuliert hat.[9]

Die damit erreichte kritische Distanz zum Geschehen

7 Georg Grosz, Graphik *Seid untertan der Obrigkeit*, 1927 (Blatt 2 aus der Mappe *Hintergrund*, 1928), abgebildet mit anderen Graphiken bei Marc Charpentier (Bearb.), »Der Untertan – Heinrich Mann / Wolfgang Staudte. Arbeitsblätter für die Schüler, Arbeitsanleitungen, Lösungen und Antworten«, in: *Sequenz (Film und Pädagogik)*, Bd. 9: *Literatur und Film*, hrsg. vom Goethe-Institut Nancy, Nancy 1996, S. 69–89, hier S. 75–77.

8 Wilfried Berghahn, »Deutschenspiegel für Ost und West. Zu dem DEFA-Film ›Der Untertan‹«, in: *Frankfurter Hefte* (9. 9. 1952), Nr. 9, S. 712 f.

9 Grisko (Anm. 5), S. 27 f.

erschwert eine Identifikation des Zuschauers mit der Figur Diederich Heßlings, auf die sich der Film konzentriert. Mit Heßling gelingt Staudte eine modellhafte Charakterisierung des Untertanentypus schlechthin, der von seinen Denk- und Handlungsmustern nicht an sein historisches Umfeld gebunden ist. So kann Staudte, obschon er sich an Manns Vorgabe hält, die Handlung des Romans in ihrer Zeit zu belassen, dem Film einen neuen Schluss anfügen, der den zeitlichen Bogen über den Nationalsozialismus bis in die Nachkriegszeit spannt und Kontinuitäten zwischen Kaiserreich, Faschismus und der Gegenwart der 1950er-Jahre konstruiert: Das eben noch von Heßling im Gewittersturm eingeweihte Kaiser-Wilhelm-II.-Denkmal verschwindet in Rauch und Nebel, während das Horst-Wessel-Lied zu hören ist. Schließlich taucht das Denkmal in der Trümmerlandschaft der Nachkriegszeit unversehrt wieder auf. Schnitt, Musik und *Off*-Kommentar werden in dieser Sequenz ein letztes Mal mobilisiert, um die überzeitliche Aktualität der historischen Vorlage aufzuzeigen: Der deutsche Untertanengeist hat sich mit dem Ende des Wilhelminismus nicht verabschiedet, vielmehr besitzen die aufgezeigten Verhaltensmuster auch noch 1951 Gültigkeit.

Gerade der Schluss machte Staudtes Film jedoch zu einem Politikum in den beiden ideologisch geteilten deutschen Staaten: Zwar war man auch in der DDR mit der Umsetzung des Stoffes nicht ganz zufrieden – die Darstellung der Arbeiterklasse wurde als nicht positiv genug empfunden, und auch der Formalismusvorwurf blieb dem Film nicht erspart – doch aufgrund seines internationalen Erfolgs wurde Staudte für *Der Untertan* in der DDR der Nationalpreis II. Klasse für Literatur und Kunst verliehen.

In der Bundesrepublik wurde demgegenüber die Uraufführung des Films auf dem Heidelberger Filmfestival 1951 nicht zugelassen, seine Einfuhr und damit die Aufführung in westdeutschen Kinos durch den Interministeriellen

Ausschuss[10] verboten. Staudte wurde im Westen als »Nestbeschmutzer« verunglimpft, bekam dort keine Aufträge mehr, der Film wurde als tendenziös und politische Propaganda für die DDR abgelehnt. Ende 1955 erlaubte der Interministerielle Ausschuss Vorführungen des Films in studentischen Filmclubs, sprach sich jedoch noch im April 1956 ausdrücklich gegen den Einsatz im normalen Vorführbetrieb aus. Erst 1957 erhielt *Der Untertan* in der Bundesrepublik in einer gekürzten Fassung die Freigabe, seine Rezeption wurde hierdurch erheblich verzögert. Im Vorspann musste zudem auf den fiktiven Charakter Diederich Heßlings hingewiesen werden.[11] Im Jahr 1964 schließlich wurde dem Film das Prädikat »besonders wertvoll« zuerkannt, und erstmals erschien in der Bundesrepublik auch eine Taschenbuchausgabe des Romans, sodass *Der Untertan* einem breiteren Leserkreis zugänglich wurde. In der DDR dagegen war Heinrich Mann längst Pflichtlektüre an den Schulen.

Heute sind die Auseinandersetzungen um Buch und Film Geschichte, sie verdeutlichen aber in beispielhafter Weise die ideologisch-politischen Befindlichkeiten der beiden deutschen Staaten bis weit in die 1960er-Jahre hinein und die daraus resultierenden Rezeptionsmuster dieser Literaturverfilmung.

10 Der Interministerielle Ausschuss für Ost/West-Filmfragen entschied über die Einfuhr von Filmen aus den Staaten des Ostblocks und prüfte bis Ende 1966 alle Filme aus diesen Staaten. Seine Tätigkeit war quasi verfassungswidrig. Siehe dazu: Stephan Buchloh, *»Pervers, jugendgefährdend, staatsfeindlich.« Zensur in der Ära Adenauer als Spiegel des gesellschaftlichen Klimas*, Frankfurt. a. M. 2002, S. 219–249.

11 Vgl. Marc Silbermann, »Semper fidelis. Staudte's ›The Subject‹ (1951)«, in: *German Film and Literature. Adaptions and Transformations*, hrsg. von Eric Rentschler, New York / London 1986, S 146–160, hier S. 158.

Text

Mann, Heinrich: Der Untertan. Roman (1918). Mit einem Nachwort und Materialienanhang von Peter-Paul Schneider. Frankfurt a. M. 2002.

Film

Der Untertan. Regie: Wolfgang Staudte. DDR 1951.

Forschungsliteratur

Charpentier, Marc (Bearb.): Der Untertan – Heinrich Mann / Wolfgang Staudte. Arbeitsblätter für die Schüler, Arbeitsanleitungen, Lösungen und Antworten. In: Sequenz (Film und Pädagogik). Bd. 9: Literatur und Film. Hrsg. vom Goethe-Institut Nancy. Nancy 1996. S. 69–89.

Deiker, Barbara: Heinrich Mann / Wolfgang Staudte. Der Untertan. In: Film und Literatur. Analysen, Materialien, Unterrichtsvorschläge. Hrsg. von Wolfgang Gast und Barbara Deiker. Bd. 2. Frankfurt a. M. 1993. S. 5–31. (Hier auch kommentierter Sequenzplan, S. 5–11.)

Emmerich, Wolfgang: Heinrich Mann – Der Untertan. Text und Geschichte. München 1980.

Grisko, Michael: *Der Untertan* (Wolfgang Staudte) – LiteraturverFILMung und Zeitgeschichte. In: Materialien zur Lehrerfortbildung. Bd. 2: Heinrich Manns Roman *Der Untertan*. Forschungsbericht – Romanverfilmung – Unterrichtsmodell. Hrsg. vom Heinrich-und-Thomas-Mann-Zentrum. Lübeck 1999. S. 19–36.

Ludin, Malte: Wolfgang Staudte. Reinbek bei Hamburg 1996.

Netenjakob, Egon (u. a.): Staudte. Hrsg. von Eva Orbanz und Hans Helmut Prinzler. Berlin 1991.

Silberman, Marc: Semper fidelis. Staudte's *The Subject* (1951). In: German Film and Literature. Adaptions and Transformations. Hrsg. von Eric Rentschler. New York / London 1986. S. 146–160.

Werner, Renate (Hrsg.): Heinrich Mann. Texte zu seiner Wirkungsgeschichte in Deutschland. Tübingen 1977.

Traumnovelle (Arthur Schnitzler – Stanley Kubrick)

»All diese Ordnung, all diese Sicherheit des Daseins nur Schein und Lüge«

Von Sven Hanuschek

Gemessen an der inflationären Zahl von Literaturverfilmungen können nur wenige Filme neben ihren Vorlagen bestehen oder sich gar die Aura eines singulären Kunstprodukts erwerben. Stanley Kubrick ist das bei seinen zahlreichen Versuchen durchwegs gelungen. Bis auf den frühen Film *Killer's Kiss* (1955) und *2001: A Space Odyssey* (1968) sind seine Filme Adaptationen literarischer Werke. Und sie sind stets ›interpretierende Transformationen‹ im Sinn Helmut Kreuzers:[1] Kubrick hat nicht nur die stoffliche Ebene übertragen, sondern auch Form- und Inhaltsbeziehungen beachtet, um ein in vielem dem Text gegenüber analoges, dabei neues Werk eigenen Rechts zu schaffen. Literaturverfilmungen übersetzen nicht nur von einer Sprache in eine andere, sondern in ein anderes Medium; damit verändern sie die Form.

Schnitzler erzählt die Geschichte einer Ehekrise: Fridolin, ein wohlhabender Wiener Arzt, und seine Frau Albertine gestehen sich nach den erotischen Anregungen einer Redoute außereheliche sexuelle Phantasien. Der Mann durchlebt nach dem Gespräch eine letztlich keusch bleibende nächtliche Odyssee, die Frau erzählt ihm am Morgen einen sexuell expliziten und aggressiven Albtraum. Um sich für ihren Traum zu rächen, versucht Fridolin am Tage, auf den Stationen der Odyssee, die er nun ein zweites Mal abgeht, Albertine zu betrügen. Das gelingt ihm

1 Vgl. Helmut Kreuzer, »Arten der Literaturadaption« (1981), in: *Literaturverfilmung*, hrsg. von Wolfgang Gast, Bamberg 1993, S. 27–31.

nicht, seine düsteren Erlebnisse führen zu einem nervösen Zusammenbruch und zur anschließenden umfassenden Beichte. Albertine verzeiht ihm mit dem irisierenden Satz, »daß die Wirklichkeit einer Nacht, ja daß nicht einmal die eines ganzen Menschenlebens zugleich auch seine innerste Wahrheit bedeutet«. Die Ehe scheint gerettet, der Tag beginnt mit einem »sieghaften Lichtstrahl durch den Vorhangspalt« und dem »hellen Kinderlachen« ihrer kleinen Tochter.

Schnitzler hat den ersten Entwurf zur *Traumnovelle* 1907 geschrieben, ausgearbeitet hat er sie in den frühen 20er-Jahren; der Erstdruck erschien von Dezember 1925 bis März 1926 in der Zeitschrift *Die Dame*.

Kubrick suchte über Jahre nach Sujets für seine Filme; die Rechte an der *Traumnovelle* hatte er schon 1971 gekauft. Andere Projekte zog er vor, äußerte sich aber über den Text in den wenigen Interviews, die er gab. Mit seinem Koautor schrieb er seit 1994 am Drehbuch, die Filmarbeiten zu *Eyes Wide Shut* begannen im November 1996. In den Drehpausen änderte er fortlaufend noch Details am Skript, die Nachaufnahmen waren im Juni 1998 abgeschlossen. Am 2. März 1999 wurde den Hauptdarstellern Tom Cruise und Nicole Kidman zusammen mit den Warner-Direktoren der *final cut* vorgeführt; fünf Tage später starb der 70-jährige Kubrick an einem Herzanfall. Wie sicher der Transformateur sich seiner Vorlage war, zeigt sich daran, dass Teile der filmischen Interpretation erst von neueren literaturwissenschaftlichen Arbeiten eingeholt wurden, die Kubrick nicht mehr gekannt haben kann.

Beide Werke beanspruchen Überzeitlichkeit, und sie weisen implizit auf diesen Anspruch hin. Die *Traumnovelle* spielt im Wien einer »Niemalszeit«, zugleich »vor und nach dem Ende der Doppelmonarchie«.[2] *Eyes Wide*

2 Hilde Spiel, »Im Abgrund der Triebwelt oder Kein Zugang zum Fest«, in: *Akten des Internationalen Symposiums ›Arthur Schnitzler und seine Zeit‹*, hrsg. von Giuseppe Farese, Frankfurt a. M. (u. a.) 1985, S. 164–169, hier S. 165.

Shut hat die Handlung nach New York verlegt, in eine Zeit, zu der es mobile Telefone und Aids gibt, also nicht vor Anfang der 1990er-Jahre; präzisere Anhaltspunkte werden verweigert. Die Ehegeschichten beider Werke sind Signale auch für überindividuelle Krisen: Die *Traumnovelle* spielt sich inmitten der allgemeinen Krise der *Décadence* ab. Fridolin ist weder Herr seiner selbst – er handelt immer wieder »unwillkürlich« – noch Herr in seinem Haus, in dem Albertine ihren Aufstand gegen das patriarchale Modell probt. Die Herren der Gesellschaft treffen sich insgeheim, man erfährt jedoch nie genau, wozu. Sie brauchen eine Parole, um eingelassen zu werden: »Dänemark«, Hamlets Staat, in dem bekanntlich etwas faul ist. Die Räume sind schwarzweiß gehalten, auf einem Harmonium wird eine »italienische Kirchenmelodie« gespielt, die sich in etwas weltlich Brausendes verwandeln soll. Maskierte Männer in Mönchskostümen werfen ihre Kutten ab und tanzen in bunten »Kavalierstrachten«; Frauen in Nonnenkostümen sind plötzlich bis auf Masken und Schleier nackt. Mehr sieht Fridolin nicht, er wird entdeckt und hinausbefördert. Bei allen bedrohlichen Signalen der Szene bleibt ein komischer Aspekt; wenn *das* die führenden Herren der Gesellschaft sind, fühlt Fridolin sich zu Recht wie unter »Narren« und »Wüstlingen«.

Der Film *Eyes Wide Shut* führt die Orgie aus, wie Kubrick überhaupt visualisieren und konkretisieren muss: »Gibt's keine Wirklichkeit, gibt's auch keinen Film.«[3] Die Eröffnungsszene bildet ein quasi-religiöses Ritual zu düsteren Streicherklängen, die sich ins Groteske wendet, nicht nur durch Ensor- und Picasso-Masken der Gäste. Bill Harford, wie der Protagonist im Film heißt, schlendert zwischen hektisch kopulierenden Paaren hindurch, was durch meditative Musik konterkariert wird. Bevor er aufgegrif-

3 Kubrick zit. nach Frederic Raphael, *Eyes Wide Open. Eine Nahaufnahme von Stanley Kubrick*, Berlin 1999, S. 56.

fen wird, sieht er zum Teil gleichgeschlechtliche Paare, die zu einem schmierigen Arrangement von *Strangers in the Night* tanzen. Die New Yorker Oberschicht wird durch die Orgie als dekadent gezeigt. Noch deutlicher hat Kubrick diesen Aspekt an der neu eingeführten Figur Victor Ziegler gemacht. Der Multimillionär ist Gastgeber des Festes der Schönen und Reichen, an dem Bill und Alice zu Beginn teilnehmen und auf der sie »[n]icht eine Menschenseele« kennen, womöglich weil es keine Menschenseele außer ihnen gibt. Ziegler gibt sich als großzügiger, fast väterlicher Freund, der allerdings immer zwielichtiger wird. Nach der offiziellen Begrüßung der Gäste durch ihn und seine Frau wird Ziegler im Badezimmer gezeigt, als er sich die Hosen hochzieht und der Arzt ihm bei einem »kleinen Zwischenfall« helfen soll: eine bessere Prostituierte, mit der er sich zurückgezogen hatte, »hat sich was reingezogen und hat es wohl nicht vertragen«. Später erfahren wir, dass Ziegler bei der Orgie anwesend und teilweise für deren Organisation verantwortlich war, dass er Bill hat verfolgen lassen – »nur zu Ihrem Besten« –, und er erklärt Bill, wie seine nächtlichen Stationen zusammenhängen.

Die suggerierte Überzeitlichkeit und Überindividualität machen den Zuschauer misstrauisch gegenüber dem Realitätsstatus der Ereignisse überhaupt. Fridolins Motive und Gefühle werden in der Schnitzler'schen *Traumnovelle* nicht verbalisiert, obwohl die Leser ihm in erlebter Rede und angedeutetem inneren Monolog folgen können. Hier soll etwas gezeigt werden, das nicht gesagt werden kann, daher die fortwährenden Andeutungen von Macht- und Wortlosigkeit bei Fridolin – sein »unwillkürliches« Handeln, sein Zuspätkommen, ein Bild der vorigen Nacht ist »völlig verblasst«, er verspürt »irgend etwas wie«. So wird ihm etwa bewusst, dass »all diese Ordnung, all dies Gleichmaß, all diese Sicherheit seines Daseins nur Schein und Lüge zu bedeuten hatten«. Albertine, bewusster und elaborierter als ihr Mann, bemerkt in ihrer kunstvoll angelegten Traumerzählung: »In Worten lassen sich diese Dinge eigentlich kaum ausdrücken.«

Im visuellen Medium müssen sich diese Zweifel anders zeigen; am deutlichsten hat Kubrick das mit der Metaphorik der Maske erreicht, die bei Schnitzler bereits durch die geheime Gesellschaft angelegt war. Masken haben geöffnete Sehschlitze, aber sie erkennen nichts. Niemand in diesem Film ist, was er scheint; was zu sehen und zu hören ist, ist nie zuverlässig: Die Maskenträger auf der Orgie bleiben unerkannt; ein Straßenmädchen, bei dem Bill sich kurz aufhält, hat eine Maske an der Wand hängen. Seine eigene Maske auf dem Kopfkissen neben der schlafenden Alice verursacht Bills Zusammenbruch und Geständnis – vor allem aber wird das Gesicht des Hauptdarstellers mit der Eröffnung der Phantasien seiner Frau selbst maskenhaft, starr, das Grinsen angestrengt, bis zu seinem Bekenntnis am Schluss, das es wieder beweglich macht.[4] Der vordringliche Sprachzweifel bei Schnitzler ist einem fundamentalen Zweifel gewichen.

Überhaupt hat Kubricks Transformation den Ausgangstext verändert und Eigenes hinzugefügt. Am auffälligsten ist sicher die Übertragung in eine ungefähre Jetztzeit, die mit erstaunlich wenigen Eingriffen funktioniert – neue Fortbewegungsmittel (Taxis statt Fiaker), neue Kommunikationsgeräte (Mobiltelefone) und eine gewisse Vergröberung der Sprache; *Eyes Wide Shut* ist der erste Film der obersten Kategorie, dessen letztes Wort »ficken« ist. – Ähnlich schwarzgallig wie *Shining* (1980) nach einem Horrorroman von Stephen King ist auch *Eyes Wide Shut* ein Familienfilm. Kubrick hat die Handlung in eine schneefreie Vorweihnachtszeit verpflanzt, auf Schritt und Tritt begegnen rotbunt blinkende Weihnachtsbäume. Ein solcher Baum steht in der Prostituiertenwohnung, als Phal-

4 Vgl. Georg Seesslen / Ferdinand Jung, *Stanley Kubrick und seine Filme*, Marburg 1999, S. 286.

lus-Ersatz; sonst stehen Weihnachtsbäume eher für (falsche) Familieneintracht, andere fühlten sich an den Obelisk aus *2001* erinnert.[5] Die Heilige Familie, um die es an Weihnachten geht, hat die sprichwörtliche Josefsehe erfunden – ein weiterer Hinweis auf den desolaten Zustand des Kindsvaters in diesem Film.

Kubrick hat die Verknüpfung einzelner Szenen grundlegend verändert; es gibt ein trivialdramaturgisches Moment in *Eyes Wide Shut*. Mehrfach läuten Telefone und Türklingeln just im rechten Moment – z. B. bevor Bill sich zu dem Liebesgeständnis der Tochter eines toten Patienten äußern kann oder bevor er mit der attraktiven Prostituierten schlafen kann, die, wie sich herausstellen wird, HIV-positiv ist. Schnitzler benutzt keine Zufallsunterbrechungen, sein Handlungsverlauf ist mehrfach geringfügig anders komponiert, er kann abrupt neue Kapitel beginnen lassen oder Innensichten Fridolins geben. Was gewinnt Kubrick mit diesen Überleitungen? In *Eyes Wide Shut* werden viele Szenen in einem eigenen, geduldigen Rhythmus ausgespielt. Der Film kann ihn sich leisten, weil er durch diese Szenenverknüpfungen an Tempo und Leichtigkeit gewinnt. Von langen Passagen der Wiederholungs-Odyssee bei Schnitzler bleibt manchmal nur ein telefonischer Anruf. Kubrick betont so implizit das Tempo in der heutigen Zeit und das Zufällige des ganzen Verlaufs. Hierhin gehört auch Zieglers trivialkriminalistische Auflösung der nächtlichen Rätsel, eine Auflösung, die in der *Traumnovelle* nur als flüchtige Spekulation in Fridolins Gedanken aufscheint. Wer sich eine klare Auflösung wünscht, kann sich an Zieglers Variante halten, für die anderen gibt es Ironiesignale: Kein Raum des Films ist so raffiniert ausgeleuchtet wie Zieglers Billardzimmer. Der Spieltisch ist rot bezogen, nicht grün wie gewöhnlich. Das Rot stand aber im ganzen Film für Versuchung, Provokation, Sex.

5 Seesslen (Anm. 4), S. 287.

Was ist Schnitzlers Thema in der *Traumnovelle*? Um Erotik und Sexualität geht es nicht vordringlich, die genaue Lektüre zeigt, dass nicht nur nie etwas passiert, sondern dass viele weibliche Begegnungen Fridolin nur flüchtig tangieren, ihn einmal sogar anekeln. Eifersucht und Begehren sind nicht Thema, sondern nur Antrieb der Handlung; es finden grundsätzlichere Destruktionen statt: Fridolin ist durch und durch kraftlos. Er kommt, als der Patient schon tot ist; er geht mit der Prostituierten, um sich in ihrem Schaukelstuhl zum Kind zurückzuentwickeln; er schlägt sich nicht mit Korpsstudenten, weil er Kastrationsphantasien hat. Der Zuschauer folgt ihm bis zu seinem Zusammenbruch; neben Albertine wirkt er schwach, trotz ihrer sozialen Benachteiligung, die sich in ihrem aggressiven Traum Fridolin gegenüber äußert. Ähnlich, wenn auch mit anderen Mitteln, beschreibt *Eyes Wide Shut* die Fragwürdigkeit unserer alltäglichen Vereinbarungen, die nur scheinbare Sicherheit innerhalb der Familie; auch Harford zeigt den individuellen Verfall, auch seine Eifersucht ist nur Antrieb. Die aushäusige sexuelle Faszination hat keine Folgen. Neben seiner lebendigen Frau wirkt er starr und entmachtet. Kubricks Koautor wollte den Stoff einschneidend verändern, weil sich seit Schnitzler »eine Menge zwischen Mann und Frau geändert« habe. Der Regisseur widersprach spöttisch: »Wirklich? Ich glaube nicht, daß sich viel verändert hat.«[6]

6 Kubrick zit. nach Raphael (Anm. 3), S. 39.

Text

Schnitzler, Arthur: Traumnovelle. Die Braut. Stuttgart 1976.

Film

Eyes Wide Shut. Regie: Stanley Kubrick. USA/Großbritannien 1999.

Forschungsliteratur

Duncan, Paul: The Pocket Essential Kubrick. Harpenden 1999.
Kubrick, Stanley: Interviews. Edited by Gene D. Phillips. Jackson (Mississippi) 2001.
Raphael, Frederic: Eyes Wide Open. Eine Nahaufnahme von Stanley Kubrick. Aus dem Englischen von Johannes Sabinski. Berlin 1999.
Reichmann, Hans-Peter (Hrsg.): Stanley Kubrick. Frankfurt a. M. 2004.
Santner, Eric L.: Of Masters, Slaves, and Other Seducers. Arthur Schnitzler's *Traumnovelle*. In: Modern Austrian Literature H. 3/4 (1986). S. 33–48.
Scheffel, Michael: ›Ich will dir alles erzählen‹. Von der ›Märchenhaftigkeit des Alltäglichen‹ in Arthur Schnitzlers *Traumnovelle*. In: Arthur Schnitzler. Hrsg. von Heinz Ludwig Arnold. München 1998. (Text + Kritik. 138/139.) S. 123–137.
Seesslen, Georg / Jung, Ferdinand: Stanley Kubrick und seine Filme. Marburg 1999.
Spiel, Hilde: Im Abgrund der Triebwelt oder Kein Zugang zum Fest. Zu Schnitzlers *Traumnovelle*. In: Akten des Internationalen Symposiums ›Arthur Schnitzler und seine Zeit‹. Hrsg. von Giuseppe Farese. Frankfurt a. M. (u. a.) 1985. S. 164–169.
Walker, Alexander: Stanley Kubrick. Leben und Werk. Mit einer Bildanalyse von Sybil Taylor und Ulrich Ruchti. Aus dem Amerikanischen von May Mergenthaler und Henning Thies. Berlin 1999.

Berlin Alexanderplatz (Alfred Döblin – Phil Jutzi, Rainer Werner Fassbinder)

Anderer Roman – veränderter Film

Von Thomas Bleicher und Peter Schott

»Der kleine Mann, die kleine Frau kennen keine Literatur«, aber – so schreibt Alfred Döblin 1909 – »nunmehr schwärmt er in die Kientopps», die man dem Volk und der Jugend nicht nehmen dürfe; denn »sie brauchen die sehr blutige Kost ohne die breite Mehlpampe der volkstümlichen Literatur und die wässerigen Aufgüsse der Moral«. Und wenn Döblin als der »Höhergebildete« beim Verlassen des Kinos »vor allem froh« ist, »daß das Kinema – schweigt«, also noch stumm ist, so ist er doch schon in diesen Jahren fasziniert von diesem Medium, dessen Technik so »sehr entwicklungsfähig« ist, dass sie »fast reif zur Kunst« sei.[1]

Zwanzig Jahre später erscheint Döblins *Berlin Alexanderplatz*, ein Roman in einem ›filmischen‹ Stil, der die mittlerweile zur Kunst gereifte Film-Technik in eine neu entwickelte Literatur-Technik umformt. Aber lässt sich 1929 denn wirklich vom »Einbruch des Films in die Literatur«[2] sprechen, wie es zeitgenössische Kritiker behaupten und Literaturwissenschaftler seitdem nachreden? Wie neu ist Döblins Technik, und wie filmisch ist sie?

Teilt man z. B. den Beginn eines traditionellen Textes wie Fontanes *Effi Briest* in einzelne Segmente auf, so zeigt

1 *›Kino-Debatte‹. Texte zum Verhältnis von Literatur und Film 1909–1929*, hrsg. von Anton Kaes, Tübingen 1978, S. 37 f.

2 Zitiert in: *Berlin-Alexanderplatz. Drehbuch von Alfred Döblin und Hans Wilhelm zu Jutzis Film von 1931*, hrsg. von Helga Belach und Hans-Michael Bock, mit einem einleitenden Essay von Fritz Rudolf Fries und Materialien zum Film von Yvonne Rebhuhn, München 1996, S. 224.

die problemlose Re-Konstruktion der Erzählelemente die kausal-logische Ordnung einer realistischen Erzählstruktur[3]. Die gleiche Vorgehensweise stößt bei Döblin auf erhebliche Schwierigkeiten, denn die kausale Erzählkette ist in unterschiedliche Einzelaussagen zerlegt, sodass jede Zusammensetzung willkürlich erscheint. Dennoch wirkt die originale Reihenfolge der erzählerischen Fragmente wie eine neue Einheit. Da es nicht mehr die eine ›realistisch‹ nacherzählbare Wirklichkeit gibt, werden die vielen vereinzelten Wirklichkeitselemente in einer eigenen Wahrnehmungsweise vom »tonfilmischen Aufnahmeapparat«[4] Döblin zusammengefügt, und zwar durch eine Montage-Technik, die eine erlebbare und erkennbare Wirklichkeit erst wieder aufbaut.

Somit ist der Anfang von Döblins Roman eine Montage aus Kommentar, Erzählung, innerem Monolog und Realitätspartikeln. Der literarische Text ähnelt weitgehend der Beschreibung einer Filmszene und gibt sozusagen (später belegte) filmische Regieanweisungen: subjektive Kamera-Blicke, mehrere Perspektivenwechsel, Detail- und Großaufnahmen, Schuss-Gegenschuss-Verfahren, Blenden, kommentierende Zwischentexte und weitere filmtechnische Hinweise. Schon Herbert Ihering sah in diesem Roman »die Filmform vorgezeichnet. Er war, übertrieben gesagt, ein geschriebener Film«[5] – und ist durch genuin literarische Techniken wie den inneren Monolog zugleich mehr als ein Film, also schon eine Art ›Hypertext‹.

Döblin, der immer wieder literarisch experimentiert hat und deshalb weniger leicht als etwa Thomas Mann wieder zu erkennen ist, hat seinen *Berlin Alexanderplatz* 1930 in das (aus vorrangig politischen Gründen damals nicht ge-

3 Vgl. Thomas Bleicher, »Intermediale Praxis. Literatur und Film«, in: *Materialien Deutsch als Fremdsprache*, H. 47, hrsg. von Armin Wolff und Dietrich Eggers, Regensburg 1998, S. 407–415.

4 Belach (Anm. 2), S. 224 (Kurt Pinthus).

5 Ebd., S. 228.

sendete) Hörspiel *Die Geschichte vom Franz Biberkopf* umgeschrieben. Sein Experimentieren beschränkt sich also nicht nur auf das Integrieren fremdmedialer Aspekte in die Literatur. Auch die Integration der Literatur in andere Medien fordert ihn heraus. So schreibt er dann zusammen mit dem erfahrenen Film-Autor Hans Wilhelm (1904–1980) das Drehbuch für Jutzis Film von 1931, obwohl sein Roman doch »bereits halb und halb ein Filmmanuskript«[6] gewesen ist. Die gekürzte und perspektivisch verengte Hörspiel-Version mag dazu eine Art Vorarbeit geliefert haben, aber die »Mitarbeit eines Autors mit einem Filmschaffenden« verlangt, wie Döblin nach einem Gespräch mit dem Schauspieler Emil Jannings (1884–1950) bekennt, noch viel mehr: der Autor muss seinen literarischen Standpunkt aufgeben, muss »umlernen«; denn »nur der veränderte Autor kann den Film verändern«[7]. Erst als veränderter Autor darf er dann auch seine Forderung stellen: »Der Film muß kulturelle Aktualitäten bringen, in soziale Dinge eingreifen« und »mehr Wagemut zeigen«.

Und der Film nach seinem Drehbuch? Zeigt er mehr filmischen Wagemut? Oder überträgt er nur die literarischen Regieanweisungen in Film-Sprache? Oder liefert er gar den umgekehrten ›Einbruch‹ der Literatur in den Film? Verfilmte Literatur oder literarischer Film? Eine Antwort auf diese Fragen gibt eine genaue filmdidaktische Beschreibung der Anfangssequenzen[8].

Das erste Segment beginnt mit einer Aufblende: man sieht den Alexanderplatz mit seinem lebhaften Verkehr und hört eine Art Marschmusik, die mit der Abblende endet; nur eine einzige Einstellung (E 1) gibt somit eine räumliche Groß-Orientierung. Eine extrem lange Auf-

6 Belach (Anm. 2), S. 233 (Siegfried Kracauer).

7 Dieses und folgendes Zitat in: Belach (Anm. 2), S. 237 f.

8 Eine ausführliche Didaktisierung des Films im Vergleich mit dem Romantext findet sich in: *Sequenz*, Bd. 9: *Literatur und Film*, hrsg. von Peter Schott (u. a.), Goethe-Institut, Nancy 1996, S. 113–130.

blende eröffnet das zweite Segment mit dem Blick auf eine große Mauer; es folgen eine Überblendung auf eine weitere Mauer mit vielen Fenstern und eine weitere Überblendung mit einem veränderten und nun frontal zur Mauer stehenden Kamera-Blick, der die Mauer als Gefängnismauer zeigt. Die primäre Statik geht im Verlauf der Einstellungen in Mobilität über: kleine Schwenks mit weiteren ›erhellenden‹ Überblendungen nähern sich immer mehr dem Gefängnis und erwecken den Eindruck, als könne man durch die Gitterfenster ins Innere sehen. Die Vorinfomation hat das Interesse des Zuschauers geweckt, aber erst in E 6 ist dieser in der ›Gegenwart‹, und die Handlung kann beginnen. Für kurze Zeit kadriert die Kamera das Schild »Verwaltung der Strafanstalt Tegel«, es füllt den Bildausschnitt vollständig aus, bevor sie weiter nach rechts auf ein eisernes Tor mit der Aufschrift »Vorsicht« schwenkt: der Zuschauer erlebt mit, wie sich für Franz Biberkopf die Tür zur Freiheit öffnet, wie ihm der Aufseher noch den Weg zeigt, indem er mit dem Kopf in eine Richtung weist, und wie er dann mit dem Satz »Da ist die Elektrische« das Tor wieder schließt. Begleitet wird dieses Geschehen von einer zunächst verhaltenen, dann eher dumpfen, fast drohenden Musik, die den Blick auf das eiserne Tor durch einen Paukenschlag ›dramatisiert‹; danach verebbt sie fast völlig, kehrt aber nach Schließung des Tores mit schrillen Tönen zurück, als wolle sie Biberkopfs weiteres Schicksal vorwegnehmend andeuten.

Als Biberkopf endlich allein ist, versinnbildlicht die Musik seine ersten zaghaften Schritte in die Freiheit ohne Hoffnung oder gar Freude; sie wirkt wie ein Trauermarsch bei einer Beerdigung. Biberkopfs Blick geht wieder zurück zur Mauer, die ihm in der subjektiven Sicht der Kamera als etwas Vertrautes erscheint – vertraut wie auch das Tor, zu dem er sich umwendet, um in seine schützende Welt zurückzukehren. Erneut ist die Aufschrift »Vorsicht« zu lesen, als wolle sie ihn nun vor dem neuen Leben außerhalb des Gefängnisses warnen: Biberkopf fürchtet sich vor dem Ungewissen und Unsicheren (in) der Freiheit. Nach einem kurzen Moment der Ruhe in einem Park (E 9–E 13) zeigt die erzählende Kamera Bilder von Biberkopfs Straßenbahnfahrt in die Stadt (E 14–E 18), die über ihn hereinbricht und in ihn eindringt. Die subjektive Kamera vermittelt dabei das unmittelbar Erlebte, und die ›objektive‹ Kamera bildet all das ab, was während der Fahrt durch die Stadt an ihm vorbeirauscht (E 19–E 39). Dabei entfaltet sich ein Crescendo, das von immer schnellerem Schnitt und ständig anschwellender Musik schließlich in einer zwanghaften Entscheidung gipfelt: Biberkopf springt aus der Bahn. Er ist erschöpft und desorientiert, alles ist zu viel für ihn. Der Verkehr hat ihn eingeschlossen, die Autos in den beiden Einstellungen 38 und 40 fahren von links wie von rechts auf ihn zu. Folglich sind die Einstellungen 41 bis 49 subjektiv von einem niedrigen Kamerastandort gefilmt, teilweise sogar aus der Froschperspektive, als ob Biberkopf vom Verkehr erdrückt und überrollt wird und wir mit ihm unter die Räder geraten. Dies ändert sich erst wieder, als Biberkopf völlig erschöpft in einen Hauseingang flüchtet (E 50); nachdem ihm die Außenwelt so unerträglich geworden ist, findet er hier endlich einen schützenden Ort. Währenddessen dreht sich die Welt draußen weiter, aber sie erscheint dem Zuschauer wieder normal, da die Kamera nun in Augenhöhe auf die Autos herabblickt (E 51). Zurück im Haus, sagt Biberkopf, was die Bilder schon lange suggeriert haben: »Ich finde mich nicht mehr zurecht!« (E 52). Diese letzte Einstellung zeigt ihn wie in der Ausgangsposition; der Hauseingang hat die gleiche Funktion wie die Gefängniszelle, die ihn auch von der Außenwelt abgeschirmt hatte.

In diesem Filmanfang sah schon der zeitgenössische Kritiker Kurt Pinthus (1886–1975) einen »hoffnungsvollen

Beginn«[9] für die Film-Version dieses Romans. Ähnlich bemerkt Konrad Glück: »Großartig der erste Eindruck, wie dieser saft- und kraftstrotzende Mann, die Gefängnismauern von Tegel eben verlassend, sich mit wirrem Schädel durch die lauten Straßen tastet, sich nicht mehr in dieser Welt zurechtfindet. Dieses Sichnichtzurechtfinden bleibt das Leitmotiv seines weiteren Schicksals«[10]. Aber nicht zurechtgefunden haben sich mit dem weiteren Filmverlauf die Filmmacher selbst in ihrem Bemühen um eine aktuelle Filmfassung dieses modernen Filmromans. Avantgardistische Literatur versus vermeintlicher Publikumsgeschmack, Kosmologie versus Starfilm, Atmosphäre versus Illustration – kurz: »eines Romans Extrakt fürs Kino«, so Ernst Jäger (1896–1975)[11]. Siegfried Kracauer (1889–1966) erkennt den eigentlichen Grund für diese eher realistische Verfilmung eines gleichsam in die Fontane-Tradition zurückverwandelten Romans: »Erst einen großangelegten Vorwurf zur Kolportagehandlung zu reduzieren und dann die Kolportage durch ornamentale Attrappen wieder auf die Romanebene transportieren zu wollen: das ist unmöglich«[12]. Es fehlte also ein Gesamtkonzept, das aus dem filmischen Roman weder eine Literatur-Kopie noch einen entliterarisierten Film gemacht, sondern einen eigenständigen Roman-Film des Film-Romans gestaltet hätte. Aber das Wagnis eines ebenso modernen wie filmischen Films nach diesem modernen und filmischen Roman war um 1930 wohl doch zu groß.

Fünfzig Jahre später erregen sich Fernsehzuschauer und Boulevardpresse noch über das Wagnis einer neuen 15-stündigen TV-Film-Version von Döblins Roman. Der deutsche Filmkritiker Michael Töteberg bezeichnet diesen Versuch dagegen als das »Meisterwerk« Rainer Werner

9 Zit. nach: Belach (Anm. 2), S. 225.
10 Ebd., S. 227.
11 Ebd., S. 231.
12 Ebd., S. 233 f.

Fassbinders (1945–1982), amerikanische Filmkritiker gaben ihm sogar einen »Platz im Pantheon« des Kinos[13]. Der Regisseur selbst erkennt in Döblins Roman »das Buch seines Lebens«[14]; zahlreiche seiner Filme zeugen davon und erweisen sich somit als Vorstudien.

Auch Fassbinder ›überträgt‹ nicht alle Aspekte Döblins. So reduziert er das Großstadtporträt, das heute nicht mehr so innovativ ist wie zur Zeit von Langs *Metropolis* und Döblins Berlin, und inszeniert stattdessen eher Innenräume, die die psychosozialen ›Befunde‹ der Personen verdeutlichen. Der gesamte Film-Anfang vergegenwärtigt z. B. Biberkopfs klaustrophobischen Zustand. Ein Vollzugsbeamter mustert Biberkopf, der sich dadurch verunsichert fühlt (E 3/E 4). Das Bild teilt sich: links Biberkopf und rechts der Vollzugsbeamte, der an der Gefängnistür steht (E 5a). Die Kamera fährt langsam, als wisse sie noch nicht ihre genaue Richtung, wieder zurück ins Gefängnis und bietet durch eine Halbtotale einen unerwarteten Freiraum innerhalb des Gefängnisses (E 5b). Da öffnet sich das Tor, und Lärm dringt in die stille ›Idylle‹ des Gefängnishofes. Zwei entgegengesetzte Bewegungsrichtungen verstärken die ›Unentschiedenheit‹ der subjektiven Kamera: Ein Trupp Gefangener kommt auf Biberkopf zu, der ausweichen muss (E 5c). Plötzlich macht die Kamera einen Achsensprung um 180 Grad (E 6), sodass Biberkopf dem Zuschauer frontal gegenübersteht. Durch die Kamerazufahrt wird aus der Nah- eine Großeinstellung: man sieht das verzerrte Gesicht Biberkopfs, auf das der Titel des ersten Teils eingeschrieben wird (»DIE STRAFE BEGINNT«). Im Unterschied zu dem eben noch gezeigten Freiraum im Gefängnishof verengt sich nun das Kamerafeld, sodass Biberkopf den Augenblick seiner Freilassung, die noch durch lautes Hupen gestört wird, geradezu als eine unerwartete

13 Vgl. Michael Töteberg, *Rainer Werner Fassbinder,* Reinbek 2002, S. 136.
14 Zit. nach Töteberg (Anm. 13), S. 130.

Einschränkung seiner Freiheit erleben muss. Deshalb wendet er sich auch instinktiv wieder zurück zum Gefängnis (E 7), aber der Vollzugsbeamte spricht beruhigend auf ihn ein, während die Kamera einen Halbkreis um Biberkopf zieht (E 8).

Mit solchen Filmsequenzen beweist Fassbinder, dass sich zwar nicht, wie schon der russische Regisseur Eisenstein (1898–1948) festgestellt hat, »literarische Rekurse auf das filmische Medium«, wohl aber eigene filmische Rekurse auch auf filmische Literatur »adäquat verfilmen lassen«[15]. Denn »der artifizielle Einsatz von Licht und vor allem die dunklen Bilder, die extreme Künstlichkeit und die langen, von Fassbinder gesprochenen Off-Texte (des inneren Monologs)«[16] entwickeln eine eigene Fernsehästhetik, deren Originalität mit Döblins literarischer Originalität korrespondiert. Und der durchgängige »Verzicht auf übliche Spannungselemente der (konventionellen) Seriendramaturgie« gibt dem Roman schließlich sogar wieder seine epische Breite zurück, sodass sich Fassbinders kongeniale Version des filmischen Romans nun als eine neue literarische Film-Gattung definieren ließe: als Film-Epos.

Text

Döblin, Alfred: Berlin Alexanderplatz. Die Geschichte vom Franz Biberkopf (1929). Hrsg. von Walter Muschg. Olten 1961.

– Drama, Hörspiel, Film. Hrsg. von Erich Kleinschmidt. Olten 1983.

Filme

Berlin Alexanderplatz. Regie: Phil Jutzi. Deutschland 1931.

Berlin Alexanderplatz. Regie: Rainer Werner Fassbinder, BRD 1980.

15 Irina O. Rajewsky, *Intermedialität*, Tübingen/Basel 2002, S. 178.

16 Dieses und folgendes Zitat nach Töteberg (Anm. 13), S. 136.

Forschungsliteratur

Berlin-Alexanderplatz. Drehbuch von Alfred Döblin und Hans Wilhelm zu Jutzis Film von 1931. Hrsg. von Helga Belach und Hans-Michael Bock. Mit einem einleitenden Essay von Fritz Rudolf Fries und Materialien zum Film von Yvonne Rebhuhn. München 1996.

Bleicher, Thomas: Intermediale Praxis. Literatur und Film. In: Materialien Deutsch als Fremdsprache. H. 47. Hrsg. von Armin Wolff und Dietrich Eggers. Regensburg 1998. S. 407–415.

Rajewsky, Irina O.: Intermedialität. Tübingen/Basel 2002.

Sequenz. Bd. 9: Literatur und Film. Hrsg. von Thomas Bleicher und Peter Schott. Goethe-Institut Nancy 1996. S. 113–138.

Töteberg, Michael: Rainer Werner Fassbinder. Reinbek 2002.

Der Hauptmann von Köpenick (Carl Zuckmayer – Richard Oswald, Helmut Käutner, Frank Beyer)

Spiegelung und Mensch – Schein und Sein

Von Markus M. Müller

Bis heute an Bildungseinrichtungen, in Theater und Fernsehen präsent, ist Carl Zuckmayers *Der Hauptmann von Köpenick* (1930) ein Lehrstück, das »die zeitgeschichtlich erkennbare und überzeitlich latente Gefahr der Uniformierung und Gleichschaltung erhellt«[1]. Dabei datiert die Köpenickiade, die historische Vorlage, vom 16. Oktober 1906: Der vorbestrafte Schuster Wilhelm Voigt, vergeblich bei Behörden um Ausweispapiere und Arbeit ringend, hatte sich in einer ausgedienten, beim Trödler erstandenen Uniform als Hauptmann verkleidet, mit einem ihm sich spontan unterstellten Wachkommando das Köpenicker Rathaus besetzt, den Bürgermeister festgenommen und die Stadtkasse beschlagnahmt. Zwar scheiterte der Plan, mit einem tauglichen Pass eine erneute Ausweisung zu vermeiden, doch brachte Voigt sein Handstreich eine kaiserliche Begnadigung, und der preußischen Mentalität ob ihrer blinden Uniformhörigkeit auch international viel Spott ein.

Zuckmayers Drama übernimmt die Grundelemente der Posse, entkriminalisiert aber den historischen Voigt und verlagert so die Schuld von diesem auf den preußischen Staatsapparat. In dem nach musikalischen Prinzipien leitmotivisch komponierten Stück beleuchten das »reihende Bilderprinzip«[2] und eine Vielzahl einander spiegelnder

1 Jürgen Hein, »Zuckmayer. ›Der Hauptmann von Köpenick‹« (1977), in: *Carl Zuckmayer. Materialien zu Leben und Werk*, hrsg. von Harro Kieser, Frankfurt a. M. 1986, S. 47–70, hier S. 70.

2 Hans Wagener, »Mensch und Menschenordnung. Carl Zuckmayers ›deutsches Märchen‹ *Der Hauptmann von Köpenick*«, in: *Deutsche Komödien.*

Kontrast- und Komplementärfiguren sowie -szenen die wechselseitig bedingte Problematik von Individuum und Sozialgefüge. Zugrunde lag des Autors Verständnis von Dichtung »als l'art pour l'homme – eine (unprogrammatische, untendenziöse) Spiegelung des Menschenbildes«.[3] Doch wiederholt wurde ihm vorgeworfen, er operiere zu unpolitisch, verharmlosend, gar märchenhaft; auch wegen der eingearbeiteten Aktionsfolie von den »Bremer Stadtmusikanten« der Brüder Grimm[4] blieb lange umstritten, wie das Stück eigentlich zu deuten sei.[5] Der Gescholtene aber sah es als »Politikum«:

»Denn wenn auch die Geschichte mehr als zwanzig Jahre zurücklag, so war sie gerade [...] im Jahre 1930, in dem die Nationalsozialisten als zweitstärkste Partei in den Reichstag einzogen und die Nation in einen neuen Uniform-Taumel versetzten, wieder ein Spiegelbild«, nämlich ein Spiegelbild »des Unfugs und der Gefahren, die in Deutschland heranwuchsen – aber auch der Hoffnung, sie wie der umgetriebene Schuster durch Mutterwitz und menschliche Einsicht zu überwinden«[6].

Vom Barock bis zur Gegenwart, hrsg. von Winfried Freund, München 1988, S. 226–240, hier S. 229.

3 Zitiert nach Werner Frizen, *Carl Zuckmayer. »Der Hauptmann von Köpenick«*, München 2000, S. 51.

4 Deren »Rumpelstilzchen« entnahm Zuckmayer als Motto: »›Nein‹, sagte der Zwerg, lasst uns vom Menschen reden!« (S. 10); als Untertitel wählte er »Ein deutsches Märchen«.

5 Hein (Anm. 1) liefert einen Überblick der Rezeptionsgeschichte des Stückes u. a. als soziale Anklage, Militärschwank und Satire; vgl. Wagener (Anm. 2) sowie Siegfried Mews, »›Der Hauptmann von Köpenick‹. ›Ein deutsches Märchen‹ oder Kleider machen Leute«, in: *Blätter der Carl Zuckmayer Gesellschaft 2* (1978), S. 20–26, hier S. 25, der dem Stück »eine den aktuellen Anlaß transzendierende gültige Aussage« attestiert. Dagegen sieht Bernhard Glocksin, »*Der Hauptmann von Köpenick* – eine Operette für Schauspieler?«, in: *Carl Zuckmayer und die Medien. Beiträge zu einem internationalen Symposion*, hrsg. von Gunther Nickel, St. Ingbert 1998 (Zuckmayer-Jahrbuch 1), S. 161–171, hier S. 165, Zuckmayer als »Wolf im Schafspelz im unpolitischen Märchengewand«.

6 Carl Zuckmayer, »Als wär's ein Stück von mir. Horen der Freundschaft«

Entsprechend steht am Anfang wie am Ende dieses Bilderzyklus der Blick in den Spiegel. Er umschließt das strukturbestimmende ›Kleider-Machen-Leute‹-Motiv,[7] das alle Träger der Uniform ergreift, bis Voigt durch seine Verkleidung diese Wirkung – als personifizierter Spiegel – den Militaristen seiner Zeit vor Augen hält. Die Uniform wird damit zum eigentlichen, tragikomischen Helden in einem Stück über das (literarhistorisch gesehen uralte) Spiel von Schein und Sein. Der Spiegel fungiert dabei als Instrument der Selbstreflexion und Selbsterkenntnis, als Indikator von sozialer Hierarchisierung, Narzissmus und Fetischismus und als Metapher für individuelle wie gesellschaftliche Verblendung.

Gerade der nahtlose Übergang von der optisch-darstellenden in die symbolische Dimension macht den Spiegel, der die Betrachtung von Mensch und Uniform als Gegenspieler fokussiert, zum besonderen Angelpunkt der Verfilmungen. Diesbezüglich und hinsichtlich ihrer bedeutungserhellenden Wirkung im Verhältnis zum Text werden hier die Inszenierungen von Richard Oswald (1931) und Helmut Käutner (1956)[8] zusammen mit der Regiearbeit von Frank Beyer (1997; Drehbuch: Wolfgang Kohlhaase) beleuchtet.

In ihrer jeweiligen Entstehungszeit sind Verfilmungen unterschiedlich stark am polit-historischen Hintergrund orientiert, nutzen medienspezifische Vorteile wie die

(1966), in: *Gesammelte Werke*, hrsg. von Knut Beck und Maria Guttenbrunner-Zuckmayer, Frankfurt a. M. 1997, S. 517, 518 u. 513.

7 Explizit genannt wird das Motiv u. a. vom aufstrebenden Obermüller bei der Uniformanprobe vorm Spiegel. Gottfried Kellers *Kleider machen Leute* (1874) ist eine der zentralen Motiv- und Aktionsfolien für Zuckmayers Stück.

8 Vgl. Klaus Kanzog, »Aktualisierung – Visualisierung. Carl Zuckmayers ›Der Hauptmann von Köpenick‹ in den Verfilmungen von Richard Oswald (1931/1941) und Helmut Käutner (1956)«, in: *Carl Zuckmayer und die Medien*, hrsg. von Gunther Nickel, St. Ingbert 2001 (Zuckmayer-Jahrbuch 4.1), S. 249–308.

Übergänge von Distanz- zu Nahaufnahmen, wählen ein bestimmtes Schauspielerensemble aus. Dabei beeinflusst der Hauptdarsteller Erfolg wie Rezeption des Filmes. Er ist die potentielle Identifikationsfigur für das Publikum, welches das jeweils gegenwärtige Zeitgeschehen mit dem dargestellten zu vergleichen hat. So hebt Kanzog für die Aktualisierungsphase um 1931 das Aufkommen des Nationalsozialismus, aber auch Preußens ›republikanische‹ Rolle als »Hort relativer politischer Stabilität« hervor.[9] Oswalds Inszenierung spiegelt die Atmosphäre des Wilhelminischen Zeitalters am genauesten wider, registriert sensibel die rassistischer und rauer werdende Stimmung der frühen 1930er-Jahre. In der bissigen Schwarzweiß-Verfilmung ist die Rollenauslegung durch den heute unbekannten Max Adalbert (1874–1933) nüchtern-zurückhaltend. Adalberts Voigt wirkt ausgemerzt, der Betäubung nahe, stets glaubwürdig. Er reflektiert eine soziale Härte, die zur handlungsgebietenden Unruhe provoziert.

Im Unterschied dazu will es dem »pausbäckigen Rühmann [...] nicht gelingen, eine Vorgeschichte der Entbehrungen glaubhaft zu machen«.[10] 1956 besetzte Käutner den als Spaßmacher und als »Kleiner Mann ganz groß« bekannten Heinz Rühmann (1902–1994) in einer Realisierungsphase, die hinsichtlich der gerade wieder eingeführten allgemeinen Wehrpflicht gezeichnet ist von »kritische[r] Reflexion der Wehrmachtsvergangenheit«, wie von der Idee des mit sozialem Gewissen verantwortungsvoll ausgestatteten, uniformierten Staatsbürgers.[11] Im von Nachkriegswehen ermüdeten, wiederaufstrebenden Deutschland dämpft die endgültige Schnittfassung des mit Preisen überhäuften Films Käutners Kritik an der Wiederbewaffnung. Stattdessen wird Rühmanns rührseliger Voigt

9 Kanzog (Anm. 8), S. 268–273.

10 Thomas Koebner, zit. in: Torsten Körner, *Ein guter Freund. Heinz Rühmann*, Berlin 2001, S. 311.

11 Kanzog (Anm. 8), S. 274–276.

zu einer semiotisch vielfach überlagerten Wunsch-Projektion: einer Mischung aus schelmischem Eulenspiegel, dem braven Soldaten Schwejk und Chaplins romantisch-trauriger Trampfigur. In seiner Rolle spiegelt Rühmann (eigene) Theater- und Filmgeschichte. Nach Weimarer Republik und Drittem Reich hievt ihn dies auf seine dritte Karrierestufe.

Indessen prägt das nahende Karriereende von Harald Juhnke (geb. 1929) Beyers Inszenierung. Der ehemalige Defa-Regisseur lässt den »Entertainer der Nation« sozialpolitische wie eigene Probleme spiegeln, z. B. in Anspielungen auf Alkohol und Alterserscheinungen – vermutlich deshalb, weil Juhnke, »ähnlich wie seine Heimatstadt Berlin, eine ideale Projektionsfläche abgibt für deutsche Erfahrungen und Kulturtheorien, für Geschichte und Gegenwart«[12]. 1997 ist für Juhnke ein Skandaljahr, die TV-Erstausstrahlung am 27. Dezember ein versöhnlicher Moment in seiner bewegten Laufbahn. Während die Nation weiter an der Wiedervereinigung laboriert, verkörpert Juhnke einen echten, uneitlen Verlierer. In der Verfilmung, die den früheren DDR-Staatsapparat wie die ausklingende Kohl-Ära anzitiert, spielt er ohne Klischees, betont das Tragische und Schlitzohrige an Voigt. Am Boden seiner Rolle angekommen, berührt Juhnke mit seiner Darstellung dessen Geschichte als subtilen Reflex auf die in den 1990er-Jahren aufkommende Illusionslosigkeit. Für ihn ist die Aktualität des Stückes unbestritten: »Diese Obrigkeitshörigkeit gibt es ja immer noch [...]. Jede Generation hat ihren Köpenick hervorgebracht«.[13]

Zuckmayers Tendenz, den Menschen ins Zentrum zu stellen, verstärken die Verfilmungen u. a. durch hinzugefügte Eingangssequenzen: Oswald zeigt Voigt in den letzten Gefängnistagen bei der Schusterarbeit; Käutner lässt

12 Rüdiger Schaper, *Harald Juhnke. Der Entertainer der Nation zwischen Glamour und Gosse*, Frankfurt a. M. 1998, S. 14.

13 Harald Juhnke, zit. in Schaper (Anm. 12), S. 219 f.

den frisch Entlassenen mit einer vorbeimarschierenden Militärkapelle (die den Petersburger Marsch spielt) den Gleichschritt versuchen; Beyer visualisiert die Freilassung aus der Zelle, vor der Voigt in militärischem Stil strammsteht, dann eine 90-Grad-Drehung vollzieht, sodass sich nacheinander ein frontales und ein seitliches *close up* ergeben – ein bewusstes, im Filmverlauf zweifach wiederholtes Zitat der in gleicher Perspektive aufgenommenen Verbrecherfotografien des historischen Voigt. Die filmspezifische Narrativik des jeweiligen Auftakts führt somit den Protagonisten (und Hauptdarsteller als Beschleuniger des Dispositiv-Wechsels[14]) direkt ein, thematisiert Mensch und Soziabilität: das Zuchthaus als Ersatzheimat, Arbeits- und Erziehungsanstalt; das Problem der Reintegration; die Stigmatisierung als Verbrecher.

Trotz filmdramaturgisch bedingter Hinzufügungen, Eliminierungen und Verschiebungen von Szenen bleiben die vom Text vorgegebenen Handlungsstränge gewahrt. Die optisch-symbolische Darstellungswirkung des Spiegels nutzen v. a. Käutner und Beyer; im Fokus bleiben die parallel verlaufenden Geschichten der Uniform und des Schustergesellen, ihre Schicksale der Degradierung und Marginalisierung. Sie sind eingebettet in das Porträt des preußischen Staatsapparats und seiner militaristischen Vertreter, die sich, ohne es zu wollen, mit bis an die Inhumanität grenzender Ordnungsbeflissenheit verselbstständigt haben. So deutet die Kritik von Hauptmann von Schlettow, »Da is was nich in Ordnung« (I,1; S. 11), als dramatische Ironie über den Zustand der maßgeschneiderten Uniform hinaus auf die gesellschaftlichen Verhältnisse. Ein sozialdarwinistisch angelegtes Bild betonend, blickt die Kamera bei Oswald in dieser ersten Anprobeszene auf den zwergähnlichen Zuschneider Wabschke auf seinem Sche-

14 Zum Dispositiv vgl. Knut Hickethier, *Film- und Fernsehanalyse*, Stuttgart/Weimar 2001, S. 19 ff.

mel herab (TC 0:04). Bei der zweiten Anprobe, die Käutner feinsinnig inszeniert, passt die Uniform zum Militaristen, aber dieser nach seiner Entehrung nicht mehr zu ihr (vgl. I,3); Wabschke, Freak und klassischer Diener, kontrastiert Schlettows Absolutheitsanspruch: »wenn eener 'n richtiger Mensch is, det is doch de Hauptsache« (vgl. I,5; S. 43). Doch Schlettow, allein, in Hemd und Hosenträgern, schleudert seinem Spiegelbild »Nee, pfui!« entgegen. Käutner zeigt dies im *medium close up* wie ein Duell zwischen realer Figur und Phantom, einem unerreichbar gewordenen narzisstischen Idealbild (TC 0:25 f.).

Die Erscheinung korrespondiert mit derjenigen Voigts als »Leiche auf Urlaub« (I,1; S. 15), die Käutner als geisterhafte Spiegelung in Wormsers Schaufensterscheibe während der ersten Anprobe visualisiert. Von außen erblickt Voigt innen Schlettow in jener Uniform, deren Rückgabe die Voraussetzung für seinen späteren Coup ist. Die Kamera pointiert das Marionettenhafte am Militär, zeigt erst eine Uniform auf einer kopflosen Holzpuppe (TC 0:03), während Wabschke die Uniform ironisch »'n Stick vom Menschen« und »de bessere Haut« (I,5; S. 42) nennt. Schneider Wormser dagegen anthropomorphisiert sie aus Opportunismus und schwatzt dem späteren Bürgermeister Obermüller Schlettows unbenutzten Rock auf. Käutner parodiert die Selbstbespiegelung des von den Schneiderfiguren gerahmten Karrierebürokraten – dem die Uniform am Körper zu eng, doch für den Rang eines frisch ernannten Leutnants zu groß ist – als komisches Triptychon in einem Spiegel mit Seitenflügeln (TC 0:28; I,7). Trotz ihrer quasi-sakralen Aura wird die Uniform bald von Obermüller ausrangiert und schließlich selbst zum Phantom.

Parallel zum Schicksal der Uniform durchschreitet Voigt den Teufelskreis der preußischen Bürokratie. Oswald taucht diese Enumeratio in Hell-Dunkel-Kompositionen, die den Eindruck drastischer Realität vermitteln (TC 0:07–11; vgl. I,2 und I,4): Beim Polizeikommissar legt das Seitenlicht Voigts rechte Gesichtshälfte in tiefe Schatten; in der Schuhfabrik reduzieren voll ausgeleuchtete Detailaufnahmen den immer hysterischer werdenden Prokuristen abwechselnd auf einen kahlen Hinterkopf und einen weit aufgerissenen Mund unterm Kaiser-Wilhelm-Schnurrbart. Kann Voigt hier (noch) nicht aus dem übermächtigen Schatten der Staatsbürokratie treten, so führt Oswald deren Vertreter in greller, grotesker Selbstentstellung vor.

Die in den Verfilmungen auf Voigts »Karussellfahrt« folgende Szene im Café National (vgl. I,3) ergänzt Beyer um einen über die Vorlage hinausgehenden Handlungsstrang. Voigt bandelt mit der deutlich jüngeren Plörösenmieze (Sophie Rois) an. Von Miezes Bett, in dem er Potenzprobleme beklagt, wechselt der Schauplatz zum Biergarten, in dem beide Komplimente austauschen, und zum See, wo er philosophiert: »Wie eener seine Schuhe ablatscht [...]. Daraus lässt sich auf den Charakter schließen.« Während die Kamera zwischen naher und halbnaher Aufnahme variiert, wirbt Mieze um Voigt als beschützenden Zuhälter. Er, der von »lieb gewinnen« spricht und für sie »wat besseres« möchte, erwidert: »Ick kann dir doch nicht mieten und zugleich vermieten.« Enttäuscht hastet sie davon (TC 0:18 ff.).

Hier verleiht Beyer den beiden Figuren aus Zuckmayers Typenstück mehr Charaktertiefe. Naturalistische Wirklichkeitsschilderungen um 1900 reflektierend, diskutieren die sozial Schwächeren die Verschränkung ihres Daseins unter dem Leitstern des Tabuthemas Prostitution. Voigt, um moralische Integrität bemüht, verwirft Miezes Angebot; ihm ist seine Wiedereinordnung in die Gesellschaft wichtiger. Die im Keim erstickte sachliche Romanze folgt einer Spannung steigernden Raumgliederung: Vom Inneren (Miezes Zimmer) wechselt die Szenerie zum Äußeren, in Gesellschaft (Biergarten) und dann in die Zweisamkeit der Parkidylle. Der antiklimaktische Ausklang transformiert das beiderseitige Gefühl der Hoffnung in das der Einsamkeit.

Später ergänzen die Verfilmungen, wie Voigt nach dem Gestaltwandel sein Sonderkommando organisiert. Bei Oswald wirft der falsche Hauptmann bei greller Sonne auf eine rechts stehende Mauer hinter den voranschreitenden Soldaten einen starken Schatten, dem er selbst hinterhergeht.

Dem Coup in Köpenick folgt Voigts Selbststellungsszene auf dem Polizeipräsidium Alexanderplatz (III,21). Beyer erweitert diese radikal, zuerst mit einem zweiten effektvollen Gestaltwandel auf dem Abort. In Zivil wird Voigt dann von Kriminaldirektor Mehlhorn (Werner Hentsch) um erneute Verkleidung gebeten. Der doppelten Rekonstruktion der Maskerade folgt deren Dekonstruktion – und die Voigts. Im bereitgestellten Spiegel erscheint seine näher rückende Abbildung; im *close up* schüttelt er den Kopf. Ein Schnitt, Mehlhorn ruft plötzlich: »Hören Sie auf zu lachen!« Voigt entkostümiert sich; die von ihm initiierte Aufklärung mutiert in eine Gerichtsverhandlung:

> Mehlhorn: [im *close up*; Zigarre rauchend; zunehmend erregt] Was Sie diesmal gemacht haben, ist schlimmer als alles andere. Sie haben sich einen dreisten Eingriff in die militärische Kommandogewalt geleistet. Sie haben die Autorität der Uniform untergraben. Sie haben Schindluder getrieben mit dem Vertrauen in die gottgewollte Rangordnung der Monarchie. Sie haben ewige Werte in den Dreck getreten. [...]. Dafür werden Sie wohl streng gerichtet werden.
> Beamter: Sehen Sie jetzt mal in den Spiegel! (TC 1:28 f.)

Von Zuckmayers Text und früheren Verfilmungen weit entfernt, ist Beyers Zusatz nah an den historischen Dokumenten. Mehr noch: Als dramaturgische Steigerung macht er am Ende des Films die Ambivalenz der tatsächlichen

Köpenickiade besonders augenfällig. Mehlhorns nach klassischem rhetorischen Muster strukturierte Anklage – deren Essenz, »Hochverrat, Voigt«, als Echo im Munde eines niederen Beamten nachhallt – lässt kurz den Eindruck entstehen, als ob das Befreiende im Stück sich nun ins Gegenteil verkehrte. Aus seinem Urteil spricht der verletzte Stolz einer institutionalisierten Macht, die ihre systeminhärente Funktionsschwäche aufs Lächerlichste hat preisgeben müssen. Die Dekonstruktion Voigts – nach Betrachtung seiner Hauptmannsgestalt mit seinem vermeintlich echten Spiegelbild konfrontiert – resultiert aus der Überreaktion eines gekränkten Militarismus, dem vom gebeutelten Untertanen der entwaffnende Spiegel vorgehalten wurde, der aber die dabei zu gewinnenden Erkenntnisse nicht zu ziehen gewillt ist. So steht Voigts Anagnorisis die Hybris des Staates gegenüber. Der dramatischen Gerechtigkeit wegen geben Oswald, Käutner und Beyer dem Ausgang aber neue Schlusssequenzen hinzu: Voigt erhält Nachricht von der kaiserlichen Begnadigung und seine Ausweispapiere. Damit bleiben die Verfilmungen der historischen Verankerung des *Hauptmann von Köpenick* insgesamt treu und wahren zugleich dessen überzeitliche Dimension.

Als substanzielle Ergänzung zum Textstudium des bilder- und spiegelreichen Stückes verlebendigen die Filme mit dem preußischen Militarismus und seiner Rolle bei den politischen Verhältnissen um 1930 wichtige Aspekte deutscher Geschichte; sie versinnbildlichen das Zeitlose an Voigts elementarer Einsicht in das ›Kleider-Machen-Leute‹-Motiv – »Schale is allens« und »Wie der Mensch aussieht, so wird er anjesehn« (I,3; S. 25 u. 37). Dies fördert den Transfer allgemein gültiger Inhalte in die Gegenwart der jeweiligen Betrachter: Zwar steht mit der Jeans anstelle der militaristischen Kleidung heute die »Uniform einer demokratischen Industriegesellschaft« – doch können auch mit (und in) diesem »schicht-, religions- und geschlechtsübergreifenden Kleidungsstück«[15] zentrale Einsichten in die komplexe Verquickung von Mode und Ideologie, Kultur und Macht, Eigen- und Fremdbild vermittelt werden.

Text

Zuckmayer, Carl: Der Hauptmann von Köpenick. Ein deutsches Märchen in drei Akten (1930). In: Carl Zuckmayer. Gesammelte Werke in Einzelbänden. Hrsg. von Knut Beck und Maria Guttenbrunner-Zuckmayer. Bd. 8: Der Hauptmann von Köpenick. Theaterstücke 1929–1937. Frankfurt a. M. 1995. S. 7–149.

Filme

Der Hauptmann von Köpenick. Regie: Frank Beyer. Deutschland 1997.

Der Hauptmann von Köpenick. Regie: Helmut Käutner. BRD 1956.

Der Hauptmann von Köpenick. (Ein deutsches Märchen). Regie: Richard Oswald. Deutschland 1931.

Forschungsliteratur

Frizen, Werner: Carl Zuckmayer. Der Hauptmann von Köpenick. München 2000.

Glocksin, Bernhard: Der Hauptmann von Köpenick – eine Operette für Schauspieler? Undisziplinierte Anmerkungen aus der Sicht des Theaters. In: Carl Zuckmayer und die Medien. Hrsg. von Gunther Nickel. St. Ingbert 1998. (Zuckmayer-Jahrbuch 1.) S. 161–171.

Heidelmeyer, Wolfgang (Hrsg.): Der Fall Köpenick. Akten und zeitgenössische Dokumente zur Historie einer preußischen Moritat. Frankfurt a. M. 1967.

15 Ulf Poschardt, *Anpassen*, Hamburg 1998, S. 149 u. 154.

Hein, Jürgen: Zuckmayer: Der Hauptmann von Köpenick (1977). In: Carl Zuckmayer. Materialien zu Leben und Werk. Hrsg. von Harro Kieser. Frankfurt a. M. 1986. S. 47–70.
Kanzog, Klaus: Aktualisierung – Visualisierung. Carl Zuckmayers Der Hauptmann von Köpenick in den Verfilmungen von Richard Oswald (1931/1941) und Helmut Käutner (1956). In: Carl Zuckmayer und die Medien. Hrsg. von Gunther Nickel. St. Ingbert 2001. (Zuckmayer-Jahrbuch 4.1) S. 249–308.
Käutner, Helmut: Kunst im Film ist Schmuggelware. Helmut Käutner im Gespräch mit Edmund Luft. In: Käutner. Hrsg. von Wolfgang Jacobsen / Hans Helmut Prinzler. Berlin 2000. S. 120–171.
Körner, Torsten: Ein guter Freund. Heinz Rühmann. Berlin 2001.
Mews, Siegfried: Der Hauptmann von Köpenick. ›Ein deutsches Märchen‹ oder Kleider machen Leute. In: Blätter der Carl Zuckmayer Gesellschaft 2 (1978) S. 20–26.
Poschardt, Ulf: Anpassen. Hamburg 1998.
Schaper, Rüdiger: Harald Juhnke. Der Entertainer der Nation zwischen Glamour und Gosse. Frankfurt a. M. 1998.
Wagener, Hans: Mensch und Menschenordnung. Carl Zuckmayers ›deutsches Märchen‹ Der Hauptmann von Köpenick. In: Deutsche Komödien. Vom Barock bis zur Gegenwart. Hrsg. von Winfried Freund. München 1988. S. 226–240.
Zuckmayer, Carl: Als wär's ein Stück von mir. Horen der Freundschaft (1966). In: Carl Zuckmayer. Gesammelte Werke in Einzelbänden. Hrsg. von Knut Beck und Maria Guttenbrunner-Zuckmayer. Frankfurt a. M. 1997.

Mephisto (Klaus Mann – István Szabó)

Im Spannungsfeld zwischen Fiktion und Wirklichkeit

Von Sebastian Donat

Den Ausgangspunkt dieses Vergleichs zwischen Klaus Manns 1936 erschienenem *Mephisto. Roman einer Karriere* und István Szabós Film *Mephisto* aus dem Jahr 1980 bildet eine auffällige Gemeinsamkeit der beiden sonst so unterschiedlichen medialen Realisationen: Buch und Film verbindet die gespaltene, ja polarisierte Reaktion des Publikums. Klaus Manns *Mephisto* erscheint den einen als Schlüsselroman und »Schmähschrift in Romanform«[1]. Dem steht eine Gruppe gegenüber, die in dem Text einen »Roman mit den umfassenden Verallgemeinerungsansprüchen und gesellschaftskritischen Erzählfunktionen eines Kunstprodukts«[2] sieht. István Szabós Film gilt einem Teil der Rezipienten als »optisch opulent und inhaltlich belanglos«, der Roman wäre »zu Tode verfilmt« worden.[3] Für die anderen ist der Film beispielgebend in der »Überhöhung des Privaten ins Exemplarische«[4] – und 1981 zwei Preise auf den Filmfestspielen in Cannes sowie den *Oscar* für den besten ausländischen Film wert.

Viele der Reaktionen auf Manns Buch und Szabós Film

1 Urteil des Oberlandesgerichts Hamburg vom 17.3.1966, zit. in: Eberhard Spangenberg, *Karriere eines Romans. Mephisto, Klaus Mann und Gustaf Gründgens. Ein dokumentarischer Bericht aus Deutschland und dem Exil 1925–1981*, München [2]1984, S. 173.

2 Lutz Winckler, »Klaus Mann: Mephisto. Schlüsselroman und Gesellschaftssatire«, in: *Exilforschung 1* (1983), S. 322–342, hier S. 326.

3 Rolf May, »Mephisto« (tz, München, 25.9.1981), wiedergegeben in: Spangenberg (Anm. 1), S. 216.

4 Anonyme Filmkritik (Die Abendzeitung, München, 25.9.1981), wiedergegeben in: Spangenberg (Anm. 1), S. 216.

lassen sich auf die Kurzformel ›Zustimmung‹ oder ›Ablehnung‹ bringen. Im Folgenden wird gezeigt, dass diese gleichermaßen emotionale Rezeption bei Buch und Film auf je eigene Weise eng verbunden ist mit dem Darstellungsstatus: der Spannung zwischen Fiktion und Wirklichkeit oder, allgemeiner, zwischen Sinnüberschuss und Mehrdeutigkeit künstlerischer Werke einerseits und Eindeutigkeit in Aussage und Wirkungsabsicht von Gebrauchstexten bzw. -filmen andererseits.

Klaus Mann hat mit seinem Roman *Mephisto* ein literarisches Werk vorgelegt, das bis in die jüngere Vergangenheit für heftige Auseinandersetzungen gesorgt hat. Dieses Aufsehen war anfangs hochgradig intendiert: Schließlich ging es dem politisch aktiven Exilautor darum, den Emigrierten, aber auch den in Deutschland Gebliebenen eine seiner Meinung nach skandalöse Entwicklung im Dritten Reich möglichst eindrucksvoll vor Augen zu führen. Sein Roman richtet sich »gegen *den* Karrieristen; gegen *den* deutschen Intellektuellen, der den Geist verkauft und verraten hat«[5]. Die zweite Welle der Auseinandersetzungen um *Mephisto* setzte unmittelbar nach dem Ende der Nazidiktatur ein. Weder Klaus Mann, der sich bis kurz vor seinem Tod im Mai 1949 darum bemühte, noch seiner Schwester Erika gelang es, eine Neuausgabe des Romans in Westdeutschland zu erreichen. So erschien *Mephisto* schließlich 1956 im Ost-Berliner Aufbau-Verlag. Die dritte, diesmal auch vom breiten Publikum mitverfolgte Etappe der Auseinandersetzungen erstreckte sich über beinahe zwei Jahrzehnte: von der Ankündigung des *Mephisto* durch die Nymphenburger Verlagsanstalt im Jahre 1963 über das Erscheinen des Romans 1965, sein anschließendes, mehrfach bestätigtes Verbot, die Aufsehen erregende Dramatisierung durch Ariane Mnouchkine

5 Klaus Mann, »Selbstanzeige. Mephisto« (zuerst 1936), in: Spangenberg (Anm. 1), S. 94 f., hier S. 94.

1979[6], einen darauf folgenden Raubdruck bis zur (nicht genehmigten) Taschenbuchausgabe im Rowohlt-Verlag 1980 und der Szabó-Verfilmung 1980. Der Streit um den Roman entwickelte sich dabei zum Paradebeispiel für das Wechselverhältnis von Literatur und Justiz: Zwischen 1965 und 1971 wurde durch vier juristische Instanzen bis hin zum Bundesverfassungsgericht (unterschiedlich) darüber geurteilt, ob der Roman in der Bundesrepublik Deutschland publiziert werden dürfe oder nicht.

Der Grund für diesen Rechtsstreit – wie auch für die vorausgegangenen Auseinandersetzungen um den Roman – liegt im Status des Dargestellten wie der Darstellung. Klaus Mann hatte sich bei der Figuren- und Handlungsanlage stark an der Biographie des Schauspielers, Regisseurs und Intendanten Gustaf Gründgens (1899–1963), des zeitweiligen Ehemanns seiner Schwester Erika, orientiert. Gemeinsam mit vielen anderen Emigranten war Klaus Mann entsetzt und entrüstet über dessen Karriere im Dritten Reich – Gründgens war von 1934 bis 1945 verantwortlicher Intendant des Staatlichen Schauspielhauses in Berlin und dabei unmittelbar dem preußischen Ministerpräsidenten Hermann Göring unterstellt.

Diese enge Koppelung an ein reales Vorbild birgt sowohl den Reiz als auch das Risiko des Textes. Einerseits verleiht die lebensweltliche Grundlage dem Dargestellten eine hohe Authentizität, Aktualität und damit Relevanz. Andererseits gefährdet die weit über das übliche Maß hinausgehende Realitätsnähe den Roman als literarisches Werk. Durch eine Fülle von wichtigen Zügen und Begebenheiten, aber auch nebensächlichen Details verweist *Mephisto* unmittelbar auf den Menschen Gustaf Gründgens und die Personen, mit denen er verbunden, und auf die

6 Ariane Mnouchkine, *Mephisto*, geschrieben für das Théâtre du Soleil nach Klaus Mann »Mephisto, Roman einer Karriere«, übers. von Lorenz Knauer, München 1980.

Geschehnisse, in die er involviert war.[7] Dem wirken freilich massive textinterne (episches Präteritum, Verben der inneren Vorgänge in Bezug auf verschiedene Figuren sowie erlebte Rede[8]) und textexterne Fiktionalitätssignale (Untertitel: »Roman einer Karriere«, Nachbemerkung: »Alle Personen dieses Buches stellen Typen dar, nicht Porträts. *K. M.*« u. a. m.) entgegen. Dass es Klaus Mann in seinem *Mephisto* dennoch zumindest auch, wenn nicht sogar in erster Linie, um eine Auseinandersetzung mit den realen Vorbildern der fiktiven Figuren ging, haben von Beginn an viele Leser unterstellt.[9] Auch der Autor hat diese Gefahr während der Niederschrift erkannt und in seinem Tagebuch wiederholt thematisiert.[10]

Doch nicht nur der Status des Dargestellten, sondern auch die Art der narrativen Vermittlung gefährdet den Text im Hinblick auf seine Literarizität. Der auktoriale Erzähler in *Mephisto* berichtet nicht nur über die Figuren und Geschehnisse, sondern kommentiert und bewertet sie in einer Weise, die dem Leser kaum Spielraum für eigene Interpretationen lässt. Als Beispiel sei ein Satz aus dem Einleitungskapitel angeführt, in dem die Geburtstagsfeier des Ministerpräsidenten in den Räumlichkeiten des Staatstheaters geschildert wird: »Hier standen sie, dargeboten

7 Eine Liste der entschlüsselten Romanfiguren findet sich bei Winckler (Anm. 2), S. 336.

8 Vgl. Käte Hamburger, *Die Logik der Dichtung*, München 1987, S. 64–85. – Für den aktuellen Stand der Fiktionalitätsdiskussion sei verwiesen auf Frank Zipfel, *Fiktion, Fiktivität, Fiktionalität. Analysen zur Fiktion in der Literatur und zum Fiktionsbegriff in der Literaturwissenschaft*, Berlin 2001.

9 Vgl. die frühen Rezeptionszeugnisse bei Spangenberg (Anm. 1), S. 97–114.

10 Vgl. die folgenden Auszüge aus Klaus Mann, *Tagebücher 1936–1937*, hrsg. von Joachim Heimannsberg (u. a.), München 1990: »Es ist vielleicht *zu* gemein.« (S. 12, 12.1.1936, mit Bezug auf das »Tanzstunden«-Kapitel); »Gearbeitet. (Barbara. Sie macht mir am meisten Mühe – weil sie *nicht* E[rika Mann] werden soll, und natürlich doch E *ist*)« (S. 20, 9.2.1936); »›Mephisto‹ wird ein kaltes und böses Buch. Vielleicht wird es den harten Glanz des Hasses haben.« (S. 36, 5.4.1936)

der brennenden Neugier einer gewählten Öffentlichkeit: vier Mächtige in diesem Lande, vier Gewalthaber, vier Komödianten – der Reklamechef, der Spezialist für Todesurteile und Bombenflugzeuge, die geheiratete Sentimentale und der fahle Intrigant.« (S. 49) Durch das Verfahren der zukunftsgewissen Vorausdeutung[11] wird nicht nur der Ausgang des Romans – die erfolgreiche Karriere Höfgens unter dem Naziregime – vorweggenommen, sondern es erfolgt zugleich eine sehr enge Festlegung der Figuren. Von einer »Unbestimmtheit hinsichtlich der Faktoren Thema, Intention des Autors, Wirklichkeitsgehalt und erwartetes Rezeptionsverhalten« als »wesentlichste[m] Merkmal der Rezeptionssituation bei fiktionalen Texten«[12] kann im Fall von Klaus Manns *Mephisto* sicher keine Rede sein.

Die Verbindung von Realitätsnähe und – im Falle der Titelfigur – Abwertung resultiert in einem »diffamierenden Gestus des Erzählens«.[13] Die zum Zweck der Überführung der Figuren und Handlungen vom Besonderen ins Allgemeine hinzugefügten, erfundenen Elemente können dieser Grundausrichtung nicht wirksam gegensteuern. Sie bleiben – wie im Falle der sadomasochistischen Beziehung Höfgens mit der farbigen Tänzerin Juliette Martens – dem dominanten Wahrnehmungsmuster des Schlüsselromans untergeordnet und wirken somit eher als zusätzliche Verunglimpfung Gustaf Gründgens' denn als Ausgestaltung eines bestimmten Charaktertyps.

Es wird klar, warum viele Reaktionen auf Klaus Manns *Mephisto* fast zwangsläufig auf emotional engagierte Zustimmung oder Ablehnung hinauslaufen müssen: Wer mit dem Exilautor die Verhaltensweise Gründgens' im Dritten

11 Vgl. Matias Martinez u. Michael Scheffel, *Einführung in die Erzähltheorie*, München ³2002, S. 37.

12 Wiklef Hoops, »Fiktionalität als pragmatische Kategorie«, in: *Poetica* 11 (1979) S. 281–317, hier S. 309.

13 Anke-Marie Lohmeier, »›Es ist also doch ein sehr privates Buch‹. Über Klaus Manns ›Mephisto‹, Gustaf Gründgens und die Nachgeborenen«, in: *Text + Kritik* 93/94 (1987) S. 100–128, hier S. 104.

Reich als Paradebeispiel für gewissenloses Mitläufertum ansieht und verurteilt, empfindet den Roman mitsamt seiner Polemik als gerechtfertigt, ja notwendig und wünschenswert. Wer dagegen eine Darstellung erwartet, die der Komplexität der Person Gustaf Gründgens' gerecht wird, wird den Roman ablehnen. Freilich lesen beide Parteien *Mephisto* letztlich als faktualen Text. Und bei rein fiktionaler Lektürehaltung, d. h. bei völliger Ausblendung des lebensweltlichen Bezugs, kann *Mephisto* aufgrund der Schwarz-Weiß-Zeichnung der Figuren und der allgegenwärtigen Wertungen seitens des Erzählers kaum überzeugen.

István Szabó gelingt es demgegenüber in seiner Verfilmung, Klaus Manns »unausgereiftes, zwiespältiges Romankonzept« – die Identifikation von Besonderem und Allgemeinem und die Beglaubigung des Besonderen durch die Hinzufügung ›allgemeiner‹ Zutaten[14] – in ein kohärentes künstlerisches Ganzes zu überführen. Drei Ebenen sind dabei von besonderer Bedeutung: Zunächst lässt sich eine Reduktion des Stoffes beobachten: Das Figureninventar und die Anzahl der Schauplätze werden verringert. Diese Einschränkungen führen in Szabós Film einerseits zu einem Verlust an Darstellungsbreite – besonders deutlich wird dies bei der Schilderung der Emigrantenszene, die im Roman viel Raum einnimmt, im Film dagegen weitgehend ausgeblendet wird. Andererseits resultiert aus dieser Reduktion eine Konzentration auf die Entwicklung der Titelfigur. Der Verzicht auf viele Elemente des Romans führt zusammen mit der Hinzufügung neuer, prägnanter Details (z. B. des symbolträchtigen weichen Händedrucks Höfgens, vgl. Sequenz 60, 62 und 63[15]) zu einer künstlerischen Abrundung des Films gegenüber der Romanvorlage und seiner Verselbstständigung gegenüber dem realen Vorbild.

14 Vgl. Lohmeier (Anm. 13), S. 102.

15 Die Sequenzzählung folgt *Literatur und Film: Mephisto*, hrsg. von Joachim Paech, Frankfurt a. M. / Berlin / München 1984, S. 87–99.

Der zweite Bereich, in dem die Verfilmung ungleich ausgeprägtere Qualitäten aufweist als der Roman, ist die Figurenzeichnung. Klaus Mann reduziert durch die allgegenwärtige Gut-Böse-Wertung seine Figuren fast durchweg auf eindeutig festgelegte flache, psychologisch kaum motivierte Charaktere. Ihre Wahrnehmung wird dominiert durch die Eindeutigkeit und Ernsthaftigkeit, mit der der Autor die realen Vorbilder bewertet. In Szabós Film lässt sich demgegenüber eine komplexere und offenere Figurenanlage beobachten, die dem Zuschauer eine eigene Interpretation und Bewertung ermöglicht. Der Übergang vom flachen zum runden Charakter zeigt sich nicht allein bei Hendrik Höfgen, sondern auch bei Nebenfiguren, wie etwa der Tänzerin Juliette Martens oder dem Ministerpräsidenten. Letzterer wird aufgewertet vom brutalen und plumpen Naziführer, der Höfgen und das Theater lediglich aus Machtinteressen fördert, zum auf Grund seiner Vielschichtigkeit gefährlichen und intellektuell ebenbürtigen Gegenspieler der Hauptfigur. Die dergestalt ausgewogenere und spannungsreichere Figurenkonstellation wird in der von Szabó hinzugefügten Schlusssequenz sinnreich zu Ende geführt. Erst hier, im Film und nicht so im Roman, wird der Seelenverkauf sichtbar, der im »Pakt mit dem Teufel« (Kap. 7 des Romans), d. h. dem Sich-Einlassen des Künstlers mit dem menschenverachtenden Regime, impliziert ist: Der Ministerpräsident macht Höfgen in der bedrohlichen Szenerie des nächtlichen Berliner Olympiastadions klar, dass er sich in Zukunft nicht im inneren Exil des ›liberalen‹ Staatstheaters verstecken kann, sondern im grellen Scheinwerferlicht der Nazi-Propaganda stehen wird.

Die dritte Ebene, auf der sich die ›Literarisierung‹ der Romanvorlage im Film beobachten lässt, ist unmittelbar mit dem Medienwechsel verbunden. Ganz offensichtlich sind es in Szabós *Mephisto* Schauspieler, die in einer kunstvoll arrangierten Inszenierung vorgegebene Rollen spielen. Und da dieser Film weder ein »echtes Aussagesubjekt mit überprüfbaren Relationen innerhalb realer Raum- und Zeitkoordinaten« aufweist, noch ein Kommentar »das Gesehene in einen authentischen Zusammenhang zur Wirklichkeit«[16] stellt, hat man es ohne Zweifel mit einem fiktionalen Film, also einem Spielfilm zu tun.

Ein weiteres Moment kommt hinzu. Anders als in Klaus Manns Roman über seinen privaten wie politischen Kontrahenten Gustaf Gründgens ist bei der *Mephisto*-Verfilmung ein faktualer bzw. dokumentarischer Rückschluss vom Erzählerstandpunkt des Films auf den Drehbuchautor und Regisseur István Szabó unzulässig.

Auch die emotionale und polarisierte Rezeption des Films lässt sich auf die Spannung zwischen lebensweltlicher Eindeutigkeit und künstlerischer Mehrdeutigkeit zurückführen. Ablehnung erfährt Szabós *Mephisto* vor allem dort, wo Wert auf die hinter dem Roman stehende Wirklichkeit gelegt wird, und das meint: die realen Personen und die politische Aussageabsicht Klaus Manns. Folgerichtig konzentriert sich die Kritik in den ablehnenden Urteilen auf die Aussparung des Exils[17] sowie auf das ungenügende Herausarbeiten der negativen Seiten der Hauptfigur durch Klaus Maria Brandauer.[18] Auf Zustimmung stößt der Film, wo die Fiktion im Vordergrund steht: die Ersetzung der Polemik des Romans durch moralische Ambivalenz,[19] die den Zuschauer zum Mitdenken und zur Einnahme einer eigenen Position herausfordert.

16 Walter Hagenbüchle, *Narrative Strukturen in Literatur und Film*, Bern u. a. 1991, S. 85 u. 87.

17 Vgl. Spangenberg (Anm. 1), S. 214: »Das Exil als Alternative [...] kommt im Film nicht vor.«

18 Vgl. May (Anm. 3): »Statt der Dämonie des Verführers österreichischer Küß-die-Hand-Charme: von ›aasig‹ keine Spur, dafür ein lieber Bub im Anzug.«

19 Vgl. H. G. Pflaum, »Blendung im Rampenlicht. István Szabós Verfilmung von Klaus Manns ›Mephisto‹« (Süddeutsche Zeitung, 25.9.1981), in: Spangenberg (Anm. 1), S. 212.

Text

Mann, Klaus: Mephisto. Roman einer Karriere (1936). München 1981.

Film

Mephisto. Regie: István Szabó. Ungarn / BRD / Österreich 1980.

Forschungsliteratur

Literatur und Film: Mephisto. Hrsg. von Joachim Paech. Frankfurt a. M. (u.a.) 1984.

Lohmeier, Anke-Marie: Es ist also doch ein sehr privates Buch. Über Klaus Manns *Mephisto*, Gustaf Gründgens und die Nachgeborenen. In: Text + Kritik 93/94 (1987). S. 100–128.

Paul, David: Szabó. In: Five Filmmakers. Tarkovsky. Forman. Polanski. Szabó. Makavejev. Hrsg. von Daniel J. Goulding. Bloomington / Indianapolis 1994, S. 156–208.

Spangenberg, Eberhard: Karriere eines Romans. Mephisto, Klaus Mann und Gustaf Gründgens. Ein dokumentarischer Bericht aus Deutschland und dem Exil 1925–1981. München [2]1984.

Die Manns – Ein Jahrhundertroman (Heinrich Breloer)[1]

Von Joan Kristin Bleicher

»Ich glaube, dass es in Deutschland in diesem Jahrhundert keine bedeutendere, originellere und interessantere Familie gegeben hat als die Manns«, bemerkt der Literaturkritiker Marcel Reich-Ranicki in seiner Kritik in der Frankfurter Allgemeinen Zeitung, und Volker Hage adelte die Manns in seinem *Spiegel*-Artikel sogar als die Windsors Deutschlands. An diese bestehende Aufmerksamkeit konnte der dreiteilige Fernsehfilm *Die Manns – Ein Jahrhundertroman*[2] von Horst Königstein und Heinrich Breloer anknüpfen. Entsprechend betonen sie die besondere Rolle der Familie Mann als Teil der Deutschen Geschichte und Identität. »Das intime Medium Fernsehen weitet sich für den Blick in eine Familie, die das letzte Jahrtausend in ihren ganz eigenen Formen des Zusammenlebens spiegelt.« (DM 2001, 448)

Der Fernsehfilm ist keine Literaturverfilmung im klassischen Sinne, also keine Umsetzung eines literarischen Werkes in eine filmische Erzählung, sondern ein Mosaik unterschiedlicher Erzähl- und Dokumentationsformen.

1 Arte 5./6./7.12.2001/ARD 17./19./21.12.2001. Buch: Horst Königstein; Buch und Regie: Heinrich Breloer, Kamera: Gernot Roll, Schnitt: Monika Bednarz-Rauschenberg, Olaf Strecker, Schauspieler: Armin Mueller-Stahl (Thomas Mann), Monika Bleibtreu (Katja Mann), Sophie Rois (Erika Mann), Sebastian Koch (Klaus Mann), Jürgen Hensch (Heinrich Mann), Veronica Ferres (Nelly). Folge 1: 1860–1933, Folge 2: 1933–1941, Folge 3: 1942–1955. Drei Jahre dauerte die Konzeption und die Recherche für 1200 Seiten Drehbuch. Die ARD investierte 20 Millionen D-Mark in die Produktionskosten. Vgl. dazu u. a. Heinrich Breloer, »Unterwegs zu den Manns«, in: H. B., *Unterwegs zur Familie Mann. Begegnungen, Gespräche, Interviews*, Frankfurt a. M. 2001.

2 Im Folgenden zitiert mit der Sigle DM.

Königstein und Breloer fügen Motive aus unterschiedlichen Texten, Lebens- und Zeitgeschichte für die filmische Konstruktion einer Familienbiographie zusammen und ergänzen sie durch Interviews von Zeitzeugen. Die auf diese Weise entstehende vielfältige Mischung aus Fakten und Fiktion lässt in den Szenen »die Wahrheit einer konkreten Situation offenbar«[3] werden. In Opposition zum Wahrheitsanspruch tritt der Rückgriff auf literarische Themen und Darstellungsmittel. Königstein und Breloer nutzen das für Thomas Mann selbst charakteristische Verfahren der Beschreibung des Wechselverhältnisses von Lebens- und Zeitgeschichte. Insofern schufen sie eine Art filmisches Äquivalent zum Hauptwerk Thomas Manns *Die Buddenbrooks*. Der Untertitel des Romans *Verfall einer Familie* beschreibt auch das zentrale Thema des Films. Weitere Themen aus dem Werk von Thomas Mann sind die Konflikte zwischen Künstlertum und Bürgertum und die Dekadenz in der Filmhandlung.

Wechselwirkungen zwischen Literatur und Lebensgeschichte

Die Manns bilden eine neue Form im bisherigen Spektrum der Literaturverfilmungen des Fernsehens. Regisseur Heinrich Breloer und Drehbuchautor Horst Königstein lösen sich vom klassischen Übersetzungsprinzip der Literaturverfilmung, das versucht, die sprachliche in eine vor allem visuelle Erzählung zu verwandeln.

Der Plot des Drehbuchs und die die Filmausstrahlung begleitenden Buchpublikationen konstruieren wechselseitige Verweise von der Lebensgeschichte der Manns auf ihre literarische Produktion, aber auch auf die Geschichte

3 »Wir wollten es einfach wissen. Heinrich Breloer im Gespräch mit Georg Feil«, in: *Dokumentarisches Fernsehen: eine aktuelle Bestandsaufnahme*, hrsg. von Georg Feil, Konstanz 2003, S. 114.

der Zeit, in der sie lebten. Breloer versucht in *Die Manns*, den kreativen Produktionsprozess an einzelnen Werken Thomas Manns seinem jeweiligen Lebenszusammenhang zuzuordnen. So heißt es zur Entstehung des *Zauberbergs*: »Im Sommer 1912 hatte Thomas Mann seine Frau in einem Schweizer Lungensanatorium besucht, und hier, in Davos, war ihm die Idee zu einer ›raschen‹ Novelle gekommen – ›quasi als groteskes Nachspiel und Gegenstück zum Tod in Venedig‹, wie Katja später in ihren Erinnerungen erzählt.« (DM 2001, 36) Dieses Zitat macht das verschachtelte Ordnungsprinzip des Films deutlich. Königstein und Breloer zeigen, dass die Idee für die literarische Produktion aus einer Episode der Lebensgeschichte entstammt. Die Lebensgeschichte jedoch wird mit der Chronologie der Werkgeschichte verknüpft, die aus der Perspektive der Autobiographie von Katja Mann als Ich-Erzählung präsentiert wird. In dieser spezifischen Plotstruktur greifen Erzählzeit, Lebenszeit und erinnerte Zeitgeschichte ineinander.

Figuren, Dialoge und Motive aus den Romanen von Thomas Mann bilden den symbolhaften Ausgangspunkt, sich mit unterschiedlichen Teilaspekten der Lebensgeschichte zu befassen. Breloer kennzeichnet dieses Verfahren als Rückübersetzung von »lebensgeschichtlichen Wahrheiten«, die Thomas Mann »in den Maskenspielen seiner Figuren ausgesprochen hat«[4]. Mit diesem Verfahren der Rückübersetzung wendet Breloer die positivistische Betrachtungsweise der traditionellen Literaturwissenschaft in ihr Gegenteil. Statt wie im Positivismus vom Leben des Autors auf sein Werk zu schließen, wird hier mit dem Werk das Leben des Autors betrachtet. Der Film nutzt einzelne Szenen aus den Romanen von Thomas Mann, um Abschnitte der Familiengeschichte zu dramatisieren. So

4 Breloer zitiert nach Fritz Wolf, »Der Mann Komplex. Heinrich Breloer im Gespräch«, in: *epd medien 98* vom 12.12. 2001, S. 10–14, hier S. 11.

beschreiben Zitate aus dem *Zauberberg* nicht nur symbolhaft den kreativen Wettstreit zwischen Vater und Sohn, sondern erfassen auch aus einer Innenperspektive die Selbstzweifel von Klaus Mann. Gleichzeitig fungiert innerhalb der Dramaturgie des Mehrteilers der literarische Plot als filmischer Vorverweis auf das spätere Schicksal von Klaus Mann, so seine Faszination an »Hans Castorp, der sich bei einem Schneetreiben hoch oben im Gebirge, auf dem Zauberberg, verirrt und droht verloren zu gehen«, denn Klaus »versteht zu genau den verlockenden Sog, die Anziehung und Macht, die der Tod auf Menschen ausüben kann«, und sieht kurze Zeit später in Bezug auf seinen Vater ein: »Was können wir schon erzählen? Ich werde nie an ihn heranreichen.« (DM 46; 48)

Der Vater-Sohn-Konflikt manifestiert sich im Film nicht nur in der szenischen Darstellung, sondern auch in einem Duell der Texte. Auszüge aus dem Lebensbericht von Klaus Mann dienen nicht nur seiner Selbstcharakterisierung, sie werden auch in kontrastiven Bezug zu den Tagebüchern von Thomas Mann gesetzt. Auf diese Weise folgt der Einsatz der Zitate auch den spezifischen dramaturgischen Anforderungen der Konfliktstruktur filmischer Erzählungen. Als Antagonist im filmischen Figurenensemble fungiert neben Heinrich vor allem der Sohn Klaus Mann. »Klaus Mann ist der stärkste Gegenspieler seines Vaters. Wir konnten an ihm die Sehnsucht von Thomas Mann deutlich werden lassen. Thomas Mann konnte sich solche Liebesszenen ja vorstellen. Da kann man einmal zeigen, welche Fantasien er gehabt haben mag.«[5]

Die Bedeutungsebenen der Romane von Klaus Mann werden auf die für den Film interessanten Aspekte des Familienlebens reduziert und als dramaturgisches Element für die Konfliktsteigerung der filmischen Narration bzw. Erzählung genutzt. Aus den Texten von Klaus Mann wer-

5 Wolf (Anm. 4) S. 11.

den jene Abschnitte integriert, die die Differenzen mit den Eltern formulieren.

Der Familienorientierung des Filmtitels *Die Manns* entspricht auch die Auswahl von Motiven aus den Werken Klaus und Heinrich Manns. Kernmotive bilden die familieninternen Spannungen zwischen unterschiedlichen kreativen Existenzen. Die Figurenkonflikte der Romane werden mit den Familienkonflikten verknüpft. Innerhalb der verschiedenen Generationen der Familie und in ihren Texten zeigt sich der unterschiedliche Umgang mit der eigenen Homosexualität.

Breloer und Königstein nutzen auch die Parallelität von Handlungsorten in der Literatur und der Lebensgeschichte der Manns für die filmische Konstruktion von Wechselwirkungen zwischen Leben und Literatur. Beispielsweise stellen sie einen direkten Bezug zwischen einer Urlaubsszene am Sylter Strand und einer Szene aus dem *Zauberberg* her. »Schon vor Jahren, 1921, hat er (Thomas Mann; Anm. J. B.) hier die Eigentümlichkeit beobachtet, dass ›ein Strandwächter auf einem Hörnchen denjenigen Gefahr zublies, die frecherweise versuchten, über die erste Welle hinauszudringen‹, wie es später in seinem Zauberberg heißt.« (DM 83)

Die Wechselwirkung unterschiedlicher Erzählweisen im Dokudrama

Die dreiteilige Verfilmung ist ein Dokudrama, das dem Konzept des offenen Fernsehspiels folgt. Offene Fernsehspiele brechen die traditionell geschlossene Form der televisionären Erzählform auf, indem sie dokumentarische und narrative Darstellungsformen kombinieren. *Die Manns – Ein Jahrhundertroman* kennzeichnet die für das Dokudrama charakteristische »Montage von Dokument und Inszenierung« (DM 442). Auf diese Weise erreichen sie eine besondere Bedeutungsvielfalt. Die offene Form ermöglicht eine polyperspektivische Erzählweise, die den Zuschauer durch alle Gefühlswelten der Beteiligten hindurchführt.

Auch die von Breloer, Königstein und der Cutterin Monika Bednarz-Rauschenbach zuvor produzierten Dokudramen wie *Das Beil von Wandsbek* (1982), *Die Staatskanzlei* (1989) oder auch das *Todesspiel* (1997) sind durch ihre authentisch wirkende Präsentation von Zeitgeschichte charakterisiert. Dieser Gesamteindruck entsteht durch die kombinierte Erzählweise aus Fragmenten dokumentarischen Bildmaterials und mit Schauspielern nachgestellten Spielszenen. Rekonstruktion durch Archivmaterial und Konstruktion durch Spielszenen wechseln einander ab.[6] Trotz des hohen Anteils dokumentarischer Darstellungsmittel folgt die Gesamtdramaturgie der Abfolge des Dreiteilers dem Handlungsschema des populären Films mit den Teilelementen Harmonie, Störung der Harmonie, Konflikt, Konfliktlösung. Im ersten Teil stehen die beruflichen Erfolge des Vaters und das Liebesleben der Kinder im Zentrum. Die Emigration stört diese Harmonie und löst die Konfliktstruktur zwischen den Generationen des zweiten Teils aus. Im dritten Teil kommt es zur Lösung des Konflikts durch den Verfall der Familie. Die ursprüngliche Harmonie wird nicht wieder erreicht.

Die polyperspektivische Erzählweise des Mehrteilers erscheint trotz dieser Vielzahl der Fragmente nicht unstrukturiert, da sie in der Erzählerin des Films Elisabeth Mann Borgese zusammengeführt wird. Breloer findet in ihrer Person den von ihm in der Darstellung angestrebten »konkreten Moment der Wahrheit, wenn sie vor laufender Kamera nachdenkt und nachfühlt«[7].

6 Vgl. Heribert Seifert, »Familiendrama und Jahrhundertroman. Monumentaler TV-Dreiteiler über die Manns«, in: *Neue Zürcher Zeitung* vom 30.11.2001, S. 77.

7 Feil (Anm. 3), S. 114.

Die Filmkamera begleitet Elisabeth Mann Borgese bei ihrer Reise zu den noch real existierenden Handlungsorten der Familiengeschichte. Sind diese sichtbaren Erinnerungsspuren verloren gegangen, zeigt die Kamera, wie Elisabeth sich durch die Kulissen der ehemaligen Wohnhäuser bewegt, die von dem Architekten Götz Weidner auf dem Studiogelände der Filmproduktionsfirma Bavaria nachgebaut wurden. Breloer versucht seine Erzählerin durch das Setting als Gedächtnisraum zur eigenen Erinnerungsleistung zu bewegen.[8] Gleichzeitig verbindet dieser Erinnerungsraum die unterschiedlichen Ebenen der filmischen Vermittlung. Die Realgestalt Elisabeth Mann bewegt sich in den gleichen Räumen vor den gleichen Requisiten wie die Filmschauspieler der gespielten Szenen aus der Vergangenheit. Filmkulissen sind so nicht nur Auslöser subjektiver Erinnerungen, sondern auch Ort der Zusammenführung von dokumentarischer und visuell-szenischer Erzählweise. Gleichzeitig liefern Breloer und Mann Borgese ganz unterschiedliche Deutungen des Erzählten: »HB (Heinrich Breloer Anm. J. B.): ›Ich habe mein Glück gehabt.‹ Tief bewegt, tief erschüttert durch diesen Jungen, den er so aus dem Augenwinkel beobachtet, mit dem er ein bisschen am Strand geht, mit dem er ein paar Gespräche führt. Ihr habt es gar nicht mitbekommen?

EMB (Elisabeth Mann Borgese Anm. J. B.): Nein. Vor allem hat er es eben überhaupt nicht mitbekommen. Das find' ich so bezeichnend. Das war alles sein Innenleben, das er mit großer Selbstdisziplin und Diskretion behandelt hat; sublimiert hat – und ich finde, so sollen wir es auch halten.«[9]

Breloer jedoch hält sich nicht an die geforderte Diskretion, sondern entlockt den Zeitzeugen noch unbekannte Details der homoerotischen Neigungen Manns. Breloer

8 Feil (Anm. 3), S. 119.
9 »Sylt, Pension ›Kliffende‹« (9. Juni 1999), in: Feil (Anm. 3), S. 61.

verifiziert und objektiviert die subjektiven Erinnerungen von Elisabeth Mann Borgese und Thomas Mann durch die Erinnerungen anderer Zeitzeugen wie etwa Charles Neider.

Thomas Mann selbst erzählt sein unmittelbares Alltagsleben in seinen Tagebüchern, symbolisiert und verdichtet sein Erleben aber auch in Erzählungen und Romanen. Breloer führt diesen Verdichtungsprozess in der Auswahl seiner Filmszenen weiter, die symbolisch sowohl für den Kontext der Familienkonflikte als auch für die zeithistorischen Konflikte stehen. Der Symbolgehalt der Szenen wird in der ergänzenden Buchpublikation entschlüsselt. So lassen sich viele Interviewsequenzen aus seinem Materialband *Unterwegs zur Familie Mann* als nachträgliche Interpretationen seiner Filmszenen lesen.

Die Strategie der Verfilmung bedient sich der methodischen Konzeption des im Zentrum stehenden literarischen Werkes. Breloer und Königstein konstatieren, dass ein Film den Texten von Thomas Mann vergleichbar »Vereinfachung und Verdichtung zugleich« verlange. Diese Erzählweise verstehen sie als »eine Verbeugung vor der Mannschen Methode, die eigenen Lebenserfahrungen zu verdichten«[10]. Die Fernsehautoren greifen dieses charakteristische literarische Stilmittel des von ihnen porträtierten Autors Thomas Mann auf und übersetzen es in die audiovisuelle Vermittlung, setzen also literarische Schreibverfahren in die filmische Dramaturgie um.

Leitmotive des Films

Das von Breloer und Königstein gewählte darstellerische Prinzip der Verdichtung wird durch die Wahl von Leitmotiven auf die Wechselwirkung von Lebens- und Roman-

10 Breloer (Anm. 1), S. 451.

erzählung übertragen. Eines dieser Kernmotive bilden die homoerotischen Neigungen von Thomas Mann. Immer wieder kommt trotz ihrer wiederholten Abwehr Breloer in seinen Interviews mit Elisabeth Mann Borgese auf dieses Thema zurück, um weitere Details von ihr zu erfahren. Ein weiteres Kernmotiv sind die Konflikte Manns mit seinen ebenfalls kreativen Kindern, die neben den Interviews durch die Integration von Zitaten aus Manns Tagebüchern, aber auch durch verschiedene Publikationen von Klaus und Erika Mann illustriert werden.

Dokumentarische Bildaufnahmen sind eng an Spielszenen geknüpft, in denen die historischen Personen von Schauspielern dargestellt werden. Diese Filmsequenzen, so erläutert Heinrich Breloer die Auswahl, »sind die Verdichtung von Szenen, die ich im Gespräch gehört oder in der Literatur gelesen habe«[11]. Auch die fiktionalen Vermittlungsformen werden mit einem dokumentarischen Gestus eingesetzt. »Gefunden und erfunden – wir haben immer versucht, uns ganz dicht an die Wahrheit der konkreten Situation heranzuschreiben und -zuspielen.«[12]

Dabei bildet Elisabeth Mann Borgese durch ihre in zahllosen Interviews erzählte Lebensgeschichte die Chronologie der Familiengeschichte. In ihrer visuellen Präsentation bleibt sie nicht wie die anderen Zeitzeugen auf statische Bildeinstellungen beschränkt, sondern bewegt sich während ihrer Erinnerungen durch die jeweiligen Handlungsorte.

Breloer nutzt die Kamera aber auch, um Elisabeth Mann Borgeses subjektiven Erzählungen den Eindruck von Authentizität zu verleihen: »Die Bilder der Kamera sind ein Zeugnis davon, wie ehrlich sie bemüht war, auch die düste-

11 Breloer (Anm. 1), S. 16.

12 Ebd.; dazu bemerkt der Kritiker Fritz Wolf: »Dokument und Fiktion, dokumentarische und künstlerische Wahrheit stehen nicht nebeneinander, sondern verschmelzen und beglaubigen sich damit wechselseitig. Sie geben dem Spiel wie dem Leben Tiefe.« (Wolf [Anm. 4], S. 10)

ren Aspekte zuzulassen und mit uns viel tiefer hinabzutauchen in die Wahrheit dieser Familiengeschichte, als wir es jemals hatten hoffen können.«[13] Das Zusammenspiel der Gegenwart der Kamera und der Vergangenheit der szenisch oder monologisch thematisierten, der gleichzeitig von der Kamera erfassten gegenwärtigen und vergangenen Handlungsorte führt zu einer palimpsestartigen Verwischung der Zeitebenen von Gegenwart und Erinnerung, Lebens- und Zeitgeschichte.

Ein Kernproblem des Genres Literaturverfilmung ist die Visualisierung des Motivs der dichterischen Produktion. Auf welche Weise macht man den Schreibprozess anschaulich, ohne stets auf Darstellungsklischees des Autors am Schreibtisch zurückzugreifen? Ein Verfahren ist der Perspektivwechsel. So kommentieren die Familienmitglieder in den Interviewsequenzen und den Spielszenen die Produktion. Andere Szenen zeigen Thomas Mann, der seiner Familie die neuesten Arbeiten vorliest. So werden die Zitate der Literatur in die Ebene der schauspielerischen Vermittlung integriert.

Königstein und Breloer folgen dem traditionellen Mythos vom kreativen Schreiben, der den Anschein erweckt, dass aus der unmittelbaren Wirklichkeitserfahrung die Literatur hervorgeht. Sie beschreiben den Prozess der Verarbeitung von Lebenserfahrung in Literatur. Bereits das Setting der nachgespielten Szenen wird zum literarischen Zitat.

In dem Dokudrama *Die Manns* findet sich das umgekehrte Verfahren der Rückbindung von literarischer Produktion in die Darstellung der Lebenswelt. Beispielsweise reduziert der Film Katja Manns aktive Mitwirkung an der schriftstellerischen Produktion ihres Ehemanns auf den Vorgang des Abschreibens und der Bewunderung.

13 Wolf (Anm. 4), S. 13.

Auch Thomas Manns Umsetzung des Erlebten in die Tagebuchform wird von Breloer und Königstein unterschiedlich genutzt. So fungiert das Tagebuch als Authentizitätssignal für die Darstellung unterschiedlicher Ereignisse und Lebensabschnitte. Der Vorgang des Tagebuchschreibens wird auch zur filmischen Quelle der inneren, emotionalen Vorgänge von Thomas Mann. »Wir sehen ihn vor einem der Wachstuchhefte, in die er seit vielen Jahren fast täglich seine Eintragungen schreibt. In seinem Leben, das sich immer deutlicher auch zu einem öffentlichen Geschehen entwickelt, das von vielen Menschen beobachtet und kommentiert wird, bleiben diese Hefte ein privater Ort. Hier bleibt er mit sich selbst allein. Ohne Distanz und Maskenspiel, mit schonungslosem und unverstelltem Blick auf sich selbst und andere. Nur so kann es ihm auch den Schutz bieten, eine bindende Selbstvergewisserung sein. ›Ich hörte Lärm im Zimmer der Jungen und überraschte Eissi völlig nackt vor Golo's Bett Unsinn machend. Starker Eindruck von seinem vormännlichen, glänzenden Körper. Erschütterung.‹« (DM 30) Die Erschütterung durch den Tagebuchtext wird durch die mimische Darstellung von Armin Müller-Stahl anschaulich gemacht. Das Gesicht des Schauspielers wird zur Projektionsfläche der im Text geschilderten Emotionen.

Dokumente, Interviews und Romane als facettenreicher Spiegel der Zeitgeschichte

Im Drehbuch entsteht ein Wechselspiel aus zeithistorischer Wirklichkeit und ihrer fiktionalen Spiegelung im Erleben der Familie. »Zeitgeschichte wird als Familiengeschichte dargestellt; Wertvorstellungen und Normen aus dem privaten Leben der Manns werden zu Indizien des Zeitgeistes.«[14] Im Verhältnis von den unterschiedlichsten Texten der Familie Mann, den Interviews, der Verfilmung von unterschiedlichen Phasen der Familiengeschichte und der sie begleitenden Buchpublikationen kommt es zu einem komplexen Wechselspiel der Erzählformen.

Das Buch *Die Manns – Ein Jahrhundertroman* nutzt entsprechend Filmstills (Standbilder) als Abbildungsmaterial und ist in seiner sprachlichen Vermittlung eine Nacherzählung des Dokudramas. Innerhalb dieser Nacherzählung werden spielerisch Lebens- und Romangeschichten in Beziehung gesetzt, wobei auch die vielfältigen publizierten Lebenserinnerungen der Familienmitglieder fruchtbar gemacht werden.

Das Themenspektrum des Films beschränkt sich nicht auf die konfliktreiche Entwicklung einer Künstlerfamilie, sondern integriert auch den Einfluss der Zeitgeschichte auf die Familie Mann wie z. B. die Stadien ihrer Flucht vor den Nationalsozialisten ins Exil. Literatur wird mit den politischen Kontexten ihrer Entstehungszeit in Beziehung gesetzt und erhält auf diese Weise eine Bedeutungsdimension, die über die in den Texten geschilderten Handlungszusammenhänge hinausreicht. Die literarische Produktion der Mitglieder der Familie Mann fungiert im Film »als Fixierung zeitgenössischer Beobachtung und Vermittlung literarisch verarbeiteter Erfahrungen über die Zeit«[15]. Diese thematische Vielschichtigkeit steht in Wechselwirkungen zur Fragmentstruktur der formalen Vermittlung.

14 Brigitte Knott-Wolf, »Zwischen Kunst und Leben. Heinrich Breloers Meisterwerk. Der ARD-Dreiteiler über die Familie Mann«, in: *Funk Korrespondenz* 48, 2001, S. 8.

15 Knut Hickethier, *Film- und Fernsehanalyse*, Stuttgart 1980, S. 213.

Exemplarische Darstellungsformen der Erinnerung

Das Fernsehen integriert, seiner Funktion als kollektives Gedächtnis der Gesellschaft entsprechend, das bestehende visuelle Gedächtnis der Erinnerung an Thomas Mann in seine eigene historische Konstruktion. Es werden Interviews aus alten Dokumentationen etwa von Elisabeth Plessen über Erika Mann einbezogen. Darüber hinaus kommt es in den Spielszenen auch zur Reinszenierung von Wochenschaumaterial über Thomas Mann (im Garten mit der zweijährigen Tochter Elisabeth, der Dichter liest ein Buch) durch den Darsteller Armin Müller-Stahl. In Form der *oral history* befragte Heinrich Breloer Zeitzeugen, die als *talking heads* im Bild des Dokudramas sichtbar werden und zentrales Bildmotiv der dreiteiligen Dokumentation bilden.

Nur bei den erzählten Lebenserinnerungen von Elisabeth Mann Borgese wird das visuelle Prinzip der *talking heads* aufgebrochen und durch vielfältige Mischungen aus Dokumentation und Inszenierung ergänzt. »Jede Nuance, die sich im Mienenspiel der Elisabeth Mann Borgese abzeichnet, ist ein Haltepunkt, den der Schnitt von Monika Bednarz-Rauschenbach mit der Situation verbindet, welche die Erzählerin anspricht, schon folgt eine Spielszene, dann ein O-Ton von damals, das Gespräch geht weiter.«[16] Spielszenen ergänzen auch die erzählten Erinnerungen der Zeitzeugen durch »eine inszenierte Entsprechung«. So wird die Geschichte von Gestern in der Gegenwart weitergespielt. »Im Film konnte man die Geschichte auf verschiedenen Ebenen erzählen und dabei in einem einzigen gegenwärtigen Zeitfluss bleiben.« (DM 442) Peinlich genau hat Breloer nach eigenen Angaben auf bruchlose Über-

16 Michael Hanfeld, »Ich schneide, also sind sie. Hinter manchem großen Film steht eine starke Frau oder Das Geheimnis des Heinrich Breloer. Wie ›Die Manns‹ geschaffen wurden«, in: *Frankfurter Allgemeine Zeitung 283* (5.12.2001), S. 55.

gänge zwischen fiktionalen und dokumentarischen Szenen geachtet und dafür auch die Kamerapositionen festgelegt.[17]

Die Spannung zwischen den unterschiedlichen Erzählformen und die Widersprüche zwischen erzählter und inszenierter Erinnerung ermöglicht es den Autoren, sich »den Subtexten, den Geheimnissen und auch dem Widersprüchlichen« (DM 442) zu nähern. »So entstehen Erzählungen, bei denen das Schweigen und die Art des Erzählens keine geringere Rolle spielen als die inhaltlichen Aussagen (oder geschriebener Text). Wir wollten eine künstlerische und keine journalistische Methode entwickeln.« (DM 443)

Die filmische Montage schließt nämlich »nicht nur die Konfrontation einer Aussage mit der Nachinszenierung dieser Aussage ein, sondern in der wiederum dokumentarischen Situation wird das Erinnern selbst zum Thema. Dem Zuschauer ist dadurch die Chance gegeben, auch unsere eigenen Überraschungen während des Drehs, im Arbeitsprozess nachvollziehen zu können.« (DM 447) Die offene Form des Fernsehspiels schließt sich erst in der Reflexion der Betrachter. Der Zuschauer wird zum eigentlichen Leser der vielfältigen Erzählungen des televisionären Jahrhundertromans.

Film

Die Manns. Ein Jahrhundertroman. Regie: Heinrich Breloer / Horst Königstein. Deutschland 2001.

17 Vgl. Wolf (Anm. 4), S. 10.

Forschungsliteratur

Breloer, Heinrich: Unterwegs zur Familie Mann. Begegnungen, Gespräche, Interviews. Frankfurt a. M. 2001.

Hanfeld, Michael: Ich schneide, also sind sie. Hinter manchem großen Film steht eine starke Frau oder Das Geheimnis des Heinrich Breloer. Wie »Die Manns« geschaffen wurden. In: Frankfurter Allgemeine Zeitung 283 (5.12.2001) S. 55.

Knott-Wolf, Brigitte: Zwischen Kunst und Leben. Heinrich Breloers Meisterwerk. Der ARD-Dreiteiler über die Familie Mann. In: Funk Korrespondenz 48. 2001. S. 8–12.

Seifert, Heribert: Familiendrama und Jahrhundertroman. Monumentaler TV-Dreiteiler über die Manns. In: Neue Zürcher Zeitung (30.11.2001). S. 77.

Wir wollten es einfach wissen. Heinrich Breloer im Gespräch mit Georg Feil. In: Dokumentarisches Fernsehen. Eine aktuelle Bestandsaufnahme. Hrsg. von Georg Feil. Konstanz 2003. S. 109–137.

Wolf, Fritz: Der Mann-Komplex. Heinrich Breloer im Gespräch. In: epd medien Nr. 98 (12.12.2001). S. 10–14.

Lord of the Rings – The Fellowship of the Ring (J. R. R. Tolkien – Peter Jackson)

Der Einsatz von Spezialeffekten bei Literaturverfilmungen

Von Andreas Blüml

> [Frodo sah] feine Linien, feiner als der feinste Federstrich, um den Ring herumlaufen, innen und außen: Linien aus Feuer, die die Buchstaben einer schwungvollen Schrift zu bilden schienen. (S. 71)[1]

Dieses kurze Zitat vermag dem Leser direkt eine eindrucksvolle Vorstellung des »Rings der Macht« aus J. R. R. Tolkiens *Der Herr der Ringe* zu vermitteln. Führt man sich jedoch vor Augen, welchen Aufwand es bedeutet, einen feuer-glühenden Ring in einem Film überzeugend darzustellen, wird eine Grundproblematik der Literaturverfilmung deutlich: Die Romanvorlage, die sich auf die Vorstellungskraft des Lesers stützen kann, ist bezüglich der Darstellung bzw. Evokation nicht-realer Aspekte dem Film weit überlegen. Dort, wo bei einer Verfilmung Darstellungsprobleme früh beginnen, kennt die Fantasie des Lesers kaum Grenzen.

Durch Spezialeffekte verliert diese »Darstellbarkeits-Schwelle« an Bedeutung: Bereits ab etwa 1915 waren viele der Grundkonzepte für Effekte im Film im Einsatz, Action- und Abenteuerfilme wirkten als treibender Motor bei ihrer Entwicklung. Modellaufnahmen und »Stop-Motion-Animation«[2] spielten bereits früh eine bedeutende

1 J. R. R. Tolkien, *Der Herr der Ringe*, Bd. 1: *Die Gefährten*, Stuttgart ^{9}1981, S. 71.

2 Darunter versteht man das Filmen von Modellen in Einzelbildern: zwischen zwei Einstellungen wird die Position und Haltung der Modelle minimal verändert, sodass beim Abspielen des Films in Echtzeit der Eindruck einer fließenden Bewegung entsteht.

Rolle bei der Entwicklung von fantastischen Bildern auf der Leinwand – ein Klassiker dieser Technik ist etwa *King Kong* (1933). *Star Wars* setzte 1977 mit der geschickten Kombination von *Stop-Motion*-Techniken und *Rotoscoping*, dem manuellen »Überzeichnen« von einzelnen Filmbildern, neue Maßstäbe. Nach weiteren Technikinnovationen, wie dem *Blue-Screen*-Verfahren zum »Ausblenden« von Teilen des gefilmten Materials, brachte der Einsatz von Computereffekten – zum ersten Mal in großem Stil in *Jurassic Park* (1993) – den wohl wichtigsten technischen Fortschritt für die Filmindustrie seit der Erfindung des Tonfilms. Heute agieren auf der Leinwand reine Computercharaktere zusammen mit Darstellern aus Fleisch und Blut. Einen vorläufigen Höhepunkt der Qualität von Spezialeffekten stellen Peter Jacksons Literaturverfilmungen *Der Herr der Ringe – Die Gefährten* (2001), *Der Herr der Ringe – Die zwei Türme* (2002) und *Der Herr der Ringe – Die Rückkehr des Königs* (2003) dar.

Der Oxford-Professor J. R. R. Tolkien (1892–1973) veröffentlichte den ersten Teil seines rund 1200 Seiten umfassenden Romans *Der Herr der Ringe*, der als Archetyp des modernen Fantasy-Romans gelten kann, im Jahr 1954. Er erzählt die Geschichte des jungen Hobbits Frodo, der zusammen mit einer Gemeinschaft aus Zwergen, Elben, Menschen und einem Zauberer aufbricht, um den »Ring der Macht« zu zerstören, der seine Welt bedroht.

Neben den allgemeinen Schwierigkeiten jeder Literaturverfilmung ist das Hauptproblem einer Verfilmung dieses Romans wohl die überzeugende Darstellung dieser überaus komplexen und vielschichtigen Welt: Gewaltige und weitläufige Landschaften, aufwändige Bauten, Massenszenen, problematische Größenunterschiede der Hauptfiguren sowie ausgefallene fantastische Kreaturen werfen Probleme auf. Auch die erzählerische Tiefe der Welt erschwert eine Umsetzung: *Der Herr der Ringe* ist zwar Tolkiens bekanntestes Werk, stellt jedoch nur einen Ausschnitt aus seiner Arbeit über ›Mittelerde‹ dar. Die Detailliertheit dieser Fantasy-Welt ist einer der zentralen Punkte, die Tolkien von anderen Autoren des Genres abheben – und eine Herausforderung an den Regisseur einer Verfilmung, der einen Mittelweg finden muss zwischen dem völligen Ignorieren aller Erzähltiefe bezüglich dieser Welt und einer Überfrachtung des Films mit unnötigen Details.[3]

Im Folgenden wird auf grundlegende Aspekte der Verfilmung und zentrale darstellungstechnische Probleme exemplarisch eingegangen, und es werden einige Spezialeffekte erklärt. Laut der Romanvorlage sind die Hauptpersonen der Geschichte, die kleinwüchsigen Hobbits, nur etwa einen Meter groß – Menschen haben jedoch auch in »Mittelerde« normale Körpergröße. Die Größenunterschiede der handelnden Figuren sind in ihrer symbolischen Bedeutung – die kleinen, unauffälligen Hobbits spielen eine tragende Rolle für das Schicksal der ganzen Welt – für die Aussage von Tolkiens Werk zentral. Sämtliche Kulissen, in denen sowohl Hobbits als auch Menschen zu sehen sind, mussten deshalb für den Film entweder mehrfach – in verschiedenen Größenverhältnissen – gebaut oder der Größenunterschied durch andere technische Mittel dargestellt werden.[4] Neben dem Einsatz von kleinwüchsigen

3 Auf die inhaltlichen Veränderungen wird nicht näher eingegangen; hier nur ein paar Beispiele: Im ersten Teil fehlt die Handlung um Tom Bombadil; die Ringgeister ziehen sich von der Wetterspitze aus Angst vor dem Feuer zurück (nicht deshalb, weil sie, wie im Buch, vermuten, ihr Plan sei erfolgreich, Frodo mit einem vergifteten Dolch zu verletzen). Im zweiten Teil wird das Bruderpaar Boromir – Faramir anders als im Text nicht gegensätzlich angelegt; der Fürst von Rohan ist nicht ein alter Mann, der seine letzten Kräfte mobilisiert, sondern wieder jung; Bilbo und Frodo werden von Faramir lange Zeit mitgeführt. Im dritten Teil schafft es Gollum, anders als im Buch, einen Keil zwischen Frodo und Sam zu treiben; die Rückkehr der Hobbits in ihre alte Heimat ist unproblematisch, kaum etwas hat sich verändert. Viele dieser Veränderungen (Bombadil, Rückkehr) sind durch den Zwang zur Kürzung verständlich, doch nicht alle Änderungen wirken so funktional motiviert.

4 Vgl. Brian Sibley, *The Lord of the Rings – Das offizielle Filmbuch*, übers. von Hanas J. Schütz, Stuttgart 2001, S. 78 f.

Schauspielern für die Hobbits in Szenen, in denen diese sich nicht im Vordergrund aufhalten, und dem Einsatz von digitaler Bildkomposition kam auch das überraschend einfache System der *forced perspective* zum Einsatz. Hierbei wird die Schärfentiefe moderner Filmkameras so ausgenutzt, dass Charaktere, die größer erscheinen sollen, näher an der Kamera stehen als die ›kleineren‹ Figuren. Durch geschicktes Arrangieren der Requisiten können auch komplexe Szenen mit Schauspielern gleicher Größe so dargestellt werden, als ob eine Figur real deutlich kleiner als die andere wäre.[5] Sichtbar wird diese Vorgehensweise vor allem in den Szenen, in denen der etwa 180 cm groß wirkende Zauberer Gandalf (gespielt von Ian McKellen) mit den etwa 130 cm groß wirkenden Hobbits Bilbo (Ian Holm) und Frodo (Elija Wood) zusammen spielt. Es wird der Eindruck erweckt, als müsste Gandalf durchgehend seinen Kopf einziehen, um in der niedrigen Behausung der Hobbits nicht an die Decke zu stoßen, wohingegen die Größenverhältnisse für die Hausherren angemessen scheinen.

Anders musste natürlich bei fantastischen Figuren vorgegangen werden, die nicht – oder nicht direkt – durch Schauspieler dargestellt werden können. Hier wurden vor allem computeranimierte Digitalmodelle verwendet. Mit Hilfe von moderner Rendering-Software wurde etwa der dämonische Balrog erzeugt, ein hauptsächlich aus Flammen bestehendes Höhlen-Monster, dem sich Gandalf im Kampf stellt. Auf Grundlage verschiedener graphischer Entwürfe für die Figur, die von Tolkien als »dunkle, Feuer verströmende Gestalt« (S. 398) gut vor-, aber schwierig darstellbar beschrieben wird, wurden verschiedene dreidimensionale Modell-Versuche erstellt. Der gelungenste wurde im Anschluss in ein Computermodell überführt,

5 Vgl. dazu auch David Bordwell, *Narration in the Fiction Film*, London, [6]1997, S. 102.

das digital animiert und mit Flammen versehen werden konnte. Zur Vervollständigung der Szene wurde die Computeranimation mit den im Studio gedrehten Einstellungen der echten Schauspieler kombiniert – diese bekamen den Balrog am Film-Set selbst nie zu Gesicht.

Vom Prinzip ähnlich, jedoch mit deutlich höherem Aufwand verbunden ist die Umsetzung einer der Hauptfiguren von Tolkiens Geschichte des Wesens Gollum als reine Computer-Kreation. Gollums Part wurde von einem Schauspieler gespielt und dieses Spiel gefilmt. Dieser Schauspieler wurde jedoch in der Post-Production digital aus dem Film entfernt und durch eine reine Computer-Figur ersetzt, die der Beschreibung Gollums als »widerwärtiges kleines Geschöpf« mit »großen Plattfüßen [...] blassen, leuchtenden Katzenaugen« und »langen Fingern« (S. 26) eher entsprechen kann, als dies einem Schauspieler möglich wäre. Der erreichte Effekt wirkt so überzeugend, dass dem Zuschauer kaum ein Unterschied zwischen digitalen und realen Schauspielern auffallen dürfte.

»Mittelerde« ist eine komplexe Welt mit eigener Geschichte und Geografie. Dem Roman liegen mehrere Landkarten bei. Tolkien gibt darüber hinaus im Text lange und explizite Beschreibungen der verschiedenen Landschaften, die erzählerisch mit Bedeutung aufgeladen werden und deren Umsetzung daher von großer Tragweite für die filmische Adaptation ist. Peter Jackson wählte als Drehort die unberührte Landschaft Neuseelands. Zusätzlich wurden diese Handlungsorte durch Modell-Aufnahmen, Computertricks und Gemälde erweitert, sodass die von Tolkien beschriebenen, fantastischen Locations vom lieblichen »Auenland« bis hin zum magischen Wald von »Lothlórien« und dem leblosen »Mordor« anschaulich umgesetzt werden konnten.

Um die komplexeren und weniger realistischen Handlungsorte darstellen zu können, wurden in vielen Szenen verschiedene, unabhängige Filmaufnahmen und Standbilder digital zu einer Einheit verschmolzen. Hierbei kamen sowohl klassische *Matte-Paintings*, also gemalte Landschaftsbilder, als auch digitale Hintergründe und real gedrehte Aufnahmen zum Einsatz. Manche Szenen bestehen so aus bis zu sieben einzelnen Bildkomponenten, die digital zu einer einzigen Einstellung kombiniert wurden.[6] Beispielhaft hierfür ist eine kurze, unauffällig wirkende Einstellung im ersten Drittel des Films: Der Zauberer Gandalf reitet einen mit Bäumen bestandenen Hang hinunter auf den Turm »Orthanc« zu, der in der Entfernung sichtbar ist. Für den Zuschauer stellt sich die gezeigte Landschaft als überzeugend und real dar. In Wirklichkeit ritt Ian McKellen allerdings keinen Hang hinunter, sondern eine flache Ebene entlang, die erst bei der Nachbearbeitung des Filmmaterials ›gekippt‹ und zum Hang ›umdefiniert‹ wurde. Auch die Berge im Hintergrund sowie die Landschaft im Vordergrund der Einstellung sind aus mehreren Einzelbildern zusammengesetzt.[7] Dem Zuschauer zeigt sich eine Szenerie, die der von Tolkien evozierten Vorstellung des Ortes durch den Einsatz komplexer Effekte sehr nahe kommen kann.

Mittels einer Kombination der bereits beschriebenen technischen Aspekte entsteht die filmische Darstellung der groß angelegten Schlachtszenen, wobei in *Die Gefährten* vor allem die im Prolog des Films dargestellte Schlacht der »Letzten Allianz« zwischen Elben, Menschen und Orcs auffällt. Noch vor wenigen Jahren war die filmische Umsetzung einer so ausufernden Massenszene, in der mehrere zehntausend Personen auf beiden Seiten antreten, völlig undenkbar. Mit Hilfe moderner Tricktechnik, insbesondere der Kombination von realen Filmaufnahmen – etwa für Detailaufnahmen und Zweikämpfe im Schlachtgetümmel – und computergenerierten Überblicks-Einstellungen

6 Vgl. Gary Russell, *The Lord of the Rings – The Art of ›The Fellowship of the Ring‹*, Boston / New York 2002, S. 37.

7 Vgl. Russell (Anm. 6), S. 37.

sind solche Szenen heute darstellbar.[8] Eine speziell entwickelte Software berechnet für jeden der ›virtuellen Kämpfer‹ nach vorgegebenen Parametern ein eigenes Verhalten, sodass nicht wie bei der analogen Animation (z. B. mit Modellen) jede der Figuren manuell bewegt werden muss.

Über die angesprochenen Aspekte hinaus ist festzustellen, dass die Bedeutung der digitalen Bearbeitung von Filmen sich nicht in offensichtlichen, spektakulären Effekten erschöpft. Bei *Die Gefährten* wurde etwa die gesamte Farbgebung des Films nachträglich digital der Stimmung der jeweiligen Szene angepasst: So überwiegen anfänglich im »Auenland« warmes Licht und erdig-grüne Farben, in den »Minen von Moria« dominiert eine bläulich-graue Farbgebung, und nach dem Verlassen der Dunkelheit von Moria wird dem Zuschauer durch eine digital hinzugefügte, blendend wirkende leichte Überbelichtung die Handlung nahe gebracht.

Wie anfangs angedeutet, ist eine Grundannahme beim Vergleich von Büchern mit ihren filmischen Adaptationen, dass die literarische Vorlage mit ihrem Rückgriff auf die Vorstellungskraft des Lesers bezüglich ihres imaginären Potentials dem Film überlegen ist. Moderne Tricktechnik lässt diesen ›Vorsprung‹ des Buchs zumindest schwinden. Daraus können sich zwei potentielle Paradigmen-Anpassungen ergeben: Zum einen holt der Film die Darstellbarkeitsmöglichkeiten des Romans ein, denn alles das, was der Roman erzählt, kann auch bebildert und überzeugend wiedergegeben werden, wie schon James Monaco feststellt.[9] Dabei ist zu bedenken, dass diese filmische Präsentation den Zuschauer anders als ein ›nur‹ beschreibendes literarisches Werk geradezu ›bevormundet‹ und seine Fan-

8 Eine deutlich größere Rolle als in *Die Gefährten* spielen Schlachtszenen in *Die zwei Türme* und in *Die Rückkehr des Königs*.

9 Vgl. James Monaco, *Film Verstehen*, Reinbek bei Hamburg, [3]April 2001, S. 45.

tasie möglicherweise einengt. Zum anderen bringen die technischen Möglichkeiten eine – in diesem Fall nicht auf literarische Adaptationen beschränkte – allgemeine Veränderung der Rezeption von Filmen mit sich: Durch den zunehmenden Einsatz von immer realistischer wirkenden, jedoch häufig offensichtlich irrealen Handlungen auf der Leinwand schwindet insgesamt die Glaubwürdigkeit des Mediums Film. Insbesondere Fantasy- und Action-Filme können und wollen – das Beispiel *Der Herr der Ringe* zeigt es deutlich – nicht mehr als Abbild der Realität rezipiert werden.

Die neuen tricktechnischen Möglichkeiten – insbesondere im Zusammenhang mit dem Einsatz von Computern – sind im Begriff, die Welt, wie sie in Filmen dargestellt wird, nachhaltig zu verändern. Wie sich diese Veränderung mittel- und längerfristig auswirkt, wird man vermutlich erst in einigen Jahren in der Rückschau wirklich überblicken können.

Text

Tolkien, John Ronald Reuel: The Lord of the Rings (1954/55). London [2]1992.

– Der Herr der Ringe. Bd. I: Die Gefährten. Übers. von Margaret Carroux. Stuttgart [9]1981.

Filme

The Lord of the Rings. The Fellowship of the Ring. Regie: Peter Jackson. USA 2001.

The Lord of the Rings. The two Towers. Regie: Peter Jackson. USA 2002.

The Lord of the Rings. The Return of the King. Regie: Peter Jackson. USA 2003.

Forschungsliteratur

Russell, Gary: The Lord of the Rings – The Art of The Fellowship of the Ring. Boston / New York 2002.
Sibley, Brian: Der Herr der Ringe – Das offizielle Filmbuch. Übers. von Hans J. Schütz. Stuttgart 2001.

Il Gattopardo (Giuseppe Tomasi di Lampedusa – Luchino Visconti)

Bilder einer Epochenschwelle

Von Bernd Kiefer

Mit seinem Buch *Metahistory*, das im Jahr 1973 erschien, provozierte der amerikanische Geschichtstheoretiker Hayden White die Zunft der Historiker tief und nachhaltig mit der These, die Geschichtsphilosophie und die Geschichtsschreibung des 19. Jahrhunderts folgten einer *Poetik* der Geschichte und wären wesentlich zu verstehen als »*Formalisierungen* poetischer Einsichten«[1]. Unbeschadet der Tatsache, dass Whites Konzept der Historio-Poetik vielfach kritisiert wurde, trug es Früchte: einerseits im *New Historicism* des Literaturhistorikers Stephen Greenblatt, der »Literatur auf dieselbe Ebene wie historische Quellen« rückt[2], andererseits im stetig anwachsenden Interesse von Historikern an Werken der poetischen oder bildnerischen Imagination als Zeugnisse, als Bilder von Geschichte. ›Bilder schreiben Geschichte‹, und Historiker gehen inzwischen nicht mehr nur in Archive und Bibliotheken, sondern auch ins Kino und fragen, wie etwa der französische Historiker Marc Ferro, immer häufiger: »Gibt es eine filmische Sicht der Geschichte?«[3] Die kann,

1 Hayden White, *Metahistory. Die historische Einbildungskraft im 19. Jahrhundert in Europa*, aus dem Amerikanischen von Peter Kohlhaas, Frankfurt a. M. 1991, S. 13. Hervorhebung im Text.

2 Christoph Conrad u. Martina Kessel, »Geschichte ohne Zentrum«, in: *Geschichte schreiben in der Postmoderne. Beiträge zur aktuellen Diskussion*, hrsg. von Christoph Conrad und Martina Kessel, Stuttgart 1994, S. 9–36, hier S. 21.

3 Marc Ferro, »Gibt es eine filmische Sicht der Geschichte?«, in: *Bilder schreiben Geschichte. Der Historiker im Kino*, hrsg. von Rainer Rother, aus dem Französischen von Ronald Voullié, Berlin 1991, S. 17–36.

so Ferro, »in Form eines Museums der Gesten, der Gegenstände und der gesellschaftlichen Verhaltensweisen«[4] bestehen. Wenn also in den letzten dreißig Jahren Historiografie und Literatur *und* Film und Geschichte so in neue Relationen gebracht wurden, dann kann man auch das alte Problem der Literaturverfilmung, das von den Philologen lange als ein eher ›zoologisches‹ gesehen wurde – der Film als Parasit der ›hohen Literatur‹ saugt von ihr den Kunstcharakter auf –, neu formulieren. Filme können die in literarischen Texten sprachlich-formal gedeutete und somit in der Form sedimentierte Geschichte visualisieren. Sie können das vor allem, indem sie eine sozio-anthropologische Grundschicht der Literatur, also ihr eigentliches historisches Substrat der *conditio humana*, direkt zum Bild machen. Filme können die *Körper-Geschichte* einer historischen Epoche aus einem literarischen Werk, das sie bearbeiten, herauslesen / herauslösen und zum Zentrum der Inszenierung machen. Bei der Analyse von Filmen, die in dieser Weise literarische Texte in ein anderes Medium transponieren, also historische, vergangene Körper sichtbar werden lassen, die bisher vom Leser imaginiert werden mussten, treten dann die gleichen Kategorien ins Werk, die eine kritische *Körper-Historik* etwa den Arbeiten von Norbert Elias und Michel Foucault verdankt[5]. Körper sind demnach nicht natürlich, nicht biologisch einfach als gegebene da; sie sind kulturell geformt, gemacht. Sie sind geformte Körper eines sozio-kulturellen Zusammenhangs, einer sozialen Klasse oder einer sozial definierten Gruppe. Ein Film kann sie so inszenieren und damit den Blick schärfen für etwas, was so nur im Filmbild sichtbar wird,

4 Ferro (Anm. 3), S. 23.

5 Vgl. vor allem Norbert Elias, Über den Prozeß der Zivilisation. Soziogenetische und psychogenetische Untersuchungen, 2 Bde, Frankfurt a. M. 1976, und Michel Foucault, Sexualität und Wahrheit, Bd 1: Der Wille zum Wissen, aus dem Französischen von Ulrich Raulff und Walter Seiter, Frankfurt a. M. 1977.

nämlich der soziale Körper in Bewegungen, die immer *agonale*, immer kämpferische Bewegungen, Bewegungen in historischen Kämpfen sind.

Giuseppe Tomasi di Lampedusa (1896–1957) war Aristokrat, geboren in Palermo, Sizilien, ein Enkel des Fürsten von Salina, dessen Geschichte er in dem postum erschienenen *Il Gattopardo* (1958) episch-poetisch erzählt: Als Geschichte des Vergehens des Adels und der aristokratischen Lebensform durch das *Risorgimento*, durch den gewaltsamen politischen Prozess der Einigung Italiens zur Nation, der ab 1860 in seine entscheidende Phase eintrat. Der Roman umspannt in der mit Sprüngen erzählten Zeit fünfzig Jahre vom Mai 1860 bis zum Mai 1910. Lampedusa schrieb die Geschichte seiner Familie, seiner Klasse, und er schrieb sie als *homme de lettre* in Kenntnis der großen Romane des 19. und frühen 20. Jahrhunderts: Honoré de Balzac, Stendhal, Lew Tolstoj und Thomas Mann sind Inspirationen zur epischen Rekonstruktion einer vergangenen Epoche. Der allwissende Erzähler springt ständig aus der Zeit heraus. Als Don Calògero, der Bürgermeister des kleinen Dorfes Donnafugata, die Fertigstellung einer Kanalisation nicht für das Jahr 1861, sondern für 1961 ankündigt, kommentiert der Erzähler das knapp und dennoch viel sagend als einen »Lapsus«, dessen »Mechanismus Freud viele Jahrzehnte später erklären sollte«.[6] Dem Leser wird so eine Interpretation angeboten, die mit Freuds analytischer Hermeneutik von sprachlichen Fehlleistungen das *historische Ver-Sprechen* eines Mannes kenntlich macht, der alle dem unterentwickelten Süden Italiens während des Risorgimento versprochenen Sozialleistungen auf ewig verschiebt. Damit ist dieser en passant erfolgende Hinweis auf Freud zugleich ein bitterer Kommentar zur Situation

6 Giuseppe Tomasi di Lampedusa, *Der Leopard*, aus dem Italienischen von Charlotte Birnbaum, Reinbek bei Hamburg 1975, S. 77. Alle weiteren Zitatnachweise aus dieser Ausgabe erfolgen im Text.

des armen Südens, des *mezzogiorno*, im Jahr des Erscheinens des Romans, in einer Zeit also, in der dem Nachkriegsitalien bewusst wurde, dass es mit den Problemen des Südens »eine Erblast übernommen« hatte, »deren Entstehung Jahrhunderte zurückreicht«[7].

Der Fürst von Salina, der »Leopard« des Romans, weiß um seine Geschichte, seine Würde, seine Privilegien, aber er betrachtet »den Verfall seines Standes und seines Erbes, ohne sich zu irgendeiner Tätigkeit aufzuraffen oder auch nur die geringste Lust zu verspüren, dem abzuhelfen«. (S. 8) Der Fürst findet sich verstrickt in das Risorgimento als in eine historische Epochenschwelle, in der Italien im »Rhythmus von Revolution und Restauration«[8] bebt. Weder der Roman noch der Film sind verständlich ohne eine gewisse Kenntnis der italienischen Geschichte, auf die in Roman und Film nur angespielt wird, obgleich die Dynamik dieses historischen Prozesses ab 1860 alles Geschehen, sogar jede intimste Regung, jedes *Körper-Bild* der beiden Werke bestimmt. Der historische Verlauf des Geschehens, literarisch und im Film nur als Hintergrund vernehmbar, ist gespannt zwischen Interessen des italienischen Königtums von Vittorio Emanuele II., den Projekten des Ministers Cavour, der einen Ausgleich zwischen Monarchie und Volk will, dem Liberalen Mazzini, der einen Sozialismus ohne Klassenkampf propagiert, und Garibaldi, dem Heros der Volksbefreiung, der aber auch, wie alle in dieser kurzen Zeit um 1860/1861, schwankt. Den Sieg trägt, wie in allen Revolutionen des 19. Jahrhunderts, die Bourgeoisie davon, und sie macht dem Adel ein Ende und betrügt alle Hoffnungen der Bauern und der Arbeiter, die sie in Dienst nahm. Der »Staat, der sich am 17. März 1861 zum König-

7 Friederike Hausmann, *Kleine Geschichte Italiens von 1943 bis heute*, aktualisierte u. erweiterte Neuausgabe, Berlin 1997, S. 186.

8 Volker Reinhardt, Geschichte Italiens. Von der Spätantike bis zur Gegenwart, München 2003, S. 172.

reich Italien proklamiert, ist keine Demokratie«.[9] Sizilien wird wieder von der Geschichte und der Politik vergessen werden.

In Lampedusas Roman wird diese historisch spannungsreiche Konstellation im Rhythmus von Revolution und Restauration in drei Figuren verkörpert. Der Fürst von Salina will, dass alles so bleibt wie es ist, nämlich aristokratisch-patriarchalisch. Er ist der Mann der Vergangenheit, die allmählich, ebenso wie seine körperliche Kraft, vergeht. Sein geliebter Neffe Tancredi hingegen schließt sich Garibaldis Freischärlern an aus der zynischen Einsicht: »Wenn wir wollen, daß alles bleibt, wie es ist, dann ist nötig, daß alles sich verändert.« (S. 21) Tancredi kämpft nicht für die Republik mit Garibaldi, sondern um sie zu verhindern. Ihm gehört die Zukunft, weil er sich als Opportunist immer einzurichten weiß. Tancredi wird auch körperlich zum Chamäleon. Der bäuerlich-kleinbürgerliche Parvenu Don Calògero, der sich durch Intrigen das Geld und somit die Macht verschafft, die es ihm ermöglicht, seine schöne Tochter Angelica an Tancredi zu verheiraten, kauft sich erst ein Adelsprädikat und dann seine Zukunft. Durch die Ehe-Allianz der Familie Calògero mit dem Fürstenhaus Salina ist die Zukunft festgelegt. Sie wird, im alten Gewand des Adels als Legitimationsmantel, bourgeois sein. Die historische Epochenschwelle des Risorgimento als Verfall des Adels und als Aufstieg des Bürgertums ist schon in Lampedusas Roman eine anthropologische Evolution, wie Norbert Elias sie in seiner Theorie des Zivilisationsprozesses gesehen hat, jedoch eine, die sich unter Bedingungen der Moderne nicht mehr in Jahrhunderten vollzieht, sondern jetzt in etwa fünfzig Jahren. Am Ende des Romans, im Jahr 1910, findet schon aller Rest aristokratischen Lebens »Frieden in einem Häufchen bleichen Staubes«. (S. 194)

9 Reinhardt (Anm. 8), S. 217.

Luchino Visconti (1906–1976) war Aristokrat, Nachkomme der Herzöge von Mailand, Filmkünstler, Theater- und Opernregisseur, homosexuell und Marxist. Diese biografischen Angaben markieren ein ästhetisches Spektrum: von Viscontis weit gespanntem Œuvre, in dem sein Film *Il Gattopardo* (1963) – nach *Senso / Sehnsucht* (1954) Viscontis zweiter Film über den italienischen Adel im 19. Jahrhundert – einen Punkt des Übergangs ausmacht.[10] In einem Interview mit der Zeitschrift *Il Mondo* im Jahr 1971 bekannte Visconti: »Ich gehöre selbst zur Epoche von Mann, Proust, Mahler. Ich bin 1906 geboren, und die künstlerische, literarische und musikalische Welt, die mich umgeben hat, ist jene Welt. Kein Wunder, daß ich mich ihr verbunden fühle. Wahrscheinlich habe ich auch visuelle, bildliche Erinnerungen, eine Art unabsichtliches Gedächtnis, das mir hilft, die Atmosphäre jener Epoche zu rekonstruieren. [...] Die europäische Gesellschaft bis zum Ersten Weltkrieg hat die größten Kontraste und die größten ästhetischen Resultate hervorgebracht. Die zeitgenössische Welt ist dagegen so nivelliert, so grau, so wenig ästhetisch«.[11] Visconti sieht sich selbst seit Beginn der 1960er-Jahre als einen Künstler, der zu seiner Zeit quer steht, der dem 19. Jahrhundert seine Erinnerungen, seine Inspirationen entnimmt und sie in der Kunst des 20. Jahrhunderts umsetzt. Das Medium dafür ist der Film. Nimmt man die dreizehn Spielfilme, die Visconti von 1942 bis 1976 gedreht hat, so laufen sie in der Entwicklung des Spätwerks auf eine ästhetische Anthropologie vom 19. zum 20. Jahrhundert zu. Stets sind sie inspiriert von literarischen Werken. Es beginnt mit *Il Gattopardo* (1963) und führt über

10 Zur Entwicklung des Werkes von Visconti, das in den 1960er-Jahren einen neuen Ansatz nimmt, vgl. Bernd Kiefer: »Luchino Visconti«, in: *Filmregisseure. Biographien, Werkbeschreibungen, Filmographien*, hrsg. von Thomas Koebner, Stuttgart 1999, S. 717–724.

11 Luchino Visconti, zitiert nach Ulrich Gregor, *Geschichte des Films ab 1960*, München 1978, S. 74.

die Thomas-Mann-Verfilmung *Morte a Venezia / Tod in Venedig* (1971) und *Ludwig / Ludwig II.* (1973), den vierstündigen Film über Leben und Tod des bayerischen Märchenkönigs, zu *L'Innocente / Der Unschuldige* (1976), nach dem Roman von Gabriele D'Annunzio. In diesen Filmen registriert Visconti den soziokulturellen Prozess der europäischen Décadence als einen Prozess des physischen Ermüdens, sich opulent Verausgabens und schließlich des schmutzigen Sterbens erst des Adels und dann, in *Tod in Venedig*, auch des Spätbürgertums. Dabei rekonstruieren diese Werke akribisch die Lebenswelten der Vergehenden mit allem Prunk und auch mit den allmählich nicht mehr zu tilgenden und nicht mehr zu ignorierenden Zeichen des Verfalls.

Man kann spekulieren, ob es Don Calògeros böser Fehler war, die Entwicklung des Südens erst einmal auf hundert weitere Jahre zu verschieben, auf das Jahr 1961, die Luchino Visconti die ungeheure Aktualität von Lampedusas Roman klar werden und ihn dessen Verfilmung angehen ließ. Im Jahr 1961 hatte Visconti nämlich mit *Rocco e i suoi fratelli / Rocco und seine Brüder* einen Film in die Kinos gebracht, in dem er am Beispiel der Familie Parondi zeigt, warum in der Gegenwart Bauern aus dem *mezzogiorno* als Arbeitsmigranten in den Norden Italiens kommen müssen. Sie tun dies, um physisch zu überleben, was ihnen in Mailand nur gelingt, wenn sie sich von ihrer Tradition entfremden und sich verkaufen. Viscontis *Il Gattopardo* ist folglich aus einer doppelten Perspektive entstanden. Einerseits ist da Viscontis Blick auf die Vorgeschichte der immer weiter fortschreitenden Verarmung des *mezzogiorno*; andererseits ist da sein Blick auf das Risorgimento als eine »betrayed revolution«[12]: »Fasziniert hat mich auch der allgemeinere und höchst aktuelle Gesichtspunkt einer

12 Peter Bondanella, Italian Cinema. From Neorealism to the Present, New Expanded Edition, New York 1996, S. 200.

Tendenz, die Welt in etwas Neues hineinzutreiben, das den Regeln des Alten folgt, und dabei auf zweideutige und heuchlerische Weise dem Letzteren den Vorrang zu geben.«[13] Geschichtlichkeit und Aktualität bestimmen Viscontis Adaptation des Lampedusa-Romans, und sie überschneiden sich in einer ästhetisch-anthropologischen Konzeption von »Body Politic« und »Body Erotic«[14], von politischem und erotischem Körper: einer Konzeption, die zeigt, wie das Politische den sinnlichen, den begehrenden Körper umformt, indem es seine Wünsche kanalisiert.

Viscontis *Il Gattopardo*[15], gedreht im selten gebrauchten 70mm-Technirama-Format und in Technicolor, beginnt mit einem Blick auf den azurblauen Himmel über Sizilien, zu Nino Rotas an Verdi angelehnter Musik, in der die Leitmotive bereits anklingen. Die Kamera, geführt von Giuseppe Rotunno, senkt sich, eröffnet den Blick auf die Ländereien des Fürsten, zeigt die Marmorbüsten aus großer Vergangenheit und nähert sich in der Montage (Mario Serandrei) langsam dem Palast an, fährt auf ein offenes

13 Luchino Visconti, zitiert nach Sara Mamone, »Il Gattopardo. Von Giuseppe Tomasi di Lampedusa (1958) zu Luchino Visconti (1963) oder über die Unmöglichkeit der Werktreue«, in: *Literaturverfilmungen*, hrsg. von Franz-Josef Albersmeier und Volker Roloff, Frankfurt a. M. 1989, S. 466–483, hier S. 469.

14 Vgl. dazu die Studie von Angela Dalle Vacche, *The Body in the Mirror. Shapes of History in Italian Cinema*, Princeton, New Jersey 1992, S. 147 ff.

15 Das Drehuch des Films, das Visconti gemeinsam mit Suso Cecchi d'Amico, Enrio Medioli, Pasquale Festa Campanile und Massimo Franciosa schrieb, ist erschienen als: *Il Film »Il Gattopardo« e la regia di Luchino Visconti*, hrsg. von Suso Cecchi d'Amico, [o. O.] 1963. Der Band enthält außerdem Texte zur Adaptation und ein Gespräch mit Visconti. Die amerikanische Produktionsgesellschaft 20th Century Fox, die den Verleih des Films übernahm, kürzte ihn von 201 Minuten Originallaufzeit auf 161 Minuten und kopierte ihn auf das 35mm-Format mit schlechterer Farbwiedergabe. Inzwischen wurde der Film rekonstruiert und ist seit 2004 auch in Deutschland auf DVD erhältlich mit einer Laufzeit von 180 Minuten.

Fenster zu und springt dann wie ein Eindringling ins Innere, wo die Familie des Fürsten sich zur Morgenandacht versammelt hat. Es ist das letzte Ritual der Kommunion eines alten Geschlechts, das Visconti in Tableaus inszeniert, die Gemälden nachempfunden sind. Gesprengt wird die Szene familiärer Intimität und patriarchaler Hoheit durch Rufe, die aus dem Garten nach innen dringen, dann durch die Nachricht, dass Garibaldis Freischärler auf Palermo vorrücken. Im Garten des Palastes liegt ein toter Garibaldianer. Schon die Eröffnungssequenz von *Il Gattopardo* macht klar, dass eine Zeit zu Ende geht, dass sich die elitäre Binnenwelt der Aristokratie mit ihrer Tradition als Schutzmantel nicht mehr gegen die als profan empfundenen Händel der politischen Welt abschirmen kann. Die aristokratische »Form an sich: nämlich Stil«[16], ein genau abgewogenes körperliches und sprachliches Verhalten als kodifizierte zeichenhafte Repräsentation von Macht und Würde, wird von jetzt an angegriffen und schließlich aufgelöst. Der Fürst (Burt Lancaster) meint jedoch noch für eine kurze Weile, die Stürme würden sich wieder legen, bis ihm sein verarmter Neffe Tancredi (Alain Delon) mit Verve eröffnet, er werde sich Garibaldi anschließen, um alles Aufrührerische so zu regeln, dass »die Verhältnisse so bleiben, wie sie sind«. Diese Szene zwischen dem Fürsten und Tancredi leitet Visconti ein mit einer Einstellung, die direkt Lampedusas Text visualisiert. Der Fürst rasiert sich, und während er sich rasiert, »sah er im Spiegel hinter seinem Gesicht das eines jungen Mannes, schmal, vornehm, mit einem Ausdruck scheuen Spottes«. (S. 20) Solche Spiegelungen, in denen sich künftige Kontraste schon in physischer Hinsicht ausprägen und doch in einem Bild sichtbar sind, wird Visconti immer wieder einsetzen, um durch sie zu symbolisieren, dass sich die Welt(sicht) des Fürsten in

16 Peter Buchka, »Luchino Visconti«, in: P. B., *Ansichten des Jahrhunderts. Film und Geschichte in zehn Porträts*, München/Wien 1988, S. 147–169, hier S. 162.

dieser Zeit des Übergangs immer mehr verengt (hier: auf den Rahmen eines Spiegels, in dem er sich und sein Geschlecht altern sieht) und dass Alter und Jugend hinfort Mächte sein werden, die jeweils Vergangenheit oder Zukunft verkörpern. Wenn Visconti die Perspektive weitet, etwa in der Sequenz der Schlacht um Palermo, die sich nicht im Roman findet, bleibt die Kamera in weiträumigen Totalen in der Distanz, zeigt gewaltsam kollidierende Körper, kämpfende Massen, aber nicht die Individuen. Eine neue Zeit bricht an: die der Masse; sie ist nicht mehr die Zeit der großen Einzelnen, nicht mehr die Zeit der Leoparden. Drastisch wird diese Epochenschwelle von Visconti bei der Reise der Fürstenfamilie in die Sommerresidenz nach Donnafugata inszeniert. Erst bewegt sich der Zug der Kutschen durch eine von der Sonne ausgedörrte Wüste. In der Panoramaeinstellung der Kamera wirkt die Karawane wie der Zug von winzigen Insekten unter einem grausamen Himmel. Die Aristokratie ist nicht mehr Herr über das Land. Die Natur fängt sie ein, fordert das Recht der Vergänglichkeit auch bei ihr ein. Es folgt die Ankunft in Donnafugata. Wenn es bei Lampedusa heißt: »Die ganze Familie Salina stieg aus dem Wagen [...]. Alle waren weiß vom Staub bis an die Brauen« (S. 37), dann geht Visconti weiter. In einem langsamen Schwenk von rechts nach links, also in einer Blicklenkung, die der gewohnten linearen Leserichtung widerspricht und somit die Aufmerksamkeit des Zuschauers doppelt erregt, erfasst die Kamera in der Naheinstellung die Familie beim Gottesdienst in der Kathedrale. »Dabei liegt auf ihren Kleidern und auf ihren Gesichtern noch der Staub ihrer Reise. Viscontis Kamera ist der Eindruck, der dadurch entsteht, einen langen registrierenden Blick wert: Der Staub verleiht der Fürstenfamilie das Aussehen von lebenden Toten.«[17]

17 Norbert Grob, »Der Leopard«, in: *epd-Film* 9, September 1984, S. 32–33, hier S. 33.

Nachdem die Geschichte in die sich ewig wähnende Welt des Fürsten eingebrochen ist, wirkt sie, so Gilles Deleuze, mit der Macht der »Dekomposition«[18]. Alle gesichert geglaubten Verhältnisse zerfallen zu Staub. Das, was am Ende von Lampedusas Roman im Jahr 1910 die Geschichte der Familie Salina endgültig beschließt, »ein Häufchen bleichen Staubes« (S. 194), das wird in Viscontis Film ab der Mitte immer dominanter: das Gemahnen ans Vergehen, das *memento mori*. Es waltet unnachsichtig an den Körpern und zieht eine komplexe symbolische Spur durch den Film. So besucht der Fürst zu Beginn des Films in Palermo eine Prostituierte, die nur kurz im Licht erscheint, doch immerhin so prägnant, dass man in ihrem schon alternden Gesicht später das Gesicht der jungen, schönen Angelica (Claudia Cardinale), der Tochter Don Calògeros, wie in einem Spiegel der Zeit wieder erkennt. Nach altem Recht würde auch die Tochter des Bauern Calògero dem Fürsten als Mätresse zufallen. Jetzt ist ihr Körper ein Tauschobjekt im Spiel um politische Macht. Der Fürst verzichtet auf Angelica, sieht sogar ein, dass seine lethargische Tochter Concetta, die in Tancredi verliebt ist, nicht die Frau an der Seite eines aufstrebenden Politikers sein kann, und wirbt bei Calògero für Tancredi um die Hand Angelicas. Der Fürst will »das Neue unterstützen, ehe es über uns hinwegrollt«. Das Neue zeigt sich auch in einer Politik der Körper, in der nicht mehr das Blut, die reine Herkunft, sondern die Allianz von vermögenden Körpern wesentlich ist. Diese Epochenschwelle entfaltet Viscontis Film auf mehreren Ebenen. Die Ehe des Fürsten war eine Allianz zur Reproduktion der Adelsklasse, in der der Fürst, wie er einmal wütend seinem Beichtvater gesteht, seine Kinder zeugte, ohne je den »Nabel« seiner Frau gesehen zu haben. Dafür hält er sich schadlos an den Körpern der käuflichen Frauen des Volkes. Mit der Über-

18 Gilles Deleuze, *Das Zeitbild. Kino 2*, Frankfurt a. M. 1991, S. 129.

tragung des Bildes der Prostituierten auf Angelica legt Visconti nahe, wie dies, unter Fortdauer der alten Herrschaft des Adels, weiterlaufen würde. Der Fürst entsagt jedoch dem eigenen sinnlichen Begehren, verstärkt das von Tancredi nach Angelica, das diesen auch finanziell befriedigen wird, und weiß zugleich, dass das Feuer zwischen den beiden bald in Langeweile erstickt werden wird. »Viscontis Verständnis von Erotik schwankte zwischen Sakralisierung und Profanierung, zwischen schwärmerischer Exaltation und krasser Verwüstung. Erotik war für ihn die vibrierende Manifestation des Lebens und zugleich die Suggestion eines allgegenwärtigen Todes.«[19] In *Il Gattopardo* hat diese Auffassung von Erotik, die Viscontis Gesamtwerk durchzieht, ihren historisch-anthropologischen Ausdruck gefunden. Die Aristokratie, die um ihre Macht gebracht wird, verliert in Gestalt des Fürsten auch ihre erotische Kraft, delegiert sie gleichsam an die neue Allianz mit dem Bürgertum und sieht in ihr schon die Profanierung des Eros im reinen Tauschprinzip herankommen: Körper werden zur Ware.

In Lampedusas Roman nimmt die Schilderung des großen Balles im Palazzo Pontelone in Palermo zur Feier des endgültigen Sieges über die Revolutionäre um Garibaldi im Jahr 1862 nur etwa ein Zehntel des Textes ein, in Viscontis Film dauert sie, bei einer Gesamtlänge von 180 Minuten, 40 Minuten. Erneut greift Lampedusas Erzähler im Roman hier lakonisch der Zeit voraus. Er beschreibt den Ballsaal in Gold mit seiner im Kerzenlicht der Kronleuchter »dahinschwindenden Farbe« als ein vergängliches »Erröten«, ein letztes Erblühen, dem »eine in Pittsburgh/Pennsylvanien hergestellte Bombe [...] im Jahre 1943« (S. 157) das Ende bereitete. Visconti macht vorher schon ein Ende. Der Ball, eines der großen Rituale der Aristo-

19 Laurence Schifano, *Luchino Visconti. Fürst des Films*, aus dem Französischen von Theresa Maria Bullinger, Gernsbach 1988, S. 371.

kratie, in dem sich die Körper, die so normiert agieren müssen, endlich einmal lösen können, ist der Abschied einer Klasse von der Weltbühne. Hatte Visconti in seinen Tableaus vorher bereits betont, dass diese aristokratische Welt noch nach dem großen Muster des Welt-Theaters denkt und lebt, das immer mehr sich verengt, so entfaltet und verengt er in diesem monumentalen Panorama des Balles alle Facetten immer mehr auf die Sicht des Fürsten.

Die Ball-Sequenz wird allerdings eingeleitet durch ein außerordentliches Stück ästhetisch-politischer Montage. Visconti zeigt in einem Schwenk über die Landschaft von Donnafugata Dutzende von Bauern bei der körperlich harten Feldarbeit: Ihr Leben hat sich nicht verändert. Dann erklingt auf der Tonspur schon die Walzermusik des Balles, und in einer schnellen Überblendung führt Visconti in den Palast. Eine harte Kollision von Körper-Bildern wird inszeniert: Körper in der Fron und Körper im Walzertakt. So wird filmästhetisch die Perspektive des Fürsten relativiert. Das, was er auf dem Ball sieht – den Untergang seiner Klasse –, hat Visconti in den weiteren historischen Rahmen der noch immer andauernden Ausbeutung körperlicher Arbeitskraft der Bauern gestellt.

Die Ball-Sequenz von *Il Gattopardo* gilt als ein »Höhepunkt von Viscontis episch-beschreibendem Genie«[20]. Sie ist eine opernhafte Inszenierung, ein Schwelgen in Farben, Formen und Bewegungen. In ihr kann man die »bildlichen Erinnerungen« Viscontis, des Aristokraten, sehen, der noch als Kind vor dem Ersten Weltkrieg in einem Palast aufwuchs, in dem es Diener gab, deren Aufgabe ausschließlich im Öffnen und Schließen der Fenster bestand. Doch die Perspektive des Fürsten, die Visconti hier einnimmt, wird gebrochen. Der Fürst ist ein müder und kritischer Beobachter seiner eigenen, vergehenden Welt, und

20 Wolfram Schütte, »Il Gattopardo«, in: *Luchino Visconti*, hrsg. von Klaus Geitel (u. a.), München/Wien ²1976, S. 91–98, hier S. 97. – Der Band enthält eine ausführliche Filmografie und Bibliografie zu Visconti.

Viscontis Kamera beobachtet ihn beim Beobachten. Der Fürst nimmt von diesem Adel, der sich aus Inzesten nährt, von den Legenden, die aus dem Risorgimento einen Neubeginn machen – vor allem jedoch von seinem Leben Abschied. Während Don Calògero, der mit seiner Tochter Angelica in die aristokratische Gesellschaft eingeführt wird, den scharfen Blick der bourgeoisen Zukunft schweifen lässt – »seine wachen Äuglein durchliefen den Raum, unempfindlich für die Anmut, aufmerksam nur für den Geldwert« (S. 158) der Menschen und der Kunstwerke im Palast, so heißt es im Roman –, sieht der Fürst sein physisches Ende voraus. Angesichts des Gemäldes von Jean-Baptiste Greuze *Der Tod des Gerechten* aus dem 18. Jahrhundert bemäkelt der Fürst die Makellosigkeit der Laken im Bett des Sterbenden. Die Idealisierungen der Kunst trösten ihn nicht mehr über die fürchterliche Schmach des körperlichen Verfalls. Hat Visconti diese Szene noch dem Roman entnommen, so geht er im Film noch weiter. In einem großen Badesaal des Palastes, wo er sich erfrischt, blickt der Fürst in den Spiegel, sieht sein merkliches Altern, und dann erfasst sein Blick in einem Nebenraum eine Ansammlung von Nachtgeschirren: Zeichen der kruden Bedürfnisse der menschlichen Natur, Zeichen der Hinfälligkeit eines jeden Körpers. Wenn der Fürst am Ende des Films schließlich in den Morgen geht, in ein – wie es bei Lampedusa rätselhaft-vieldeutig heißt – »plebejisches Licht« (S. 167), sieht er bei Visconti einen Priester zu einem Sterbenden eilen. In der Ferne hört man die Schüsse, mit denen die letzten Getreuen Garibaldis exekutiert werden.

Il Gattopardo, der Roman und der Film, sind zu verstehen als zwei ästhetische Formen, die versuchen, sich mit einer Geschichtsepoche, einer Epochenschwelle ästhetisch auseinander zu setzen. Lampedusa relativiert diese Epoche durch Sprünge aus der Chronologie des Erzählens. Visconti bricht das historische Geschehen auf, indem er es auf die Körper, ihr Agieren und ihre Perspektive in aller Widersprüchlichkeit zurückführt. Das Credo des Fürsten bei Visconti lautet: »Wir waren die Leoparden, die Löwen, die Adler. Unseren Platz werden Schafe, Hyänen und Schakale einnehmen. Doch in einem gleichen wir uns, Leoparden, Schakale, Hyänen und Schafe. Alle glauben nämlich von sich, sie seien das Salz der Erde.« Diese Sätze finden sich auch bei Lampedusa. Bei dem Marxisten Visconti gibt es jedoch – allerdings in *Il Gattopardo* letztmals in seinem Werk – den vagen Hinweis auf die, die in Viscontis großem neorealistischem Film *La terra trema / Die Erde bebt* (1948) für ihn das ›Salz der Erde‹ sind: die Männer und Frauen des italienischen Südens, für die sich durch die Zeiten und bis heute an ihren Lebensbedingungen nichts geändert hat. Will man also Viscontis *Il Gattopardo* heute als Adaptation des Romans von Lampedusa verstehen, dann muss man ihn im Kontext von Viscontis Œuvre mit *La terra trema* und mit *Rocco und seine Brüder* sehen. Alle drei Filme sind Literaturadaptationen: *La terra trema* (1948) nach Giovanni Vergas *I Malavoglia*, *Rocco e i suoi fratelli* (1960) nach Giovanni Testoris *Il ponte della Ghisolfa*. Dann wird deutlich, dass Literatur für den Filmregisseur Luchino Visconti mehr war als eine Vorlage. Sie war Stoff für eine Realisation ihres sozialen Gehaltes.

Text

Tomasi di Lampedusa, Giuseppe: Der Leopard (1958). Aus dem Italienischen von Charlotte Birnbaum. Reinbek bei Hamburg 1975.
– Il Gattopardo. Mailand 1958.

Film

Il Gattopardo. Regie: Luchino Visconti. Italien 1963.

Forschungsliteratur

Bondanella, Peter: Italian Cinema. From Neorealism to the Present. New Expanded Edition. New York 1996.
Buchka, Peter: Luchino Visconti. In: P. B.: Ansichten des Jahrhunderts. Film und Geschichte in zehn Porträts. München/Wien 1988. S. 147–169.
Conrad, Christoph / Kessel, Martina: Geschichte ohne Zentrum. In: C. C. / M. K.: Geschichte schreiben in der Postmoderne. Beiträge zur aktuellen Diskussion. Stuttgart 1994. S. 9–36.
Dalle Vacche, Angela: The Body in the Mirror. Shapes of History in Italian Cinema. Princeton / New Jersey 1992.
Ferro, Marc: Gibt es eine filmische Sicht der Geschichte? In: Bilder schreiben Geschichte. Der Historiker im Kino. Hrsg. von Rainer Rother. Aus dem Französischen von Ronald Voullié. Berlin 1991. S. 17–36.
Gregor, Ulrich: Geschichte des Films ab 1960. München 1978.
Grob, Norbert: Der Leopard. In: epd-Film (9. September 1984). S. 32–33.
Hausmann, Friederike: Kleine Geschichte Italiens von 1943 bis heute. Aktualisierte und erweiterte Neuausgabe. Berlin 1997.
Il Film »Il Gattopardo« e la regia di Luchino Visconti. Hrsg. von Suso Cecchi d'Amico. [o. O.] 1963.
Kiefer, Bernd: Luchino Visconti. In: Filmregisseure. Biographien, Werkbeschreibungen, Filmographien. Hrsg. von Thomas Koebner. Stuttgart 1999. S. 717–724.
Mamone, Sara: Il Gattopardo. Von Giuseppe Tomasi di Lampedusa (1958) zu Luchino Visconti (1963) oder über die Unmöglichkeit der Werktreue. In: Literaturverfilmungen. Hrsg. von Franz-Josef Albersmeier / Volker Roloff. Frankfurt a. M. 1989. S. 466–483.
Reinhardt, Volker: Geschichte Italiens. Von der Spätantike bis zur Gegenwart. München 2003.
Schifano, Laurence: Luchino Visconti. Fürst des Films. Aus dem Französischen von Theresa Maria Bullinger. Gernsbach 1988.
Schütte, Wolfram: Il Gattopardo. In: Luchino Visconti. Hrsg. von Klaus Geitel (u. a.). München/Wien [2]1976 (Hanser Reihe Film 4). S. 91–98.
White, Hayden: Metahistory. Die historische Einbildungskraft im 19. Jahrhundert in Europa. Aus dem Amerikanischen von Peter Kohlhaas. Frankfurt a. M. 1991.

Die Blechtrommel (Günter Grass – Volker Schlöndorff)

»Ein Film braucht eine eigene Konstruktion«

Von Hans-Edwin Friedrich

1975 erwarb der Münchner Filmproduzent Franz Seitz die Filmrechte an dem Roman *Die Blechtrommel* von Günter Grass.[1] Seitz engagierte als Regisseur Volker Schlöndorff (geb. 1939); Grass konnte für die Mitarbeit am Drehbuch gewonnen werden. Die eigentliche Arbeit begann, als Schlöndorff auf den wachstumsgestörten Schauspieler David Bennent als ideale Besetzung für die Hauptfigur aufmerksam gemacht wurde. Jean-Claude Carrière und Schlöndorff konzipierten ein chronologisch aufgebautes Drehbuch in französischer Sprache, das sie mit Grass ausarbeiteten.[2] Autor und Regisseur legten Wert auf die Eigenständigkeit ihrer Arbeit. Grass betonte, »daß es sich nicht um eine Verfilmung der ›Blechtrommel‹ handeln kann, sondern um einen Film nach dem Roman ›Die Blechtrommel‹«[3]. Schlöndorff stellte fest: »Wichtig für mich ist, daß ich einen guten Film mache, nicht, daß ich dem Autor gefalle.« (SB 91) Es gehe nicht um die Umsetzung von Sprache in Filmbilder.

1 Vgl. zur Produktionsgeschichte Thilo Wydra, *Volker Schlöndorff und seine Filme*, München 1998, S. 122 ff.; Volker Schlöndorff, *›Die Blechtrommel‹. Tagebuch einer Verfilmung*. Darmstadt/Neuwied 1979, S. 37 ff. – Im Folgenden mit der Sigle ›SB‹ zitiert. – Rainer Lewandowski, *Die Filme von Volker Schlöndorff*, Hildesheim / New York 1981, S. 243 ff.

2 Die Arbeitsfassung des Drehbuchs vom Mai 1978 ist publiziert: Volker Schlöndorff / Günter Grass, *Die Blechtrommel als Film*, Frankfurt a. M. 1979.

3 Günter Barudio: »›Günter Grass: Im Filmbild bleibt das Literarische auf der Strecke‹. Interview mit Günter Grass«, Berlin, 29.5.1979, in: *Filmfaust 3* (1979) Nr. 14, S. 19–27, hier S. 19.

»Wir haben nicht die Sprache von Grass analysiert, [...] sondern wir sind nach Danzig gefahren und sind in die Archive gegangen und haben Materialien gesammelt über die Zeit, die G. Grass beschreibt. D. h., wir haben versucht dahin zurückzugehen. Das nenne ich mal den dokumentarischen Teil. Dann kann man in sich selbst suchen, was es da an verschütteten Kindheitsträumen gibt, die ich aktivieren kann und die beim Autor vielleicht mitgespielt haben. Und das sind Dinge, die ich dann verfilmen kann.«[4]

Das Verhältnis von Roman und Film ist also vermittelt: Der Roman wurde auf ein reales Substrat und identifikatorische Anknüpfungspunkte hin gelesen, das gewonnene Material dokumentarisch angereichert und intersubjektiviert.[5] Zentralfigur, Personal und Handlungshintergrund wurden realistisch-dokumentarisch inszeniert, die phantastischen Elemente des Romans reduziert.[6] Schlöndorff, der kein experimenteller Regisseur ist[7], hat vor allem in den Phasen vor Oskars Geburt, die der Erzähler nicht aus eigenem Erleben kennt, Filmtechniken des Stummfilms als verfremdende Mittel eingesetzt. Die auf Identifikation und Illusion zielende Insze-

4 Bion Steinborn, »›Volker Schlöndorff: Wir sind jetzt die deutsche Filmindustrie‹. Interview mit Volker Schlöndorff«, München, 31.3.1979, in: *Filmfaust 3* (1979) Nr. 14, S. 3–18.

5 Vgl. zur dokumentarischen Recherche den Materialanhang in Schlöndorff / Grass (Anm. 2), S. 181 ff.

6 Vgl. dazu ausführlicher: Knut Hickethier: »Der Film nach der Literatur ist Film. Volker Schlöndorffs ›Die Blechtrommel‹ (1979) nach dem gleichnamigen Roman von Günter Grass (1959)«, in: *Literaturverfilmungen*, hrsg. von Franz-Josef Albersmeier und Volker Roloff, Frankfurt a. M. 1989, S. 183–198, hier S. 190; Ingeborg Hoesterey, »Das Literarische und das Filmische. Zur dialogischen Medialität der ›Blechtrommel‹, in: *Günter Grass. Ästhetik des Engagements*, hrsg. von Hans Adler und Jost Hermand, New York (u. a.), S. 23–37.

7 Vgl. Richard Kilborn, »Filming the Unfilmable: Volker Schlöndorff and ›The Tin Drum‹«, in: *Cinema and Fiction. New Models of Adapting, 1950–1990*, hrsg. von John Orr und Colin Nicholson, Edinburgh 1992, S. 28–38.

nierung wird sparsam durch distanzierende Mittel gebrochen.[8]

Schlöndorff erarbeitete eine eigene Interpretation der Figur Oskar Matzerath.[9] Aus deren Ambivalenz wurde die Inszenierungsstrategie entwickelt. Oskar, der aufgrund seiner widersprüchlichen Komplexität nach einem viel zitierten Diktum des Literaturwissenschaftlers Hans Mayer als Kunstfigur galt, ist im Film schon durch die Besetzung mit David Bennent als realistische, »rührende und widersprüchliche« (SB 40)[10] Figur angelegt. Oskar sei »ein Junge, der einfach nicht erwachsen werden will, der dem Traum der Kindheit nachhängt, der keine Verantwortung möchte, der sich der Gesellschaft verweigert«. (SB 22) Er vermochte die antiautoritäre Proteststimmung der von Außenseiterfiguren faszinierten Siebzigerjahre, »unser aller Wunsch nach Anarchie sowie die Utopie seiner Allmacht« (SB 69), zu verkörpern. Die kindliche Perspektive sei nicht *point of view*, sondern eine »geistige Perspektive« (SB 25).

Das überzeitliche Potential der Figur wird von ihrer Verstrickung in die zeithistorischen Verhältnisse ausbalanciert. »Oskar verkörpert die Rachsucht des Kleinbürgers und seinen anarchischen Größenwahn« (SB 39). Als Kleinbürger hat er an den negativen Tendenzen seiner Zeit Anteil; er verschuldet den Tod der Väter Jan Bronski und Alfred Matzerath; er ist Mitglied einer Propagandakompanie

8 Vgl. Annette Insdorf, *Indelible Shadows. Film and the Holocaust*, New York 1983, S. 167 f.

9 Vgl. Jan Lüder Hagens, »Aesthetic Self-Reflection and Political Consciousness in Schlöndorff's ›The Tin Drum‹«, in: *Signaturen der Gegenwartsliteratur. Festschrift für Walter Hinderer*, hrsg. von Dieter Borchmeyer, Würzburg 1999, S. 99–111.

10 Vgl. Hans Mayer, *Das Geschehen und das Schweigen*, Frankfurt a. M. 1979, S. 40 f. Schlöndorff wies darauf hin, dass die Alternative, einem zwergwüchsigen Erwachsenen die Rolle anzuvertrauen, nicht in Frage gekommen sei. »Mit einem Kind können wir uns alle identifizieren, mit einem Zwerg weniger« [SB 40].

im Fronttheater. Oskar Matzerath ist eine Ausgeburt der deutschen Geschichte der ersten Jahrhunderthälfte; so wurde er schon in der Rezeption des Romans aufgefasst.[11] Nach Schlöndorffs Vorstellungen sollte gerade die Kindhaftigkeit der Figur die Vielschichtigkeit und Heterogenität der Figurenkonstruktion integrieren.

Diese Interpretation der Romanfigur liegt der konkreten Übertragung des Romanstoffs in den Film zugrunde. Die Veränderungen zum Film hin betreffen die Konstruktion der Figur, den Wechsel der Erzählperspektive und die stoffliche wie konzeptionelle Reduktion des Romanstoffs.

Die Blechtrommel ist die fingierte Autobiographie eines unzuverlässigen Erzählers. Oskars Entschluss, sein Wachstum einzustellen, bleibt aufgrund der Erzählkonstruktion motivisch wie kausal uneindeutig. Im Film hingegen beobachtet Oskar an seinem dritten Geburtstag das spießig verlogene Treiben der kleinbürgerlichen Welt. Die ausführlich inszenierte voyeuristische Beobachtung des verachtenden dreijährigen Jungen motiviert seinen Entschluss, sich der kleinbürgerlichen Sozialisation zu verweigern. »An diesem Tag, an dem ich über die Welt der Erwachsenen und meine eigene Zukunft nachdachte, beschloß ich, einen Punkt zu machen.«[12] Er inszeniert einen Unfall, der ihn nicht mehr wachsen lässt.

Der im Roman vielschichtig behandelte Komplex von Oskars Schuld ist eindeutiger. Die Schuldfrage wird dort aus der Perspektive nach 1945 aufgeworfen und ist an die zeitgenössische Vergangenheitsbewältigung gebunden. Die Selbstinszenierung Oskars als Versucherfigur, seine obsessive Selbstbeschuldigung, den Tod der Väter verursacht zu haben, weisen in die Richtung einer metaphysischen Schuld, denn eine konkrete Schuld lässt sich nicht eindeu-

11 Vgl. exemplarisch Detlef Krumme, *Günter Grass. Die Blechtrommel*, München/Wien 1986, S. 113 ff.; kritisch dazu: Volker Neuhaus, *Günter Grass*, Stuttgart 1979, S. 63 f.

12 Schlöndorff/Grass (Anm. 2), S. 38; im Film identischer Wortlaut.

tig feststellen. »Alle drei Ich-Erzähler in allen drei Büchern« der *Danziger Trilogie*, so Grass in einem Interview, »schreiben aus Schuld heraus.«[13] Damit hängt zusammen, dass Grass darauf bestand, der Oskar des Romans sei kein Widerstandskämpfer.[14]

Dieses Moment der Mitläuferschaft fällt im Film fast völlig weg. Der Schuldkomplex wird relativiert, die Außenseiterstellung Oskars hingegen stark pointiert. Die Figur wird auf dieser allgemeinen Ebene positioniert. Andererseits aber wird der Film durch die Todesfälle strukturiert, und am Tod der Väter hat Oskar nun einen verursachenden Anteil.[15] Außenseitertum und Kindlichkeit puffern jedoch den negativen Effekt seines Mordens ab.

Die gravierendste Veränderung betrifft die Erzählkonstruktion. Im Roman ist der Erzähler Oskar Matzerath Insasse einer Heil- und Pflegeanstalt, der an seinen Pfleger Bruno gerichtete »Begebenheiten aus meinem Leben« erzählt. Diese hochgradig verschachtelte Konstruktion mit einer Vielzahl von Rückblenden war für den Film unpraktikabel. Ein »Film [...] braucht eine eigene Konstruktion«.[16] Mittels der Erzählkonstruktion jedoch werden die Unsicherheit über den Status des Erzählten, die Reflexionen des Erzählers, Interventionen anderer Figuren, ironische Brechungen und Metaphern sowie Symbole vermittelt, die im Film nur schwer oder gar nicht umsetzbar sind.

13 Heinz Ludwig Arnold, »Gespräch mit Günter Grass«, in: *Günter Grass*, hrsg. von Heinz Ludwig Arnold, München [4]1971, S. 1–26; hier S. 10f.

14 »Ich trommelte nicht nur gegen braune Versammlungen. Oskar saß den Roten und den Schwarzen, den Pfadfindern und Spinathemden von der PX, den Zeugen Jehovas und dem Kyffhäuserbund, den Vegetariern und den Jungpolen von der Ozonbewegung unter der Tribüne.« (Günter Grass, *Die Blechtrommel. Werkausgabe in 10 Bänden*, hrsg. von Volker Neuhaus, Bd. 2, Darmstadt/Neuwied 1987, S. 146) Vgl. auch den Hinweis von Grass, dass man Oskar »ja nicht als Widerstandskämpfer missversteht« (Barudio [Anm. 3], S. 22).

15 Vgl. Bjørn Bastiansen, *Vom Roman zum Film. Eine Analyse von Volker Schlöndorffs Blechtrommel*, Bergen 1990, S. 135.

16 Steinborn (Anm. 4), S. 11.

In der Binnenhandlung des Romans ist die Perspektive Oskars dominant, sodass die Ereignisse seiner Biographie immer vermittelt bleiben, während die visuell gezeigte Vergangenheit des Films für den Zuschauer durch Augenschein prüfbar ist. Das wird durch die dokumentarisch-realistische Ästhetik verstärkt, zumal Oskar dezidiert als visuelles Objekt der Kameraperspektive erscheint.

Der Verzicht auf die Nachkriegsbiographie Oskars reduziert das Gewicht des Erzählrahmens. Oskar wird auf zwei unterschiedliche Weisen inszeniert: Zum einen ist er im *voice-over*-Kommentar ein vernünftig artikulierender Deuter des Geschehens. In dieser Erwachsenenrolle tritt er in der Binnenhandlung nur den Außenseiterfiguren Schugger-Leo, Bebra, Roswitha Raguna gegenüber. Ist er aber mit der »normalen Welt« (SB 92) konfrontiert, spielt er den Dreijährigen. Diese Präsentation der Figur ist aus dem im Roman häufigen Wechsel zwischen Ich- und Er-Perspektive entwickelt. Optisch wird dieser Wechsel realisiert in der doppelten Perspektive der Kamera, die einerseits Oskar fokussiert, andererseits häufig seine Perspektive durch *point of view shot* oder durch Blickregie verdeutlicht, wie beispielsweise in der Sequenz Stockturm / Pension Flora.[17]

Eine weitere wesentliche Transformation betrifft die konzeptionelle und stoffliche Reduktion des Romans, die, wie Grass meinte, dramatische Raffung dessen, was im Roman episch breit ausgearbeitet ist.[18] Das dritte Buch sowie alle Elemente und Figuren des Erzählrahmens entfallen.

Der Roman ist aufgrund der Erzählstruktur wie der Bildlichkeit sowie der wechselseitigen Verknüpfung von Rahmen- und Binnenerzählung straff komponiert. Die

17 Vgl. Hans-Bernhard Moeller, »Volker Schlöndorffs neuere Literaturverfilmungen«, in: *Akten des 7 Internationalen Germanisten-Kongresses 1985. Kontroversen, alte und neue*, hrsg. von Albrecht Schöne, Bd. 10, Tübingen 1986, S. 316–329, hier S. 327; Hickethier (Anm. 6), S. 192.

18 Barudio (Anm. 3), S. 19.

Binnenerzählung Oskars folgt für sich betrachtet dem Erzählmodell der Autobiographie und ist chronologisch und episodenhaft geordnet, was neben anderem in der frühen Rezeption des Romans zur Einordnung als Schelmen- oder Pikaroroman geführt hat. Diese Komposition wird durch die Veränderung der Erzählstruktur im Film ins Episodische aufgelöst. Schlöndorff spricht in diesem Zusammenhang von einer »Freske« (SB 38) oder einem Tableau. Der Verlust von Zusammenhalt durch Form wird durch andere Momente aufgefangen. Der Film hat eine kreisförmige Struktur: Anfangs- und Schlusseinstellung zeigen die Kaschubei, am Anfang mit der jungen Großmutter, am Ende mit einer dieser ähnlichen alten Frau, die aber nicht identifizierbar ist. Das Zirkuläre wird unterstrichen durch den Einsatz der Filmmusik und einzelner Symbole. – Oskars Entschluss zum Wachstum nach dem Tod Alfreds und am Ende des Krieges signalisiert einen Ausbruch aus der ewigen Gleichförmigkeit der Verhältnisse.

Pläne für eine Fortsetzung des Films gab es seit der Entscheidung zum Verzicht auf Oskar Matzeraths Nachkriegsbiographie. Von *Oskar wächst … der Blechtrommel zweiter Teil* existiert ein Drehbuch aus dem Jahr 1986, das bislang nicht realisiert wurde.[19] Im Œuvre Schlöndorffs bildet Oskar Matzerath trotz seiner Einzigartigkeit keinen außergewöhnlichen Einschnitt; er ist eine der für Schlöndorffs Filme typischen Rebellenfiguren wie Törless (*Der junge Törless*, 1966) oder Kohlhaas (*Michael Kohlhaas – der Rebell*, 1969). In einem Interview aus Anlass der Premiere des Films *Die Fälschung* nach dem Roman von Nicolas Born betonte Schlöndorff die Kontinuität seiner Arbeit. »Laschen ist ein erwachsener Oskar Matzerath, der sich, statt im 2. Weltkrieg, im 3. Weltkrieg befindet.«[20]

19 Informationen dazu bei Wydra (Anm. 1), S. 126 f.

20 Bion Steinborn / Reiner Frey, »›Oskar Matzerath im 3. Weltkrieg‹. Interview mit Volker Schlöndorff über seinen Film ›Die Fälschung‹ – München, 31. 8. 1981«, in: *Filmfaust* 5 (1981), Nr. 24, hier S. 11.

Text

Grass, Günter: Die Blechtrommel (1959). Werkausgabe in 10 Bänden. Hrsg. von Volker Neuhaus. Bd. 2. Darmstadt/Neuwied 1987.

Film

Die Blechtrommel. Regie: Volker Schlöndorff. BRD 1979.

Forschungsliteratur

Barudio, Günter: Günter Grass: Im Filmbild bleibt das Literarische auf der Strecke. Interview mit Günter Grass. – Berlin, 29.5.1979. In: Filmfaust 3 (1979) Nr. 14. S. 19–27.

Bastiansen, Bjørn: Vom Roman zum Film. Eine Analyse von Volker Schlöndorffs Blechtrommel. Bergen 1990.

Head, David: Volker Schlöndorff's *Die Blechtrommel* and the ›Literaturverfilmung‹ Debate. In: German Life & Letters 36 (1983/84) S. 347–367.

Hickethier, Knut: Der Film nach der Literatur ist Film. Volker Schlöndorffs *Die Blechtrommel* (1979) nach dem gleichnamigen Roman von Günter Grass (1959). In: Literaturverfilmungen. Hrsg. von Franz-Josef Albersmeier und Volker Roloff. Frankfurt a. M. 1989. S. 183–198.

Hoesterey, Ingeborg: Das Literarische und das Filmische. Zur dialogischen Medialität der *Blechtrommel*. In: Günter Grass. Ästhetik des Engagements. Hrsg. von Hans Adler und Jost Hermand. New York (u. a.) 1996. S. 23–37.

Kilborn, Richard: Filming the Unfilmable. Volker Schlöndorff and *The Tin Drum*. In: Cinema and Fiction. New Models of Adapting, 1950–1990. Hrsg. von John Orr und Colin Nicholson. Edinburgh 1992. S. 28–38.

Lewandowski, Rainer: Die Filme von Volker Schlöndorff. Hildesheim / New York 1981.

Lüder Hagens, Jan: Aesthetic Self-Reflection and Political Consciousness in Schlöndorff's *The Tin Drum*. In: Signaturen der Gegenwartsliteratur. Festschrift für Walter Hinderer. Hrsg. von Dieter Borchmeyer. Würzburg 1999. S. 99–111.

Moeller, Hans-Bernhard: Volker Schlöndorffs neuere Literaturverfilmungen. In: Akten des VII. Internationalen Germanisten-Kongresses 1985. Kontroversen, alte und neue. Hrsg. von Albrecht Schöne. Bd. 10. Tübingen 1986. S. 316–329.
Schlöndorff, Volker / Grass, Günter: Die Blechtrommel als Film. Frankfurt a. M. 1979.
– *Die Blechtrommel.* Tagebuch einer Verfilmung. Darmstadt/Neuwied 1979.
Steinborn, Bion: Volker Schlöndorff: Wir sind jetzt die deutsche Filmindustrie. Interview mit Volker Schlöndorff. München, 31.3.1979. In: Filmfaust 3 (1979) Nr. 14. S. 3–18.
Wydra, Thilo: Volker Schlöndorff und seine Filme. München 1998.

The Loneliness of the Long-Distance Runner (Alan Sillitoe – Tony Richardson)

»Sliding magic lantern slides into my head«

Von Ingrid von Rosenberg

The Loneliness of the Long-Distance Runner erschien 1959 als Titelgeschichte einer Sammlung von Erzählungen, die Alan Sillitoe (geb. 1928) ein Jahr nach seinem literarischen Durchbruch mit dem Roman *Saturday Night and Sunday Morning* herausbrachte. Beide Werke beleuchten das Leben von Menschen aus der Arbeiterklasse, das Sillitoe aus eigenem Erleben kannte, und sie trafen damit den Nerv der Zeit.[1] Seit John Osborne 1956 am Royal Court Theatre in London mit seinem Stück *Look Back in Anger* einen Sensationserfolg erzielt hatte, waren literarische Werke gefragt, in deren Mittelpunkt trotzige junge Männer proletarischer Herkunft standen, die der Welt in deftiger Sprache ihre Unzufriedenheit entgegenschleuderten: Die materiellen Lebensbedingungen hatten sich zwar gegenüber der Vorkriegszeit verbessert, aber durch die Erosion traditioneller Werte waren neue, psychische Probleme entstanden. In schneller Folge erschienen Erfolgsromane mehr oder weniger junger, in diesem Milieu geborener Autoren, die man bald und gegen ihren Willen unter dem Etikett »Angry Young Men« als Gruppe konstruierte: John Braine (geb. 1922), Sid Chaplin (geb. 1916), David Storey (geb. 1933), Keith Waterhouse (geb. 1929), Stan Barstow (geb. 1928) und andere. Auch Sillitoes Erstlingswerke lassen sich hier einordnen und wurden große literarische wie finanzielle Erfolge.

1 Zu Sillitoes Biographie siehe seine autobiographischen Darstellungen »The Long Piece«, in: *Mountains and Caverns. Selected Essays*, London 1975, S. 9–40, und *Life Without Armour*, London 1995.

Das interessant neue Ambiente reizte eine Reihe politisch engagierter Regisseure zu Verfilmungen, insbesondere Karel Reisz (geb. 1926), Lindsay Anderson (1923–1994) und Tony Richardson (1928–1991), die ihrerseits nicht aus dem Arbeitermilieu stammten, aber vom Vorbild des sozialen Realismus der französischen Nouvelle-Vague-Filme beeindruckt waren. Sie selbst wurden bald als ›New Wave‹-Regisseure etikettiert.

Sillitoes Geschichte vom Langstreckenläufer ragt nicht nur der kompakten Kürze wegen aus dem Gros der so genannten »kitchen sink« (Spülstein-)Literatur, wie sie auch spöttisch genannt wurde, heraus. Der Held Smith ist mit 17 Jahren jünger als alle anderen, er ist kriminell, und es gibt keine Liebeshandlung. Wichtiger aber ist, dass Sillitoe gestalterisch neue Wege ging. Die Romane einschließlich Sillitoes eigenem Erstling waren der Tradition des realistischen Erzählens verpflichtet. *The Loneliness of the Long-Distance Runner* aber wird im Bewusstseinsstrom in einer stark soziolektisch eingefärbten Sprache erzählt. Mit dieser Konzentration auf eine Stimme, und zwar die eines kriminellen Außenseiters, weist die Novelle zugleich modernistische und postmoderne Züge auf.

Der Erzähler von Sillitoes Novelle ist ein junger Einbrecher namens Smith. Nach dem Krebstod seines Vaters und dem Verprassen des Versicherungsgelds durch die ganze Familie bricht Smith mit seinem Freund Mike in einer Bäckerei ein, um mehr Geld zu besorgen. Die in der Regenrinne versteckte Beute wird einem Polizisten vor die Füße gespült, und Smith muss als Wiederholungstäter ins Borstal, eine Jugendbesserungsanstalt. Dort wird sein Lauftalent entdeckt. Der Direktor lässt ihn für einen Wettkampf um den »Borstal Blue Ribbon Prize Cup for Long-Distance Cross-Country Running (All England)« trainieren. Smith genießt die Trainingsläufe, die ihm zum ersten Mal in seinem Leben erlauben nachzudenken, hasst aber die Behandlung durch den Direktor, der ihn wie ein Rennpferd einsetzt. Als Racheakt, aber auch als Protesthandlung gegen die Normen des ganzen Gesellschaftssystems verliert Smith absichtlich das Rennen. Die Folgen sind Verlust aller Vorrechte und Smiths weitere Verhärtung: Er rüstet sich für ein Leben in der Kriminalität.

Die Ereignisse werden jedoch nicht chronologisch erzählt, sondern sind eingelagert in die Erinnerungen des Helden. Die Geschichte weist eine dreiteilige Struktur auf. Der erste und der dritte Teil sind vor allem Smiths ›weltanschaulichen‹ Betrachtungen während des Trainings (1. Teil) und des Rennens (3. Teil) gewidmet. Hauptmotive seiner Gedanken sind der Hass gegen den Direktor und das gesamte Establishment sowie sein persönliches Wertesystem, das um den Begriff der »honesty« (Ehrlichkeit, Treue zu sich selbst) kreist. Kriegs- und Gewaltmetaphorik überwiegt. Seinen Entschluss, sich durch Verlieren des Rennens zu rächen, fasst er bereits während des Trainings. Doch trotz seiner Wut genießt Smith diese Läufe. Das gesteigerte jugendliche Körpergefühl und das Erlebnis der Natur beflügeln ihn zu poetischen Passagen: »I go my rounds in a dream, turning a lane or footpath corners without knowing I'm turning, leaping brooks without knowing they're there, and shouting good morning to the early cow-milker without seeing him. It's a treat being a long-distance runner, out in the world by yourself [...].« (»Meine Runden dreh ich im Traum, biege bei Fußsteigen und Heckenwegen um die Ecke, ohne es zu merken, springe über Bäche, ohne es zu merken, dass welche da sind, und rufe dem frühen Melker guten Morgen zu, ohne ihn zu sehen. Das macht richtig Spaß als Langstreckenläufer allein draußen [...]«.) Der zweite Teil ist weniger meditativ als handlungsorientiert und liefert den größten Teil der Vorgeschichte, aber eben auch in Form von »magic lantern slides« (»bunte Laterna-Magica-Bilder«) in seinem Kopf.

Drei Jahre nach Erscheinen der Novelle wurde der Text von Woodfall Films mit Tony Richardson als Regisseur und Sillitoe selbst als Drehbuchautor verfilmt. Die Vorlage gab besondere Probleme auf: Der Handlungsfaden reichte kaum aus für einen eineinhalbstündigen Spielfilm, musste also angereichert werden, vor allem aber ließ sich der größte Vorzug der Geschichte, der Erzählmodus, nicht direkt in das Medium Film übertragen.

Brian McFarlane hat in seinem Buch *Novel to Film* (1996) den hilfreichen Vorschlag gemacht, zur vergleichenden Analyse von Filmen und literarischer Vorlage auf einen Essay von Roland Barthes zur Narratologie von 1966 zurückzugreifen, nämlich auf »Einführung in die strukturale Analyse von Erzählungen« aus dessen *Das semiologische Abenteuer.* Nach Barthes lässt sich jede Erzählung in Einheiten aufbrechen, von denen einige, die er »Kerne« nennt (Handlungselemente, die Entscheidungsmomente darstellen), absolut notwendig für den Zusammenhang der Geschichte sind. Andere Handlungselemente, so genannte »Katalysen«, unterstützen deren Funktion nur, z. B. durch Spannungserzeugung. Wieder andere Einheiten, die so genannten »Indizien« (bei diesen handelt es sich nicht nur um Handlungselemente), verweisen auf komplexere Zusammenhänge wie die Psyche der Protagonisten, die Atmosphäre, die Ideologie, usw., d. h. auf die Bewertung des Geschehens. Es liegt auf der Hand, dass bei der Übertragung in das Medium Film vor allem die Indizien und Katalysen verändert werden können und müssen, während eine Veränderung der Kerne als Verfälschung der Vorlage empfunden würde.

Als Kerne von Sillitoes Geschichte lassen sich ausmachen: der Einbruch, das Verstecken der Beute, die Entdeckung des Geldes durch die Polizei, der Aufenthalt im Borstal mit den Trainingsläufen, schließlich das Rennen und die absichtliche Niederlage. Alle diese Handlungskerne sind übernommen unter Gebrauch der wenigen vorhandenen Dialoge, sodass die ›story‹ nicht verfälscht ist.

Dagegen wurden etliche Indizien verändert. So ist der

Gegner des Rennens im Film nicht die Mannschaft eines anderen Borstals, sondern die einer Public School, ein Einfall, der das Thema des Klassengegensatzes verstärkt und von Richardson stammt.[2] Und der Tod des Vaters, sein »Outlaw death«, im Text erst am Schluss während des Rennens aus der Verdrängung hervorbrechend, wird im Film in ausführlichen Rückblenden thematisiert. Darüber hinaus haben Regisseur und Autor eine ganze Reihe neuer indikativer Episoden hinzugefügt, z. B. eine Massenrevolte im Speisesaal zur weiteren Unterstreichung des Klassengegensatzes sowie das Verbrennen einer Geldnote als Ausdruck von Smiths Distanzierung von der Konsumgier seiner Familie. Weitere signifikante Handlungsepisoden sind an hinzuerfundene Figuren geknüpft. So freunden Smith und Mike sich im Film mit zwei Mädchen an. Die offensichtliche Funktion dieser konventionell konzipierten Frauenfiguren besteht darin, eine positive Gegenwelt gegenüber der Kälte des Borstals zu konstruieren, für die sich Smiths eigene kaputte Familie nicht eignete. Zwei Sequenzen, die die jungen Leute bei fröhlichen Ausflügen an den Stadtrand von Nottingham und ans Meer zeigen, dienen außerdem dazu, die Natur als Raum der Freiheit den Zwangsanstalten Fabrik und Borstal gegenüberzustellen: Sie unterstützen die Bedeutung der Laufszenen. Im Borstal werden neben dem Direktor mindestens zwei weitere für den modernen Strafvollzug charakteristische Figuren ansatzweise individualisiert, der wohlmeinende, aber schwache Psychologe zum einen und zum anderen der korrekte Sportlehrer. Wichtigste neue Figur ist aber ein Insasse, Stacey, bis zur Ankunft von Smith Liebling des Direktors. Sein Schicksal dient einerseits dazu, das Konkurrenzprinzip in der Gesellschaft bloßzulegen, andererseits dazu, den ›liberalen‹ Strafvollzug als verlogen anzuprangern: Er wird nach einem Fluchtversuch brutal zusammengeschlagen.

2 Brief von Alan Sillitoe an die Verf. vom 5. Mai 2003.

Trotz der deutlichen Anreicherung mit Handlung wollten weder Regisseur noch Autor auf die Wiedergabe von Smiths Meditationen ganz verzichten. Die Umsetzung von Gedanken einer Figur galt der Filmtheorie von jeher als ein besonderes Problem, sodass Richardsons und Sillitoes Lösungen hier besonderes Interesse verdienen.[3] Sie setzten vor allem auf Abwechslung. Das klassische Mittel des *voice over* (Erzählerstimme aus dem *Off*) wird nur ganz am Anfang während des Vorspanns eingesetzt. Während die Kamera Smith bei einem seiner Übungsläufe folgt, spricht Darsteller Tom Courteney Sätze aus den Anfangspassagen der Geschichte. Später dienen ein Interview beim Gefängnispsychologen, vertrauliche Gespräche Smiths mit seiner Freundin und kurze Dialoge mit anderen Borstal-Insassen dazu, Bruchstücke der Vorgeschichte und vor allem Smiths Einstellungen deutlich zu machen. Das innovativste Mittel zur Umsetzung von Smiths Bewusstseinsstrom sind aber ohne Frage die Laufszenen, die Sillitoes zentrale Metapher in den Film übertragen. Smiths Stimmungen werden ausschließlich mit visuellen Mitteln wiedergegeben und durch Musik unterstützt. Nach einer Luftaufnahme, die zeigt, wie sich die Schranke vor Smith zu seinem ersten Lauf in freiem Gelände hebt, folgt die Handkamera ihm, bald von fern, bald aus der Nähe, beim Lauf durch ein locker bewaldetes, leicht hügeliges Gelände, folgt seinem Blick hinauf in die Bäume und in den Himmel. Die bewegte Kamerafahrt und beschwingte Jazzmusik vermitteln gelungen Smiths Gefühl von Befreiung und Körperlust.

Obwohl die Frage nach der ›Treue‹ zum Original verfehlt wäre, da sie Eindimensionalität des Textes voraussetzen würde, stellt sich doch die Frage, inwieweit die Veränderungen zu einer neuen Ideologie im Film führen. Der

3 Vgl. zum Beispiel George Bluestone, *Novels into Film*, Berkeley (u. a.) 1971, S. 46–48.

Film ist trotz vielfachen Lobs von Kritikerseite besonders von Peter Harcourt und Eugene F. Quirk heftig kritisiert worden, weil er die individualistisch-anarchistische Protesthaltung der Novelle in eine eher krude klassenkämpferische Parabel übersetze. Beide machen ihre Kritik vor allem an den personellen und episodischen Zusätzen sowie an deutlichen Uminterpretationen übernommener Handlungselemente fest. Dass die Ideologie des Films von der im Text abweicht, ist deutlich. Die Zusätze und Veränderungen des Films laufen vor allem darauf hinaus, dass aus dem Kampf eines Einzelgängers gegen alle Obrigkeiten eine Konfrontation von Kollektiven geworden ist (Borstal Boys bzw. Smiths Familie und Freunde gegen das Establishment). Dazu gehörte, dass Smith weniger als aggressiv und mehr als sensibles Opfer der Verhältnisse dargestellt wurde. Das alles entsprach der politischen Einstellung der Neuen Linken, zu der Richardson gehörte. Sillitoe selbst hat dagegen schon sehr früh und immer wieder betont – besonders wenn man ihn als sozialistischen Autor reklamieren wollte –, dass es ihm nicht um klassenkämpferische Positionen gehe, sondern um die Würde des Individuums. »I don't believe in class at all, ever. I believe in individuals from A to Z, [...] as a writer I could never see people in class terms – you know in the Marxist class business [...]« [Ich glaube nicht an Klasse, niemals. Ich glaube an das Individuum von A bis Z, [...] als Schriftsteller konnte ich Menschen nie bloß als Vertreter ihrer Klasse sehen – Sie wissen schon, die marxistische Klassengeschichte], sagte er z. B. in einem Interview 1979.[4] In seinen Augen ist die Novelle die Geschichte eines Individuums, nämlich die eines kriminellen Jugendlichen, der seiner Version von »Ehrlichkeit« trotz aller absehbaren negativen Folgen treu bleibt und sich im Prozess des Laufens und

4 John Halperin, »Interview with Alan Sillitoe«, in: *Modern Fiction Studies* 25 (1979), S. 175–189, hier S. 183. Übersetzung von der Verf.

Nachdenkens zum Schriftsteller entwickelt.[5] Zugleich verleugnet er nicht den zerstörerischen Einfluss des Systems auf Smiths Gemüt, der sich in der Brutalität seiner Gewaltfantasien gegenüber allen Systemvertretern, den »In-Laws and Potbellies«, äußert.

Novelle wie Film faszinieren auch heute noch viele junge Leser und Zuschauer. Dies verdankt sich gewiss in erster Linie der zentralen Metapher des Laufens, die zum Mythos geworden ist, weil so viele Bedeutungen mitschwingen – von erhöhtem Köpergefühl und Naturverbundenheit bis zur (scheinbar möglichen) Flucht aus gesellschaftlichen Zwängen, aber auch bis zur physisch-mechanischen Anstrengung, die den Kopf frei werden lässt. Darüber hinaus vermitteln Film und Geschichte historisches Wissen über die britische Gesellschaft der 1950er- und 1960er-Jahre, über die Anfänge der Wohlstandsgesellschaft und der Konsumorientierung, über den ›modernen‹ Jugendstrafvollzug und die Auflösung des Wertesystems der Arbeiterklasse.

Text

Sillitoe, Alan: The Loneliness of the Long-Distance Runner. London 1959.

– The Loneliness of the Long-Distance Runner (1959). Hrsg. von Susanne Lenz. Stuttgart 2002 ([1]1985).

– Die Einsamkeit des Langstreckenläufers. Aus dem Englischen von Günther Klotz. Zürich 1967.

Filmskript

Sillitoe, Alan: The Loneliness of the Long-Distance Runner. MacMillan Audio Brandon 1962.

5 »It is more the story of a writer than a runner«, sagte Alan Sillitoe in einem Interview mit der Verf. am 5. November 1976.

Film

The Loneliness of the Long-Distance Runner. Regie: Tony Richardson. USA 1962.

Forschungsliteratur

Aldgate, Anthony / Richards, Jeffrey: New Ways, Old Ways and the Censors. *The Loneliness of the Long-Distance Runner.* In: Best of British Cinema and Society from 1930 to the present. New York 1999, S. 185–200.

Atherton, Stanley S.: Alan Sillitoe. A Critical Assessment. London 1979.

Bahn, Sonja: Alan Sillitoe. In: Englische Literatur der Gegenwart in Einzeldarstellungen. Hrsg. von Horst W. Drescher. Stuttgart 1970. S. 207–233.

Barthes, Roland: Einführung in die strukturale Analyse von Erzählungen. In: Das semiologische Abenteuer. Aus dem Französischen von Dieter Hornig. Frankfurt a. M. 1988. S. 102–143.

Halperin, John: Interview with Alan Sillitoe. In: Modern Fiction Studies 25 (1979). S. 175–189.

Hanson, Gillian Mary: Understanding Alan Sillitoe. Columbia / South Carolina 1999.

Harcourt, Peter: I'd Rather Be Like I Am. Some Comments on *The Loneliness of the Long-Distance Runner.* In: Sight and Sound 32. No. 1 (Winter 1962–1963). S. 16–19.

Hill, John: Sex, Class and Realism. British Cinema 1956–1963. London 1997 ([1]1985). Bes. Kap. 7 (Working-Class Realism II). S. 145–176.

Hitchcock, Peter: Working-Class Fiction. A Reading of Alan Sillitoe. Ann Arbor (Mich.) 1989.

Hutchings, William: The Work of Play. Anger and the Expropriated Athletes of Alan Sillitoe and David Storey. In: Modern Fiction Studies 33:1 (spring 1987). S. 35–47.

Lange, Bernd-Peter: Sillitoe. *The Loneliness of the Long-Distance Runner.* In: Die englische Kurzgeschichte. Hrsg. von Karl-Heinz Göller u. Gerhard Hoffmann. Düsseldorf 1973. S. 327–336.

Maloff, Saul: The Eccentricity of Alan Sillitoe. In: Contemporary

British Novelists. Hrsg. von Charles Shapiro. Carbondale 1965. S. 95–113.

McDougal, Stuart Y.: Made into Movies. From Literature to Film. Fort Worth / Philadelphia 1985. S. 179–189.

McFarlane, Brian: Novel to Film. An Introduction to the Theory of Adaptation. Oxford 1996.

Nardella, Anna R.: The Existential Dilemmas of Alan Sillitoe's Working-Class Heroes. In: Studies in the Novel 5 (1973). S. 469–482.

Penner, Alan: Human Dignity and Social Anarchy. Sillitoe's *The Loneliness of the Long-Distance Runner*. In: Contemporary Literature 10 (1969). S. 253–265.

Quirk, Eugene F.: Social Class and Audience. Sillitoe's Story and Screenplay *The Loneliness of the Long-Distance Runner*. In: Literature / Film Quarterly Vol. 9. No. 3 (1981). S. 161–171.

Rollins, Janet Buck: Novel into Film. The Loneliness of the Long-Distance Runner. In: Literature / Film Quarterly 9. No. 3 (1981). S. 173–188.

Rosenberg, Ingrid von: Alan Sillitoe. Saturday Night and Sunday Morning. München 1984.

– Der Weg nach oben. Englische Arbeiterromane 1945–1978. Frankfurt a. M. 1979.

A Clockwork Orange (Anthony Burgess – Stanley Kubrick)

Von Christian W. Thomsen

Als der 1917 geborene Anthony Burgess 1959 wegen Verdachts auf Gehirntumor aus dem Kolonialdienst auf Borneo nach England zurückgeschickt wurde, da gaben ihm die Ärzte noch ein Jahr. Burgess schrieb gegen das angebliche Verhängnis an und lieferte in seinem ›letzten Jahr‹ fünf Romane ab, aus denen heraus sich dann für die nächsten zwei Jahrzehnte all jene Themen um Willensfreiheit, Gnade, Verdammung, Erbsünde, Erlösung, die Rolle des Künstlers in einer dekadenten Welt herausschälen sollten, die ihn, mit durchschnittlich zwei Büchern pro Jahr, zu einem überaus erfolgreichen Autor machten.

In seinem dystopischen Roman *A Clockwork Orange* (1962) über die Kriminalität englischer Jugendbanden und menschenverachtende staatliche Umerziehungsmethoden, welche aus dem Bandenführer Alex einen willenlosen ›do gooder‹ machen, greift Burgess u. a. auf Erfahrungen mit den brutalen Leningrader ›stilyagi‹, dortigen jugendlichen Kriminellen, zurück, deren Umtriebe er anlässlich eines Besuches der Sowjetunion 1961 kennen gelernt hatte. Deren Slang mag ihn auch zum stilistisch hervorstechenden Charakteristikum seines Romans angeregt haben, dem ›Nadsat‹, einer stark mit Russismen versetzten Teenagersprache, derer sich Alex und seine ›droogs‹ bedienen. Alex macht mit seiner Bande City und Außenbezirke eines vage beschriebenen London in nicht allzu ferner Zukunft mit Raubüberfällen, Vergewaltigungen und Totschlag unsicher. Zahlreiche Elemente britischer Jugendkriminalität der 1970er- und 80er-Jahre werden hier vorausgeahnt (vgl. Football Hooligans sowie die Filme *Shopping* und *Train-*

spotting). Nach der Vergewaltigung der Frau des Schriftstellers F. Alexander und dem Totschlag an der exzentrischen »Cat Lady« wird der von seinen »droogs« heimtückisch der Polizei ausgelieferte Alex zu 14 Jahren Gefängnis verurteilt. Freiwillig meldet er sich zur Teilnahme am Experiment der ›Ludovico-Technik‹, mit deren Hilfe die Behörden ihn von seinem manischen Drang zur Gewalt kurieren wollen. Durch die Zufügung von Schmerzen bei der Betrachtung von Sex- und Gewaltfilmen zum Guten konditioniert und obendrein noch mit Ekel gegenüber seiner geliebten Musik, vor allem der Beethovens, angefüllt, wird Alex nun den Drangsalierungen seiner früheren Opfer ausgesetzt. Mit einem selbstmörderischen Sprung aus dem Fenster will er sich der Musikfolter seines ›alter ego‹ F. Alexander entziehen, überlebt jedoch und wird aus politischen Gründen wieder mit Willensfreiheit ausgestattet, und es wird die Blockade seiner angeborenen Triebstrukturen durch die Konditionierungen gelöst. Der Schluss, bzw. die beiden alternativen Schlüsse des Romans, bilden die ästhetische und gehaltliche Crux des Werkes. Burgess, der neben englischer Literatur auch Musik studiert hat, komponierte seinen Roman nach dem A-B-A-Muster, wobei der dreiteilige Roman in jedem Teil sieben Kapitel aufweist und der letzte Teil spiegelbildlich auf den ersten bezogen ist. Die Lektoren seines amerikanischen Verlegers W. W. Norton überredeten ihn jedoch, das letzte Kapitel des dritten Teils aus der amerikanischen Ausgabe herauszunehmen (es fand dort erst 1987 bei einer Neuauflage Eingang), wodurch nicht nur die Symmetrie des Aufbaus verloren geht, sondern auch die Aussage des Buches vehement verändert wird. Alex, der erzählte Erzähler, schließt nämlich in der britischen Fassung seinen Bericht an seine Zuhörer, die er vieldeutig als »my brothers« anredet, als zynische Confessio nach Muster eines religiösen Traktats mit seiner Bekehrung. Er, der notorische Vergewaltiger, für den Frauen bislang nur Sexobjekte mit Dingstatus waren, träumt nun von einer »devotchka«, die ihm in totaler Aufrechterhaltung patriarchalischer Strukturen einen Sohn gebiert, fügsam schnurrt und ihm abends das Essen bereitstellt, wenn er von ordentlicher Arbeit nach Hause kommt.[1] Alex tagträumt davon, domestiziert und ins spießbürgerliche ›lower-middle-class‹-Establishment seiner Eltern heimgeholt zu werden. Die seelenlose Grausamkeit und Brutalität seiner Adoleszenzjahre werden somit als Durchgangsstation und lässliche Jugendsünden entschuldigt. Dies mag, wie Burgess meint, sogar einen höheren Realitätsgehalt besitzen als die zweite Fassung. Inhaltlich gesehen kann die Moralitätenanleihe und Rückkehr in die Spießeridylle nicht überzeugen. Zu sehr hat Alex den Bogen überspannt, um sich nun bruchlos in einen »... und wenn sie nicht gestorben sind ...«-Märchenschluss zu retten.

Infolgedessen verwundert es auch nicht, dass Stanley Kubrick (1928–1999), einer der großen »Künstler der Angst«[2] des 20. Jahrhunderts, sich die amerikanische Ausgabe als Vorlage für sein Drehbuch (1970) nahm und daraus in hellstem Licht einen ungemein düsteren Film (1971) schuf, getreu seiner misogynen Überlegung, dass mit der menschlichen Persönlichkeit schon von Natur aus etwas nicht in Ordnung ist.[3] Kubrick, der einsam, menschenscheu, zurückgezogen, exzentrisch und hypochondrisch auf seinem Landsitz in Hertford lebte und stets lange nach den Stoffen für seine Filme suchte,[4] macht, in enger Anlehnung an die literarische Vorlage, aus Burgess' Roman den Film einer ganzheitlichen Lebenserfahrung des archetypischen Bösen, in einer sich steigernden Spiral-

1 Vgl. Deanna Madden, »Women in Dystopia: Misogony in *Brave New World*, *1984* and *A Clockwork Orange*«, in: *Misogony in Literature: an Essay Collection*, hrsg. von Katherine A. Ackley, New York 1992, S. 289–311.

2 George Seeslen / Ferdinand Jung, *Stanley Kubrick und seine Filme*, Marburg 2001, S. 33.

3 Seeslen / Jung (Anm. 2), S. 33.

4 Vgl. ebd., S. 21–24.

bewegung der Gewalt, in der sich am Schluss Individuum und Staat zu unheiliger Allianz und Komplizenschaft zusammenfinden. Am deutlichsten wird dies sichtbar in jenen Bildern, in denen Alex, der Rekonvaleszent, geheilt von seinen philanthropischen Verirrungen, vom Innenminister höchstpersönlich im Krankenhausbett gefüttert wird. Immer unverschämter, fordernder und komplizenhafter sperrt er den Mund auf, wie jene Kuckucke, die als Eier in fremde Nester gelegt, noch bevor sie flügge werden, die echten Kinder ihrer Zieheltern aus dem Nest stoßen. Am Ende inszeniert Alex als Künstler Gewalt und Sexualität, sanktioniert und gefördert vom Staat, wobei ihm vom Publikum, der Gesellschaft, kostümiert im Stile des 18. Jahrhunderts, freudig applaudiert wird.

Vergleiche mit anhaltenden historischen und politischen Situationen sind dabei durchaus erlaubt. Kubrick hat seinen Film politisch vielschichtiger angelegt als Burgess seinen Roman. Letzterer lief vor allem zeitlebens wütend Sturm gegen alle Versuche des Staates, die Willensfreiheit des Menschen einzuschränken, wobei es freilich seit der Antike und den Kirchenvätern umstritten ist,[5] wie weit der Mensch von vornherein durch Gott oder Gene determiniert, durch gesellschaftliche Umstände konditioniert oder doch stets in der Lage ist, freie Willensentscheidungen zu treffen. Ohne Kubricks Filmfassung wäre Burgess' Roman wenn nicht in Vergessenheit geraten, so doch lediglich durch seine sprachliche Originalität von fortwirkendem Interesse. Der ›Nadsat‹-Jargon von Alex und seinen Kumpanen macht das Buch nicht nur zum beliebten Übungsgelände für linguistische Untersuchungen[6], sondern auch

5 Als irischer Katholik geboren, kam Kubrick, obwohl er sich schon früh vom Katholizismus abgewandt hatte, zeit seines Lebens von Grundpositionen katholischer Dogmatik nicht los.

6 Vgl. z. B. Robbie B. H. Goh, »›Clockwork‹ Language Reconsidered. Iconicity and Narrative in Anthony Burgess' ›A Clockwork Orange‹«, in: *Journal of Narrative Theory 30.2 (Summer 2000)*, S. 263–280. – Robert E. Evans, »›Nadsat‹: The Argot and its Implications in Anthony Burgess'

noch anhaltend lesenswert. Mag dieser »teenage-argot«[7] ursprünglich auch gedacht gewesen sein, Evokationen an Kommunismus, Kalten Krieg, sklavische Unterdrückungsmechanismen wachzurufen, so überzeugen heute, nach Beendigung des Kalten Krieges, eher die sprachspielerischen, musikalischen, sprachschöpferischen, onomatopoetischen Aspekte von Alex' Sprache.

»Sprich, damit ich dich sehe«, lautet ein altes Hörspiel-Motto, und so geht es auch dem Leser von Burgess' Roman. Der Leser macht sich eine Bildvorstellung vom Protagonisten aufgrund des Klanges und der Plastizität von dessen Sprache, bei deren Verständnis der Rezipient kreativ mitwirken muss. Dabei gehen der rätselhafte Titel von Roman und Film auf einen Cockney-Ausdruck zurück, der etwas äußerst Bizarres, hier die Verbindung von Organischem und Maschinellem, bezeichnet.

Die Visualisierung der Sprache, welche ja eine Kernaufgabe des Films ist, obliegt bei der Literatur dem Leser.[8] Er macht sich vielschichtige, oft aber auch verschwommene Bildvorstellungen vom Gelesenen, die jedoch höchst individuell, nach Vorwissen, Bildungsgrad, Neigung etc. verschieden sind. Deshalb ist ein Kenner des Ursprungstextes dann auch bei Literaturverfilmungen oft enttäuscht, weil der Regisseur, wenn er sich unter vielen möglichen Interpretationen für eine entschieden hat, diese auch konsequent umsetzen muss. Kubrick nun leistet diese Umsetzung mit sprachlicher Differenzierung, mit film- und kameratechnischen Mitteln und mit bedeutungsträchtigen Filmaccessoires.

›A Clockwork Orange‹, in: *Journal of Modern Literature,* S. 406–410. – Bettina Stoll, »Die Russismen der ›Nadsat‹-Sprache in ›A Clockwork Orange‹, in: *Literatur in Wissenschaft und Unterricht 20.2,* S. 364–373. – Arno Heller, »Anthony Burgess' ›A Clockwork Orange‹ (1962)«, in: *Der Science-Fiction Roman in der anglo-amerikanischen Literatur,* hrsg. von Hartmut Heuermann, Düsseldorf 1986, S. 236–252.

7 Evans (Anm. 6), S. 409 f.

8 Vgl. Irmela Schneider, *Der verwandelte Text. Wege zu einer Theorie der Literaturverfilmung,* Tübingen 1981, S. 156.

Sprachlich umgreift er dabei alle Valeurs der Körpersprache, von gesprochener Sprache über Mimik und Gestik bis zur spezifischen Körperhaltung von Charakteren. Der Leser des Romans macht sich vor allem ein Bild vom Protagonisten Alex aufgrund seiner exotischen Sprache. Im Film fällt Alex' Sprache weniger auf als sein Aussehen und seine Körpersprache, weil Kubrick bis zu feinsten Nuancen auch alle anderen Charaktere gemäß den sprachlichen Abstufungen britischer Klassengesellschaft differenziert. Hier gilt der Grundsatz: »Sage mir, wie du intonierst, und ich sage dir, wer du bist.« Der Innenminister, gespielt von Anthony Sharp, spricht mit dem typischen Oxford-Englisch und auf dem Rücken verschränkten Armen konservativer Politiker, Michael Bates als Gefängnisaufseher im schnarrenden, wie auf eine Sehne gespannten Militärton britischer Unteroffiziere, Phillip Stone als das ›lower-middle class‹-›Weichei‹ von Alex' Vater in weinerlich-softem Cockney, Miriam Karlin als Cat-Lady Mrs Weathers im vulgarisierten ›upper-class‹-Englisch neureicher ›middle-class‹, Ärzte und Beamte im korrekt-neutralen Englisch funktionierender Befehlsempfänger.

Was die Kamera angeht, so arbeitet Kubrick auch hier einerseits mit Totalen, mit *close-ups*, welche die kleinste Hautpore sichtbar machen, andererseits aber auch mit dem ›Tunneleffekt‹ frontaler Einstellungen, die den Blick in lange Raumfluchten hineinsaugen. Daneben benutzt er Trickaufnahmen, Zeitlupe, Zeitraffer, Weitwinkelobjektive und Handkamera zur Erzeugung subjektiv verzerrter Perspektiven, wodurch Reaktionen der Abstoßung und Distanz wie der Identifikation gleichermaßen ermöglicht werden.

Alex ist der komplexeste Charakter von Buch und Film. Anthony Burgess betont in seiner Namensgebung insbesondere die Symbolik des Gesetzlosen (*a-lex*, also der, der aus dem Gesetz herausfällt[9]), doch reicht die Namensymbolik beträchtlich weiter. Alex De Large, gespielt von Malcolm McDowell, ist ein Unterschicht-Aristokrat und Libertin, zugleich durchaus Künstler, als dessen historisches Vorbild bis zu gewissem Grad John Wilmot, Second Earl of Rochester (1648–1680), der berühmteste aller britischen »rakes«, gelten kann. Amoralischer Wüstling, eleganter Hofmann, sensibler Dichter und couragierter Kämpfer und Fechter trafen bei ihm in einer Person zusammen, in Alex zusätzlich noch die Tradition des Dandys, die in den ›Mods‹ und ›Teddy Boys‹ der späten 1950er- und frühen 1960er-Jahre fröhliche Urstände feierten, als Carnaby Street und Kings Road mit ihren zahlreichen Boutiquen vorübergehend zum Modezentrum der westlichen Welt wurden. Die Lust am Sich-Kostümieren, an der satirischen Maskerade, schlug seinerzeit hohe Wellen. Und so treten Alex und seine »droogs« mit den Bowlerhüten der Finanzmakler und Banker, im makellosen Weiß der Fechter mit dem aggressiven Genitalschutz mittelalterlicher Ritter auf, bewehrt mit Spazierstöcken mit gehärtetem Knauf und verborgenen Klingen. Dazu bei Alex die falschen Wimpern um das rechte, seelenvolle Auge, mit dem er den Zuschauer frontal oder mit seitlich geneigtem Haupt schräg von unten anblickt, »gestischer Widerspruch zu sich selbst«[10], Höhepunkt des Tückisch-Aggressiven, »dieser Blick, der sich verzweifelt an der Welt entleert«[11], »Blicke, die in der äußeren Welt keinen Halt finden«[12].

Das besitzt durchaus etwas Tragisches. Denn Alex ist in seiner grandiosen Bösartigkeit ja auch verhinderter Musiker, Tänzer und Künstler. Mit Gene Kellys Tanzschritten

9 Douglas A. Pearson Jr., »Anthoy Burgess's ›A Clockwork Orange‹«, in *Censored Books. Critical Viewpoints*, hrsg. von Nicholas J. Karolides (u. a.), Metuchen / New York 1993, S. 187.

10 Vgl. Seeslen/Jung (Anm. 2), S. 70.

11 Vgl. ebd., S. 12.

12 Vgl. ebd., S. 14.

und dem Titelsong aus *Singing in the Rain* (1952), einer Persiflage der Traumfabrik Hollywood, schlägt er Wehrlose zusammen und vergewaltigt sie, also eine beißende Persiflage der Persiflage mit sardonischer Meta-Ironie. Wo sich Tragödie und Farce zusammenfinden, da entsteht eine eigene Gattung, die Groteske, bei deren grimmigem Humor einem das Lachen im Halse stecken bleibt.

Nach den Worten Kubricks ist *A Clockwork Orange* »ein satirischer, pikanter, sardonischer, ironischer, politischer, gefährlicher, komischer, erschreckender, brutaler, metaphorischer und musikalischer Film«[13]. Dabei wird vor allem die Musik Purcells, Rossinis, Beethovens und Elgars in Umkehrung gängiger Normvorstellungen zur Unterstützung von Gewaltszenen eingesetzt. Ausgerechnet zu »Freude schöner Götterfunken« (dem Finale aus Beethovens neunter Sinfonie mit der Vertonung der Ode *An die Freude* von Friedrich Schiller) steigert Alex sich zu Szenen orgiastischer Brutalität. So unrealistisch ist dies nicht. Musik ist, wie jedes große Pop-Konzert von neuem beweist, die Kunst, welche Emotionen am stärksten und tiefsten zu stimulieren vermag.

Der Perfektionist Kubrick, der von jeder Szene Dutzende von *takes* aufnahm, komponierte als Liebhaber von Jazz, Fotografie und Schachspiel seine Filme als Spiel komplexer Rhythmen, gleichzeitig mit dem kalten Licht und der gnadenlosen Ästhetik der Vivisektion. Kunst und Gewalt entsprangen für ihn dem gleichen anarchischen Trieb, der Kreativität und Destruktivität umfasst.

13 Stanley Kubrick, zitiert in Seeslen/Jung (Anm. 2), S. 187.

Text

Burgess, Anthony: A Clockwork Orange (1962). London (u. a.) 1972.
– Uhrwerk Orange. Übersetzt von W. Brumm. München 1972.
– Die Uhrwerk-Orange. Übersetzt von W. Krege. Stuttgart 1993.

Drehbuch

Stanley Kubrick's Clockwork Orange. Based on the novel by Anthony Burgess. London 1972.

Film

Clockwork Orange. Regie: Stanley Kubrick. USA 1971.

Forschungsliteratur

Evans, Robert E.: ›Nadsat‹. The Argot and its Implications in Anthony Burgess' *A Clockwork Orange*. In: Journal of Modern Literature 1. 1971. S. 406–410.
Goh, Robbie B. H.: ›Clockwork‹ Language Reconsidered. Iconicity and Narrative in Anthony Burgess' »*A Clockwork Orange*«. In: Journal of Narrative Theory 30.2 (Summer 2000). S. 263–280.
Gorra, Michael: The World of *A Clockwork Orange*. In: Gettysburg Reviews. PA 1990. S. 630–646.
Heller, Arno: Anthony Burgess' *A Clockwork Orange* (1962). In: Der Science-Fiction Roman in der anglo-amerikanischen Literatur. Hrsg. von Hartmut Heuermann. Düsseldorf 1986. S. 236–252.
Kaufmann, Stanley: Living Images. New York 1975. S. 88–90.
Kirchmann, Kay: Stanley Kubrick. Das Schweigen der Bilder. Marburg 1993.

Luckett, Moya: Reforming Masculinities. Dandyism and male fashion 1960s–70s British cinema. In: Fashion cultures. Theories, exploration, and analysis. Hrsg. von Stella Bruzzi. London 2000. S. 315–328.

Madden, Deanna: Women in Dystopia. Misogony in *Brave New World*, *1984*, and *A Clockwork Orange*. In: Misogony in Literature. An Essay Collection. Hrsg. von Katherine A. von Ackley. New York 1992. S. 289–311.

Pearson, Douglas A. Jr.: Anthony Burgess' *A Clockwork Orange*. In: Censored Books. Critical Viewpoints. Hrsg. von Nicholas J. Karolides (u. a.). Metuchen / New York 1993. S. 185–190.

Rabinovitz, Ruben: Ethical Values in Anthony Burgess' *Clockwork Orange*. Studies in the Novel. North Texas State University. Vol. 11. Jg. 1979. S. 43–50.

Seeslen, Georg / Jung, Ferdinand: Stanley Kubrick und seine Filme. Marburg 1999.

Sobchak, Vivian C.: Decor as theme. *A Clockwork Orange*. Salisbury State College. Literature / Film Quarterly. MD 1981. S. 92–102.

Stoll, Bettina: Die Russismen der ›Nadsat‹-Sprache in *A Clockwork Orange*. In: Literatur in Wissenschaft und Unterricht 20.2. 1987. S. 364–373.

Fahrenheit 451 (Ray Bradbury – François Truffaut)

Zwischen Bild und Bild oder wie man einen Film über ein Buch über Bücher macht

Von Tilman Lang

Die Frage, wie ein Film ein ihm zugrunde liegendes literarisches Werk adaptiert und transformiert, verkompliziert sich, wenn die Literatur oder das Buch sich selbst als Medium zum Gegenstand hat. »[...] ich wollte wissen, ob es möglich ist, einen Film zu machen, der sich nur um Bücher dreht. [...] es gab bei mir nie einen Konflikt zwischen Literatur und Film. Ich wollte nichts weiter, als einen Film über Bücher machen, so einfach ist das«[1], stellt François Truffaut in einem Interview lapidar fest.

Aber ist es wirklich so einfach? Wie viele andere Regisseure, so hatte auch Truffaut eine ausgeprägte Neigung zur Literatur, die sich in verschiedenen seiner Filme zeigt: »Film-Bücher, Bücher-Filme, das ist das Räderwerk meines Lebens, denn meine doppelte Liebe zu den Büchern und zu den Filmen hat mich dazu gebracht, *Jules et Jim* zu drehen, die Hommage auf ein ganz besonderes Buch, und *Fahrenheit 451*, der sie alle umfasst.«[2] Auch hinter Truffauts Film *Fahrenheit 451* steckt also ein Buch, weit weniger verborgen freilich als die realen Bücher in Truffauts Film, in dem bezeichnenderweise sogar der Fernseher als Versteck für Bücher dient.

Das Buch hinter dem Film ist Ray Bradburys 1953 erschienener Roman *Fahrenheit 451*, der in die Reihe klassi-

1 Robert Fischer (Hrsg.), *Monsieur Truffaut, wie haben Sie das gemacht?*, Köln 1991, S. 81.

2 Zit. nach Ulrich Gregor, »Wirklichkeit und Fantasie oder: die Entfaltung der Widersprüche«, in: *François Truffaut*, hrsg. von Peter W. Jansen und Wolfram Schütte, München 1974, S. 26.

scher Negativ-Utopien bzw. Dystopien wie George Orwells *1984* oder Aldous Huxley's *Brave New World* gehört. Ähnlich wie *1984* ist *Fahrenheit 451* eine Geschichte der Austreibung der Individualität, die hier aber den Weg über die Ächtung eines Mediums bzw. das Verbot und die Vernichtung von Büchern nimmt.[3] Programmatisch verweist der Titel *Fahrenheit 451* (ca. 220° Celsius) auf die Temperatur, bei der Papier zu brennen beginnt.

Obwohl und vielleicht gerade weil es vor fünfzig Jahren geschrieben wurde, ist insbesondere die medientechnologische Ausstattung von erstaunlicher Aktualität: Wände füllende Fernsehmonitore, interaktive Fernsehformate bis hin zu »muschelförmigen Radios«, die man heute Headset nennt, oder jene kleinen Ohrmuscheln, die »Sender und Empfänger in einem« sind, sprich Mobiltelefone.

Damit ist bereits angedeutet, dass die Geschichte um den Feuerwehrmann Guy Montag von Medien, genauer von der Konkurrenz zwischen Büchern und audiovisuellen Medien handelt. Dies impliziert auch ein Problem für das Gedächtnis der Gesellschaft. So hat Montag, dessen tägliches Geschäft es ist, Feuer zu legen und Bücher zu verbrennen, keine Ahnung, dass die Feuerwehr einst eigentlich dazu da war, Feuer zu löschen, Leben und Dinge zu erhalten. Erst ein gesellschaftlicher Outlaw, ein siebzehnjähriges Mädchen namens Clarisse, irritiert seine Ahnungslosigkeit und beginnt seinen Verdacht zu nähren, dass es noch eine andere Wirklichkeit gibt jenseits staatlich verordneter Unterhaltung und sanktioniertem Nervenkitzel. Als im Zuge eines neuerlichen Feuerwehreinsatzes eine alte Frau sich entscheidet, mit ihrer Bibliothek zu verbrennen, stellt sich Montag die entscheidende Frage: »Es muss etwas dran sein an den Büchern, etwas, von dem wir uns keine Vorstellung machen, wenn eine Frau sich deswegen verbrennen lässt.«

3 1951 hatte Bradbury zunächst eine lange Erzählung unter dem Titel *The Fireman* in der Zeitschrift *Galaxy Science Fiction* veröffentlicht. Erst zwei Jahre später erschien die erweiterte Romanfassung.

In der Folge beginnt Montag, bei seinen Einsätzen Bücher zu stehlen, sie in seinem Haus zu verstecken und sich ihrem Geheimnis zu nähern. Dabei wird er von der scheinbar trivialen Einsicht geleitet, dass »hinter jedem Buch ein Mensch steht. Jedes einzelne mußte erst von einem Menschen erdacht werden.« Er attestiert der Welt der Bücher eine ihm unbekannte Individualität und Personalität. Sie wird für Montag zum Gegenentwurf der Welt der ›sprechenden‹ Fernsehwände, einer Welt der ebenso anonymen wie Interaktivität nur simulierenden Kommunikationsapparate.

Den Fernsehwänden, aus denen Montag Infotainment und Gewinnspiele entgegendröhnen, wird eine Simulation von Interaktion durch Technik zugeschrieben. Von dieser Simulation wird Montags Frau Mildred in einem solchen Maß beherrscht, dass sie sich selbst fast als Bestandteil der »Fernseh-Familie« betrachtet. Bradburys Beschreibung weist dabei eine erstaunliche Nähe zu Positionen der aktuellen Medienwissenschaft auf, die die Simulation visueller Authentizität durch Fernsehangebote betont und dabei hervorhebt, dass es gerade dem Fernsehen gelinge, seine Konstruktivität zu verschleiern und den Zuschauern zu suggerieren, ihre kognitive, kommunikative und emotionale Bindung an das Medienangebot erfolge unter denselben Bedingungen wie in interaktiven außermedialen Wahrnehmungen.[4] Bradburys implizite Schlussfolgerung lautet: Mit der Durchsetzung der Fernsehwände und in einer Welt dominierender Audiovisionen werden Wahrnehmung und Kommunikation bis zu einem Punkt technisiert und entpersönlicht, an dem jeglicher Individuations- und Imaginationsspielraum wegfällt. Bilder werden nicht mehr vorgestellt bzw. imaginiert, sondern eingepflanzt bzw. implementiert. Reflexion wird ersetzt durch ›automatische

4 Vgl. dazu Siegfried J. Schmidt, *Kognitive Autonomie und soziale Orientierung*, Frankfurt a. M. 1994, S. 275.

Reflexe‹, die durch immer erhöhte Reizquantität ausgelöst werden und denen man sich kaum entziehen kann.

Dieser Welt der undurchdringlichen, Interaktion simulierenden und Wirklichkeit manipulierenden Audiovisionen wird im Roman die geächtete Welt der Bücher gegenübergestellt. Die Weise allerdings, wie der Roman die Bedeutung von Buch und Literatur gegen die audiovisuellen Massenmedien abgrenzt, bedarf genauerer Betrachtung. Dass sie als Gegenwelt zur totalitären Bilderpräsenz, zur »Bilderhöhle« (Kamper) der Fernsehwände entworfen wird, dessen Vervollkommnung Mildred mit der Anschaffung einer vierten Fernsehwand selbst noch einfordert, ist nur auf den ersten Blick trivial.

Anders als bei den Fernsehwänden, »mit denen sich schlecht streiten lässt« (S. 100), erklärt der alternde Literaturwissenschaftler Faber, gebiete man über Bücher »unumschränkt«. »Bücher können mit dem Verstand widerlegt werden.« (S. 101) Im Unterschied zur Umklammerung durch das Fernsehen besteht das Charakteristikum der Literatur aus Fabers Sicht gerade darin, dass man sich mit ihr auseinander setzen könne, dass sie, wenn nicht körperliche Interaktion, so doch Kommunikation ermögliche. Im Roman wird die verlorene Buch- und Lesekultur entsprechend kurzgeschlossen mit einer Welt, in der es noch Gesprächskultur und Geselligkeit gab, in der die Menschen zusammensitzen und »ein Gespräch führen« (S. 24). Bücher werden so als Verlängerung im Moment stattfindender Interaktion und zugleich als deren Aufschub verstanden.

Buch und Literatur gehören nicht nur in eine verlorene Welt der Interaktion, sondern auch in eine verlorene Welt der Individuation und der Imagination. Literatur eröffnet Imaginationsräume, ihre Sinngehalte werden in den Köpfen der jeweiligen Leser gebildet – Literatur handelt deshalb, wie Faber Montag erklärt, gerade nicht von *der* einen Wirklichkeit. Gerade weil sich die Bedeutungen von Büchern je individuell erschließen, ist die (moderne) Buchkultur dem Autorsubjekt ebenso wie der Individualität des (einsamen) Lesers verpflichtet. Individualität meint dabei eine Bedeutungsvielfalt und eine Vielfalt der Weltbilder, die Captain Beatty, Montags Vorgesetztem, zufolge eine gefährliche »Beunruhigung der Zivilisation« (S. 75) darstelle. Der kanadische Medientheoretiker Marshall McLuhan (geb. 1959) hat nur wenige Jahre nach Erscheinen von *Fahrenheit 451* Buchdruck und Buchkultur entsprechend als »Techniken des Individualismus« bezeichnet, die den Menschen »entkollektiviert« hätten.[5] Und so heißt es auch von Clarisse und ihrer Familie, dass sie »anders waren [...]. Mit dem Onkel stimmte etwas nicht, er galt als Einzelgänger. Das Mädchen? Ein Zeitzünder ...« (S. 75 f.).

Dem Verschwinden der Buchkultur und der Vernichtung der Bücher arbeitet im Roman die Welt der »Büchermenschen« entgegen. Sie tut dies in einer Weise, die das jede literarische Kommunikation kennzeichnende Moment der Fernanwesenheit eigentümlich verkehrt. Denn diejenigen, die als gesellschaftlich Ausgestoßene die Bücher bewahren, memorieren diese vollständig, damit »wenn der Krieg vorbei ist [...], Bücher wieder geschrieben werden« (S. 175) können. Sie betreiben eine rettende Verdopplung und eine wortwörtliche Verkörperung von Schrift und Buch. Dies ist insofern bemerkenswert, als die Druckerpresse, das erste Fließband der Technikgeschichte, die Präsenz der Körper aus der literarischen Kommunikation gerade ausgeschlossen hatte. In einer Umkehrung der Bewegungsrichtung von einer interaktiven Ver*körperung* von Sinn zu einer Kommunikation von Wissen durch das abstrakte Medium der Druckschrift entsteht bei Bradbury mit der drohenden Vernichtung der Bücher die Notwendigkeit, Buch und Literatur wieder in die Körper einzuset-

5 Vgl. Marshall McLuhan, *Die Gutenberg-Galaxis. Das Ende des Buchzeitalters*, Düsseldorf 1961, S. 197.

zen.[6] In Bradburys Roman findet eine Rettung der Literatur im geliehenen Körper der Leser statt. »Schließlich sind wir«, sagt Granger am Ende der Geschichte, »nichts als Schutzumschläge für Bücher, sonst aber belanglos« (S. 174 f.). Das führt zu einer eigentümlichen Verkehrung: Die Menschen werden zum Speichermedium jenes kulturellen Wissens, das in Büchern objektiviert ist. Und die Bücher werden gerettet, indem sie dorthin zurückkehren, wo ihr Inhalt vor aller Entäußerung in Schrift und Buch einmal war, in den Geist und Körper der Menschen.

Noch auf einen weiteren Aspekt der Medienkonkurrenz spielt der Roman an, den der Macht. Mit den massenhaft gedruckten Büchern, also mit Gutenbergs Erfindung, entsteht das mediengeschichtlich erste Speichermedium ohne Löschungsmöglichkeit. Die allgemeine Verfügbarkeit der Texte sichert in der so genannten Gutenberg-Galaxis den Bestand an kollektiv gespeichertem Sinn. Die gesellschaftliche Zirkulation und die Verfügbarkeit gespeicherten Wissens sind dabei eng mit der Ausbildung von Individualität und Subjektivität, aber auch mit Prozessen der Demokratisierung verbunden. Eben diese Funktionen von Buch und Literatur sind aus Bradburys totalitärem Zukunftsstaat verbannt, sind geächtet als Zeichen unnötiger Verwirrung und Unruhe stiftenden Andersseins. Gewendet ins Machtpolitische, bedeutet dies die Funktionalisierung der Massenmedien zur »emotionalen Stabilisierung« einer Gesellschaft. »Beschäftige die Menschen mit Gewinnspielen [...]. Stopfe ihnen den Kopf voll unverbrennbarer Tatsachen, bis sie sich zwar überladen, aber doch als ›Fundgrube des Wissens‹ vorkommen [...]. Es wäre falsch, ihnen so glitschiges Zeug wie Philosophie oder Soziologie zu vermitteln, um Zusammenhänge herzustellen. Das führt nur zu seelischem Unglück.« (S. 76 f.) Medienmacht und Medi-

6 Vgl. dazu Hans-Ulrich Gumbrecht (u. a.), »Zur Kulturgeschichte der Medien«, in: *Die Wirklichkeit der Medien*, hrsg. von Klaus Merten (u. a.), Opladen 1994, S. 163–187.

envernichtung werden hier zum Mittel der Verbannung kultureller Differenzierung und des kulturellen Gedächtnisses. Beatty nimmt hier auf seine Weise die Einsicht vorweg, dass eine auf soziale Verständigung ausgerichtete *face-to-face*-Interaktion im Rahmen der (elektronischen) Massenkommunikation systemnotwendig ersetzt werden muss durch Unterhaltung.[7] Die wird in Beattys Erklärung zum Mittel, soziale Differenzen aufzuheben.

Die Versuchung ist groß, *Fahrenheit 451* als medientheoretisches oder gar mediengeschichtliches Traktat zu lesen. Diese Versuchung wird umso größer, wenn man bedenkt, wie sehr Bradburys Roman dem damaligen Stand der Medienentwicklung verpflichtet ist und wie nah er der (zeitgenössischen) Medientheorie der 1950er- und 1960er-Jahre, namentlich der von Marshall McLuhan, steht.[8] Aber obwohl Bradburys Roman nahezu ausschließlich von Medien und Kommunikation handelt, wird man ihm nicht gerecht, wenn man ihn unter Vernachlässigung der erzählerischen Form auf seinen diskursiven Inhalt reduziert. Wichtig ist dabei, dass Bradburys Roman von der Konkurrenz und der Differenz der Medien ›nur‹ erzählt. Er verzichtet auf der Ebene der Darstellung gänzlich auf Anleihen bei den audiovisuellen Medien; intermediale Überschneidungen oder Hybridbildungen realisiert der Roman nicht. Vielmehr zeichnet sich der Roman durch eine traditionelle Textform und Erzählweise aus. Es finden sich keine Montagen, keine Brüche, keine Rück- und Überblendungen, keine Parallelhandlungen, dafür wird aber

7 Vgl. dazu Gebhard Rusch, »Kommunikation«, in: G. R.: *Einführung in die Medienwissenschaft*, Opladen 2002, S. 102–118, hier S. 117.

8 Vor allem der mittlerweile berühmt gewordene Satz »The Medium is the Message«, der besagt, dass die Menschen, die sich bestimmter, gesellschaftlicher Medien bedienen, von diesen ebenso geprägt werden wie die Gesellschaft insgesamt (Wirtschaft und Politik eingeschlossen), liest sich wie eine Folie, vor der Bradburys Roman Kontur gewinnt. Vgl. dazu Marshall McLuhan, *Die magischen Kanäle. Understanding Media*, Basel 1995, S. 53 f.

konsequent auktorial, linear und final erzählt. So markiert der Erzähltext auch darstellungstechnisch die Differenz zu anderen, d. h. zu audiovisuellen Medien.

»Ich wollte nichts weiter als einen Film über Bücher machen ...«

Betrachtet man aus der Perspektive der Medienkonkurrenz und der Mediendifferenz François Truffauts ersten Farbfilm *Fahrenheit 451* aus dem Jahr 1966, so muss man einen wesentlichen Unterschied feststellen: Sind in Bradburys Roman zwei Medien einander gegenübergestellt, nämlich Buch und audiovisuelle Massenmedien (Fernsehen), so wird daraus in und mit Truffauts Film eine Dreierkonstellation: Buch – Fernsehen – Film.

Überhaupt ist ein relativ freier Umgang des Films mit der Vorlage zu bemerken. Was Albersmeier für Truffauts Verfilmung *Jules et Jim* festgestellt hat, dass nämlich Truffauts Film sich »eigenmächtige Eingriffe [...] ganz selbstverständlich erlaubt«, wobei die ›Untreue‹ gegenüber dem literarischen Original vielfach von den »Zwängen des Mediums Film« diktiert werde,[9] gilt auch für *Fahrenheit 451*. So ändert Truffaut nicht nur Namen – aus Mildred im Roman wird Linda –, auch die Personenkonstellationen werden erheblich verändert. Den Literaturwissenschaftler Faber, die Brücke zur Welt der Bücher(-menschen), lässt der Film in der Figur Clarisse aufgehen. Sie ist es, die Montag nicht nur den Weg in diese andere Welt weist, sondern am Ende des Films selbst als ein Teil dieser Welt erscheint. Das SF-Element des »mechanischen Hundes« ist im Film ebenso verschwunden wie das Motiv des Atomkriegs. Gewichen sind sie einer Visualisierung des Totalitären z. B. in

9 Franz-Josef Albersmeier, *Theater, Film und Literatur in Frankreich. Medienwechsel und Intermedialität*, Darmstadt 1992, S. 212.

den paramilitärischen Gesten und Attitüden des Hauptmanns.

Wichtiger aber noch ist, dass an die Stelle der vielfach diskursiv und dialogisch verhandelten Entgegensetzung der medialen Dispositive von Buch/Literatur und Audiovisionen im Film die Entgegensetzung einer Vernichtung von Büchern und einer Gesellschaft ohne Schrift tritt. Entsprechend enthalten die Personalakten der Feuerwehrmänner nur Bilder, Vorder- und Rückansichten von Personen, die eher an Fahndungs- oder Häftlingsfotos erinnern und die Identität an visuelle Oberflächen koppeln (E 231–234)[10]. Auch die Zeitung, die Montag liest, während im Hintergrund die Fernsehansagerin die Segnungen einer bücherlosen Gesellschaft preist, ist eine Art Comicstrip ohne Sprechblasen. Sie besteht aus Bildern ohne Text (E 148 / E 585–588). Schon die Schriftlosigkeit allein ist bei Truffaut Ausdruck des Totalitarismus. Auch die Omnipräsenz des Fernsehens wird bei Truffaut nicht dialogisch oder diskursiv thematisiert, sondern immer wieder in eigenen Sequenzen visualisiert und bereits im Vorspann ins Bild der Dachantennen umgesetzt, das so zur Metapher wird für die Allgegenwärtigkeit der elektromagnetischen Wellen und der Unmöglichkeit, sich ihnen zu entziehen.[11] Im weiteren Verlauf des Films wird das Ungewöhnliche der Clarisse-Familie durch den Hinweis illustriert, dass auf dem Dach ihres Hauses die Fernsehantenne fehlt (E 657–660).

Liegt die Verbindung zwischen dem Roman, seiner Erzählweise und -form, und der Welt der Bücher bei Bradbury auf der Hand, so gestaltet sich dies bei Truffaut kom-

10 Zur Zählung der Einstellungen vgl. das »Protokoll der deutschen Fassung« von Karl-Dietmar Möller in: *François Truffaut. Fahrenheit 451.* Filmtext/Drehbuch, Schriftenreihe Truffaut Bd. 2, hrsg. von Robert Fischer, München 1982, S. 5–137.

11 In nicht weniger als 17 Einstellungen werden im Vorspann Fernsehantennen eingezoomt.

plizierter. Wie nämlich kann es einem audiovisuellen Medium wie dem Film gelingen, Kritik an einer schriftlosen, aufs (Audio-)Visuelle reduzierten Welt zu üben, ohne dieser Kritik am Ende selbst zu verfallen? Kann es im Sinne einer intermedialen und geradezu dialektischen Beziehung zwischen Literatur und Film gelingen, diese gegenüber einer totalitären Bilderwelt ohne Schrift miteinander zu versöhnen, ohne ihre Differenz aufzulösen?

Ohne Zweifel gehörte zu den Zielen der französischen *Nouvelle Vague*, die Gräben bzw. Dichotomien zwischen Kinofilm und Literatur, Fotografie und Malerei etc. außer Kraft zu setzen und schrittweise die Trennschärfe zwischen ihren jeweiligen Anordnungen abzubauen. Dass der Film auf die genannte Koalition zielt, verdeutlichen eine Reihe von Sequenzen und Motiven. So wird bei der Vernichtung einer privaten Bibliothek auch ein Exemplar der Zeitschrift *Cahier du Cinema* verbrannt (E 528), für die viele Vertreter der Nouvelle Vague – unter ihnen Truffaut – als Kritiker arbeiteten. Symbolisch werden also Bücher und Film gemeinsam verbrannt. Dass nur wenige Sequenzen später die Fernsehansagerin »Hass und Fanatismus« (E 584) der Buchkultur zuschreibt, unterstreicht diese Nähe ex negativo. Fanatisch sind eher die Blicke der »Fernsehfamilie«, die in der vermeintlich interaktiven Szene auf Linda geworfen werden. Sie wirken herrisch und bedrohlich, zumal aufgrund harter Schnitte das Fernsehbild immer wieder das Filmbild ausfüllt und den totalitären Charakter der Fernsehbilder unterstreicht (E 126–145). Immer dort, wo Bilder der laufenden Fernsehwand filmbildfüllend integriert werden, so etwa beim Bericht über die Beseitigung »individualistischer Auswüchse« (E 266–271) oder wenn Montag am Ende die Verfolgung und »Hinrichtung« seiner selbst in der Person eines anderen am Fernsehbildschirm verfolgt (E 877–910), zeigt der Film den manipulativen Charakter der Fernsehbilder. Die gängige Annahme also, dass das Fernsehen Wirklichkeit erfasse oder repräsentiere, weicht im Film wie im Roman der Herausstellung des manipulativen Charakters seiner Wirklichkeitsinszenierungen.

Und der Film? Es ist immer wieder betont worden, dass die Theorie und die Praxis der Nouvelle Vague besonders dem *camera stylo*-Konzept Alexandre Astrucs verpflichtet sei.[12] Astruc formulierte die Erwartung, dass »der Film sich nach und nach aus der Tyrannei des Visuellen befreien wird, des Bildes um des Bildes willen, der unmittelbaren Fabel des Konkreten, um so zu einem Mittel der Schrift zu werden, das ebenso ausdrucksfähig und ebenso subtil ist wie das der geschriebenen Sprache«[13]. Dies ergibt für *Fahrenheit 451* insofern einen Hintersinn, als der Film die Abwesenheit der Schrift visuell in Szene setzt. In Truffauts Film also verschränken sich zwei Strategien, nämlich die, tatsächlich einen Film über Bücher, über die gesellschaftliche Marginalisierung und Vernichtung der Buchkultur zu machen und zugleich eine Kritik des Visuellen, des Fernsehens, mit den Mitteln des Films zu führen. Wenn Professor Faber im Buch feststellt, dass die Welt des Fernsehens »eine Umwelt [ist], so wirklich wie die Welt selber« (S. 101), es also am Ende kein Jenseits dieser medialen Welt mehr gibt, dann stellt sich die Frage, ob und wie Truffauts Film, obgleich er selbst eine Form der Audiovision ist, mit der Undurchschaubarkeit der Bilder bricht. Kann nun tatsächlich eine Differenz zwischen Bild und Bild, zwischen dem Dispositiv des Fernsehens und dem des Films markiert werden?

Entscheidend für die *Nouvelle Vague* war das Konzept der Interpretation als Produktion, oder *Lecture comme*

12 Stellvertretend seien hier neben Albersmeier (Anm. 10), S. 160–162, auch Volker Roloff, »Film und Literatur. Zur Theorie und Praxis der intermedialen Analyse«, in: *Literatur intermedial*, hrsg. von Peter von Zima, Darmstadt 1995, S. 286, und Lorenz Engell, *Sinn und Industrie. Einführung in die Filmgeschichte*, Frankfurt a. M. 1992, S. 230 f., genannt.

13 Alexandre Astruc, »Die Geburt einer neuen Avantgarde. Die Kamera als Federhalter«, in: Kotulla (Anm. 11), S. 111-115.

Écriture, der Lektüre als Schreiben.[14] Gemeint ist damit die Um- und Übersetzung von Vorhandenem, Gesehenem und Gelesenem. Im Blick auf das Verhältnis des Mediums Film zu dem der Literatur als Medium stellt Truffaut in seinem programmatischen Text *Une certaine tendance du cinéma français* aus dem Jahr 1956 heraus, dass der Film von der Literatur lernen müsse, ohne allerdings die Literatur bloß zu imitieren. Von der Literatur zu lernen heiße, Filme nicht nach vorgegebenen Texten zu machen, sondern mit der stilistischen und ästhetischen Freiheit, wie sie für Schriftsteller eine Selbstverständlichkeit sei.[15] Truffaut forderte eine typisch filmische Schreibweise, eine *Écriture filmique*, wobei er unter einer Schreibweise ähnlich wie später Roland Barthes mehr und anderes als den subjektiven Stil eines (Film-)Autors verstand, nämlich die »Moral der Form«[16], also das, was im angelsächsischen Sprachraum »the politics of form« heißt. Die Schreibweise im Film der Nouvelle Vague ist wesentlich der kinematografische Gestus des Unterbrechens (als Montage) der raumzeitlichen Kontinuität und damit des kontinuierlichen Erzählzusammenhangs. Folgerichtig verliert in vielen Filmen der *Nouvelle Vague* der Zeitverlauf seine Linearität, und Räume werden nicht mehr durch das Durch- und Fortschreiten bestimmt. In Truffauts Film vermittelt beispielsweise die Sequenz des ersten Gesprächs zwischen Montag und Clarisse, nachdem sie die Schwebebahn verlassen haben, durch

14 Vgl. zu diesem Begriff Gerard Genette, »Prousts Palimpseste«, in: G. G., *Figures*, Paris 1966.

15 Im Blick hatte Truffaut vor allem das von den Vertretern des *Cinéma de qualité* verfochtene Adaptationsprinzip der Äquivalenz, das einen Roman in »drehbare und nicht drehbare Szenen« unterteilt, wobei für die »nicht drehbaren Szenen« vom Szenaristen Äquivalente erfunden wurden, so »wie der Romanautor sie für den Film geschrieben haben würde«. Vgl. dazu François Truffaut: »Eine gewisse Tendenz im französischen Film«, in: Theodor Kotulla (Anm. 11), S. 116-130.

16 Vgl. dazu Roland Barthes, *Am Nullpunkt der Literatur*, Frankfurt a. M. 1982, S. 22.

den Verzicht auf den Wechsel der Kameraperspektiven keinen geschlossenen Raumeindruck, kein Gegenschuss schließt den Raum ab (E 115). Überhaupt ist der Film von langen Kamerafahrten mit gleich bleibender Einstellung, wenig Schuss/Gegenschuss-Techniken, wenigen schnellen Schnitten, dafür aber von vielen intensiven Nahaufnahmen geprägt und markiert damit eine deutliche Differenz zur auktorialen Erzählperspektive des Romans. Der geschlossene Raum des klassisch-realistischen Erzählkinos bekommt auf diese Weise Lücken, wird durchsichtig auf das Außen des filmischen Raumes, auf die Bedingungen, die unseren gewohnten Bildraum überhaupt erst ermöglichen.

Darauf zielt auch eine spezifische Art der *mise-en-scène*, der Raumgestaltung vor der Kamera und vor der Montage, die die einzelnen Bildräume und Einstellungen nicht lediglich als Bausteine betrachtet, sondern als eigenständige Einheiten, die sozusagen durch einen Trennungsstrich verbunden sind. Ganz deutlich wird dieses Verfahren in der Sequenz, in der Linda Montag denunziert und sein Foto in den Informationskasten wirft. Dass es sich um eine Denunziation handelt, ergibt sich nicht aus einer linearen Erzählfolge, sondern muss vom Zuschauer imaginiert werden (E 712 u. 713). Das aus den Teilen zusammengesetzte Ganze des Films ist, so könnte man die Position der *Nouvelle Vague* pointieren, so wenig das Ganze wie das Einzelne. Es kommt also auf jenen Zwischenraum zwischen Bildern und Sequenzen an, auf denen der Film insofern beruht, als erst die schnelle Bilderfolge in der Projektion die tatsächliche Differenz der Einzelbilder in den Eindruck der Bewegung übergehen lässt. Dieses Prinzip gilt auf der apparativen Ebene des Filmprojektors ebenso wie auf der Ebene des Erzählzusammenhangs. Truffaut und anderen Vertretern der *Nouvelle Vague* ging es mit der Thematisierung der Zwischenräume bzw. der unterbrechenden Montage darum, dem Film jene Freiheiten, die in der Literatur durch und mit der Imagination des Lesers gefüllt werden, nach Maß filmischer Möglichkeiten zukommen zu lassen.

Ingesamt dienen die angedeuteten Verfahren, vor allem die Problematisierung des Verhältnisses zwischen Teilen und dem Ganzem, dazu, das grundsätzlich Fiktionale filmischer Bilder zum Ausdruck zu bringen. Zwar bleibt dem Film immer eine bestimmte Form von Realitätseindruck eigen. Dieser darf allerdings nicht als Abbildung einer außerfilmischen Wirklichkeit verstanden werden. In dem Maße, in dem filmische Darstellungstechniken, Schnitt und Montage, *mise-en-scène* und die begrenzenden *frames* die filmischen Ausdrucksmöglichkeiten bestimmen, ist Fiktionalität dem Medium notwendig eingeschrieben. Fiktionalität bedeutet hier zum einen, dass die Unterscheidung zwischen wahr/falsch und wirklich/unwirklich (zeitweise) aufgehoben ist, zum anderen, dass diese Aufhebung dem Film selbst noch einmal als Differenz gegenüber der außermedialen Wirklichkeit eingeschrieben ist. Die Markierung der Fiktionalität bedeutet so Freiheit gegenüber der Alltagsrealität ohne gänzlichen Verzicht auf Weltbezug. Im Film wie im Buch erscheint diese Freiheit als die gelebte Freiheit der »Büchermenschen«. Am Begriff der Fiktionalität wird deutlich, was es mit den Freiheiten auf sich hat, von denen Truffaut sagt, dass sie für die Literatur selbstverständlich, für den Film als Kunst dagegen noch zu fordern seien. Der Fiktion nämlich ist der konstruktive Charakter aller Wirklichkeitsentwürfe insofern eingeschrieben, als sie diese Konstruiertheit medial verdoppelt und im Zuge dieser Verdopplung neue (vor allem ästhetische) Möglichkeiten und Freiheiten entstehen.

Im Blick auf das intermediale Verhältnis von Film und Literatur kann man Truffauts Verarbeitung von Bradburys *Fahrenheit 451* in der Weise zusammenfassen, dass Truffaut mit seinem Film auch für den Film eine eigene Schreibweise beansprucht und eben darüber, dass Film und Literatur eine eigene Schreibweise sein wollen, ihre Beziehung zueinander herausstellt. Dass dies gerade auf der Folie einer spezifischen Charakterisierung des Fernsehens als Affirmation und Manipulation des rein äußerlichen Scheins der Dinge geschieht, ist genau das, was das Konzept und den Begriff der Schreibweise ausmacht: Die Schreibweise ist die Geste der Freiheit gegenüber Konventionen und Automatismen der Sprache und des Stils, gegenüber den Konventionen des realistisch erzählenden Kinos. Darin treffen sich Roman und Film, indem sie auf sich selbst als Text/Literatur und als Film aufmerksam machen, wobei allerdings – selten genug – hier der Film den Text überbietet.

Text

Bradbury, Ray: Fahrenheit 451 (1953). Aus dem Amerikanischen übersetzt von Fritz Güttinger. München 2001.
– Fahrenheit 451. New York 1953.

Film

Fahrenheit 451. Regie: François Truffaut. Großbritannien 1966.

Forschungsliteratur

Albersmeier, Franz-Josef: Theater, Film und Literatur in Frankreich. Medienwechsel und Intermedialität. Darmstadt 1992.
Astruc, Alexandre: Die Geburt einer neuen Avantgarde. Die Kamera als Federhalter. In: Der Film. Manifeste, Gespräche, Dokumente. Bd. 2: 1945 bis heute. Hrsg. von Theodor Kotulla. München 1964. S. 111–116.
Barthes, Roland: Am Nullpunkt der Literatur. Frankfurt a. M. 1982.
Fischer, Robert (Hrsg.): Monsieur Truffaut, wie haben Sie das gemacht? Köln 1991.

Genette, Gerard: Prousts Palimpseste. In: G. G.: Figures. Paris 1966.
Gregor, Ulrich: Wirklichkeit und Fantasie oder: die Entfaltung der Widersprüche. In: François Truffaut. Hrsg. von Peter W. Jansen und Wolfram Schütte. München 1974. S. 5–31.
Innis, Harold A.: Kreuzwege der Kommunikation. Wien 1997.
Roloff, Volker: Film und Literatur. Zur Theorie und Praxis der intermedialen Analyse. In: Literatur intermedial. Hrsg. von Peter von Zima. Darmstadt 1995. S. 269–309.
Rusch, Gebhard: Kommunikation. In: G. R.: Einführung in die Medienwissenschaft. Opladen 2002. S. 102–118.
Schmidt, Siegfried J.: Kognitive Autonomie und soziale Orientierung, Frankfurt a. M. 1994.
Truffaut, François: Eine gewisse Tendenz im französischen Film. In: Der Film. Manifeste, Gespräche, Dokumente. Bd. 2: 1945 bis heute. Hrsg. von Theodor Kotulla. München 1964. S. 116–132.

Jakob der Lügner (Jurek Becker – Frank Beyer, Peter Kassovitz)

Bewegungsbild – Zeitbild

Von Christian Jäger

Am 10. Januar 1963 wird bei der DEFA (Deutsche Film Aktiengesellschaft, 1946 in der sowjetischen Besatzungszone als erste deutsche Filmgesellschaft gegründet) ein Exposé mit dem Titel *Jakob der Lügner* eingereicht. Es stammt von dem jungen, der Universität verwiesenen Philosophiestudenten, Film-Szenaristen und Kabarettautoren Jurek Becker.[1] Sechs Jahre später erscheint nicht nur der gleichnamige Roman, sondern der Autor erhält zugleich eine Festanstellung als Drehbuchautor bei der DEFA. Wiederum vergehen Jahre, bis der von Frank Beyer (geb. 1932), dem schon 1965 die zweite Drehbuchfassung vorlag, verfilmte Roman 1974 seine Premierenausstrahlung im Fernsehen der DDR erlebt, um im Jahr darauf in die ostdeutschen Kinos zu kommen. 1977 erhält der Film einen Ehrenpreis und eine Oscar-Nominierung als bester ausländischer Film – als einzige aller DEFA-Produktionen. Bis zu seinem Tod am 14. März 1997 teilt sich Beckers Schaffen, der 1977 nach West-Berlin übersiedelt, in Arbeiten für Film und Fernsehen (u. a. die Serie *Liebling Kreuzberg*) sowie im engeren Sinn in literarisches Schaffen. 1999 findet die Premiere der Hollywood-Fassung des Stoffes statt, dessen Drehbuch Becker noch autorisiert hatte.

In dieser Verquickung von Literatur und Film bei Becker liegt etwas Vertracktes, denn der Stoff lag zunächst als

1 Beckers Geburtsdatum wurde vom Vater auf den 30. September 1937 vordatiert, um den im Ghetto von Lodz geborenen Jungen vor der Deportation zu schützen. Später erinnerte sich Becker nicht mehr an das eigentliche Geburtsdatum.

Drehbuch vor, sodass die ›Verfilmung‹ eigentlich das Primäre, Ursprüngliche ist, obgleich sie erst nach dem »Buch zum Film«, also der literarischen Ausgestaltung des Drehbuchs, entstand. Was sich noch weiter dadurch kompliziert, dass das Thema des Buches wie des ersten Films das Erzählen ist, und zwar Erzählen im Sinne der mündlichen Überlieferung und nicht so sehr im Sinne des literarischen Erzählens in Schrift mit den dabei möglichen Kunstgriffen, sondern die verhältnismäßig schlichte Narration, die in alltäglicher Kommunikation stattfindet. Das Erzählen von Märchen, von besonderen Begebenheiten, das Anekdotische und auch das Zwiegespräch über das Gehörte, die Produktion und Funktion von Gerüchten – und wie es der Titel nahe legt: die Funktion der Lüge. Die Fiktion lebt immer schon im Haus der Lüge, sie basiert auf dem Pakt zwischen Leser und Erzähler, dass man an sie nicht mit den Kriterien kriminalistischer Wahrheitsfindung herangeht, sondern sich darauf einlässt, dass die Wahrheit der Geschichte nicht in den berichteten Gegebenheiten liegt, sondern dahinter oder dazwischen gelegen sein kann, an dem Ort jedenfalls, der das Ziel und der Grund der Interpretation ist; allenfalls wird eine gewisse Plausibilität, Wahrscheinlichkeit des Erfundenen beansprucht.

Lassen sich Film und Buch auf der Ebene der Fiktion recht umstandslos in Verhältnis zueinander setzen, gibt es doch die mediale Differenz, der im Vergleich der Verfilmungen Rechnung zu tragen ist, deren spezifisch filmische Qualität jeweils mit zum Ausdruck kommen soll. Zwei Begriffe des französischen Philosophen Gilles Deleuze können hier herangezogen werden: ›Bewegungsbild‹ und ›Zeitbild‹.[2] Mit diesen Begriffen lassen sich Eigenarten der Verkettung von Filmbildern, Tonspuren, Lichtqualitäten und Filmerzählung beschreiben. Die Grundeinheit Bewe-

2 Es handelt sich bei dieser Verwendung der Grundbegriffe um eine vereinfachte Fassung, die aber als Verweis auf die hochgradig differenzierte Systematik von Bildtypen bei Deleuze gestattet sei. Vgl. Gilles Deleuze,

gungsbild beschreibt dabei Filme, die nach sensomotorischen Schemata verknüpft sind und in dieser Form historisch bis ungefähr 1945 die Produktion dominierten. Das Zeitbild entsteht nach der Krise des Bewegungsbildes bei Hitchcock und beschreibt eine emanzipatorische Eigenständigkeit der filmischen Mittel im Verhältnis zueinander. Das Zeitbild erzählt im Unterschied zum Bewegungsbild weniger eine lineare, auf Protagonisten gestützte Geschichte, sondern führt lose verkettete Wahrnehmungsperspektiven vor, in denen sich das Filmische verselbstständigen kann und in denen eher eine Problematik entfaltet wird, als dass wie beim Bewegungsbild gezeigt würde, wie ein Problem mittels Aktion gelöst wird.

Der Ich-Erzähler im Roman hat das Ghetto und das Konzentrationslager überlebt, erzählt aber nicht seine Geschichte, sondern die Geschichte seines Freundes Jakob Heym, wie dieser sie ihm erzählt hat, wie er es aus nachträglichen Recherchen erschlossen hat und wie er sich denkt, dass es gewesen sein könnte. Sein Erzählen weist sich von daher von vornherein als fiktionales aus, das sich zwar um einen authentischen Kern lagert, aber darüber hinaus frei für Erfindungen ist. Dabei schreckt er auch nicht vor Leseranreden zurück, die das Verhältnis von Fiktion und Fakten zum Thema erheben (vgl. S. 211 f.), und nimmt in diesen Anreden einen kolloquialen Ton an: »Wir wollen ein bißchen schwätzen, wie es sich für eine ordentliche Geschichte gehört, laßt mir die kleine Freude, ohne ein kleines Schwätzchen ist alles so elend traurig.« (S. 26) Jakob erzählt aus einem ähnlichen Grund. Um einen Freund von einem selbstmörderischen Diebstahl abzuhalten, berichtet er, was er in der Wachstube vernommen hat, was ihm aber nicht geglaubt wird, da er die Quelle der Information nicht offen legt: die russische Armee sei nicht

Kino 1. Das Bewegungs-Bild, Frankfurt a. M. 1989, und *Kino 2. Das Zeit-Bild*, Frankfurt a. M. 1991. Dazu Christian Jäger, *Gilles Deleuze. Eine Einführung*, München 1997, S. 219–243.

mehr weit. Stattdessen versucht er seine Geschichte durch eine Lüge zu beglaubigen und behauptet, ein Radio zu besitzen. Wie ein Lauffeuer verbreitet sich die Nachricht vom Radio im Ghetto, und die Insassen beginnen, wieder Hoffnung zu schöpfen. Sosehr sich deren Lage verbessert, so sehr fühlt sich Jakob dadurch belastet; ständig wird er gedrängt, neue Hoffnungsmeldungen in die Welt zu setzen. Alle Ausflüchte helfen ihm nicht, sodass er schließlich seine Rolle annimmt, um die Not seiner Gefährten zu lindern (vgl. S. 153 f.). Die Rolle Jakobs spiegelt sich in der des Erzählers, der insbesondere gegen Ende abwägt, welchen Verlauf seine Geschichte nehmen soll: einen Verlauf, der tragisch der Gerechtigkeit zum Sieg verhilft, oder den tatsächlichen, den er als das »blaßwangige und verdrießliche, das wirkliche und einfallslose Ende« (S. 277) bezeichnet, bei dem sich die Frage stelle: »Wofür nur das alles?« (S. 277) Letztlich trifft er also keine Entscheidung, sondern bietet beide Möglichkeiten an. Allerdings markiert er sie deutlich als realen und als fiktionalen Ausgang, sodass am Ende keine Wahlmöglichkeit gegeben ist, denn gegen die Realität kann man sich nicht entscheiden, sie bildet hier nur die Folie, vor der sich die Schönheit des fiktionalen Endes abzeichnet. Auf ähnliche Weise bildet der düstere Alltag im Ghetto den Hintergrund der Hoffnungsfiktionen Jakobs.

Diese Doppelung, die das Thema deutlich ausstellt, birgt in sich aber die Problematik der Redundanz. In immer neuen Varianten wird das Erzählen als Überleben garantierende Praxis beschworen, wird das Dilemma, zwischen Wahrheit und Lüge zu stehen, aufs Neue erzählt. Das thematische Übergewicht dieser Problematik führt dann zu einigen Beschwerlichkeiten in der Erzählstruktur, sodass die angeblich so wichtige Waise Lina, derer sich Jakob angenommen hat, erst siebzig Seiten später eingeführt wird, was dann auch vom Erzähler entsprechend kommentiert wird: »Spät genug kommen wir zu Lina, unverantwortlich spät, denn sie ist für das alles von einiger Bedeutung, sie macht es erst rund, wenn davon die Rede sein kann, Jakob geht jeden Tag zu ihr, aber wir kommen jetzt erst.« (S. 78)

Ebenso bleiben die meisten Personen psychologisch gesehen ein wenig blass und stehen hinter der dominanten Erzählproblematik zurück wie hinter der Schilderung der Not im Ghetto. Einzig der Freund Jakobs, der Friseur Kowalski, gewinnt Konturen durch eine Vielzahl von Erinnerungen, die die beiden Figuren verknüpfen, sowie dadurch, dass er ständig im Gespräch mit Jakob gezeigt wird. Die defiziente Charakterzeichnung und mangelnde psychologische Dichte sind einerseits der Gewichtung, die das Thema Wahrheit und Lüge erhält, andererseits möglicherweise dem ersten Stadium des Romans als Drehbuch geschuldet – kann sich der Drehbuchautor doch bei der Personenzeichnung eher zurücknehmen, da die Gestalten im Film sichtbar werden und den inneren Vorgängen durch Gestik und Mimik Anschaulichkeit gegeben wird.

Bevor hier der Film näher betrachtet werden soll, ist noch die Positionierung der Problematik im Kontext des literarischen Feldes DDR zu bedenken. Schließlich ist das Verhältnis von Wahrheit und Lüge nicht nur im Ghetto ein Problem, sondern gerade in der ersten Hälfte der 1960er-Jahre in der DDR im Streit über den Bitterfelder Weg Gegenstand zahlreicher Debatten der Schriftsteller und Kulturfunktionäre. Becker positioniert sich mit seiner Parteinahme für Jakob den Lügner im strategischen Mittelfeld, denn zweifellos zeigt er keinen sozialistischen Helden, entwirft kein positives Weltbild,[3] plädiert aber durchaus für den taktischen Umgang mit der Wahrheit, indem er die Tröstungsfunktionen des Fiktionalen herausstellt.

Die erste Verfilmung des Romans durch Frank Beyer hält sich zwar im Wesentlichen an die Handlungsstruktur

3 Vgl. Werner Neubert, *Wahrheitserpichter Lügner*, in: Neues Deutschland, 14. 5. 1969.

des Romans, bringt aber einige signifikante Änderungen der Erzählstruktur mit sich. Am gravierendsten ist dabei sicherlich das Verschwinden des Erzählers, den man ja als *Off*-Erzähler hätte beibehalten können. Damit geht auch eine Reihe der Reflexionen über die Hauptproblematik des Romans verloren, da diese vom Erzähler vorgenommen werden.

Eine Spur der Existenz des Erzählers findet sich jedoch in drei Zwischentiteln, die die ersten Einstellungswechsel strukturieren. Während der zweite verkündet: »Die Geschichte von Jakob dem Lügner hat sich nie so zugetragen«, lautet der dritte: »Vielleicht aber auch genau so.« In diesen Zwischentiteln kündigt sich bereits am Anfang das Spiel von Wirklichkeit und Fiktion an, das dann allerdings weniger bedeutsam wird als im Roman.

Stattdessen erhalten die einzelnen Figuren jeweils wesentlich mehr Bedeutung: Lina taucht schon in der zweiten Einstellung auf, in der sich Jakob (Vlastimil Brodsky) um die krank darniederliegende sorgt. Durch den Fortfall des Erzählers entfalten sich andere Figuren in der Filmzeit stärker als in der erzählten Zeit wie z. B. Mischa (Henry Hübchen) und Rosa, deren Liebesverhältnis damit aufgewertet wird und so dem Romantischen in der Verfilmung einen stärkeren Einfluss einräumt. Dasselbe gilt für die im Roman farblos bleibenden Brüder Roman (Armin Müller-Stahl) und Herschel Schtamm und ihr inniges Verhältnis zueinander, ebenso für Linas kindliche Liebe zu Mischa, der eine eigene Märchenepisode gewidmet wird, in der das von Jakob als Radio-Märchenonkel erzählte Märchen von der kranken Prinzessin und dem Gärtnerjungen, der sie durch eine Wattewolke heilt, mit Lina als Prinzessin und Mischa als Gärtnerjungen besetzt wird. Auch die Beziehung von Jakob zu Josefa Litwin, der im Roman vier Seiten gewidmet werden, nimmt im Film wesentlich breiteren Raum ein und bildet nicht lediglich eine Episode, sondern wird mittels eingestreuter Rückblenden ein stetig wiederkehrendes Motiv. Rückblenden werden auch verstärkt eingesetzt, um die Beziehung von Jakob und Kowalski (Erwin Geschonnek) zu illustrieren.

Diese Rückblenden erfüllen nicht nur die Funktion psychologischer Grundierung, sondern kontrastieren vor allem durch die Ausstattung und die Kostüme Armut und Not im Ghetto mit dem vorherigen Wohlstand Jakobs und seiner Freunde.[4] Der Film führt so die Fallhöhe der Personen deutlicher vor Augen als der Roman und schafft zudem einen Ausgleich zu den Ghettoereignissen, indem die Momente des Glücks, der Liebe und Zärtlichkeit einen breiteren Darstellungsraum einnehmen – dies offenbar ganz bewusst, denn in der Szene, in der Jakob für Lina ein Rundfunkorchester simuliert, verbindet der Roman dies mit einer Erinnerung an den Vater Jakobs, wohingegen der Film einen Tanz Jakobs mit Josefa, wiederum als Rückblende, an diese Stelle setzt.

Neben den Rückblenden zählt zu den auffälligsten gestalterischen Mitteln des Films die sehr statisch eingesetzte Kamera: Nur selten werden behutsame Schwenks und ebensolche Zooms eingesetzt, und wenn, dann meist nur, um den dialogischen Wechsel von Gesprächspartnern zu visualisieren. Ansonsten dominieren harte Schnitte, die ebenso wie die Kadrierung der Außenaufnahmen Härte und Beengtheit des Ghettos illustrieren. Bei den Außenaufnahmen fällt auf, dass die als Totale angelegten Einstellungen immer durch Häuserfluchten, Bahnwaggons oder ähnlich großflächige Körper das Bildfeld verengen. Die einzigen Totalen, die freies Sehen gestatten, sind Linas als Subjektiven aufgenommene Blicke auf ein Schloss, das sich auf einem Berg über dem Ghetto erhebt, und die Aussicht auf den Himmel aus den Viehwaggons, mit denen die

4 Die Rückblenden sind, von einigen Phantasiesequenzen (wie der Märchenepisode und einem Wunschtraum Jakobs) abgesehen, auch die einzigen Filmhandlungen, in denen – wenn auch spärlich – Musik eingesetzt wird.

Ghettobewohner deportiert werden. Das Schloss bildet ein wiederkehrendes Motiv der Hoffnung. Diese Deutung wird durch die Tatsache gestützt, dass die Märchensequenz in ihm spielt. Ein anderes Motiv, das immer wieder aufgenommen und mit Lina verknüpft wird, ist die Petroleumlampe, die Lina für einen Radioapparat hält. Sie hält im Film offenbar an diesem Glauben fest, will sie doch die Lampe noch auf dem Abtransport mitnehmen. Lina erhält auf diese Weise tatsächlich die Bedeutung für die Geschichte, die der Roman nur behauptet, erzählerisch aber nicht einlöst. Ihr bleiben auch die letzten Worte überlassen: »Sind Wolken denn nicht aus Watte?«, eine kindlich-naive Frage, der im Roman die physikalisch korrekte Antwort folgt, die im Film einerseits die Tragik des Endes vorwegnimmt, andererseits an das Märchen anknüpft, in dem eine Wattewolke Heilung brachte. Die Figur Linas als scheiternder Hoffnungsengel verdichtet die Anlage der Erwachsenen, die im Film wesentlich stärker als Hoffnungssuchende und -gebende kenntlich werden als im Buch. Dies ist nicht zuletzt dem zurückhaltenden Spiel der Schauspieler zu verdanken, die eher auf die Darstellung von Nuancen achten, als dass sie sich große Gesten gestatteten. Diese zurückhaltende Darstellungsweise wird adäquat von Ton und Licht aufgegriffen, die dezente Akzente setzen, was nicht zuletzt an der Qualität des Orwo-Filmmaterials liegt. Setzte die Firma Kodak bei der Qualität des Filmmaterials auf die pointierte Wiedergabe der Farbintensitäten, mühte sich Orwo nicht zuletzt aus ideologischen Gründen um lichtechte Farbwiedergaben. Aus diesem Grund sehen viele ostdeutsche Produktionen ein wenig grau und im Verhältnis farblos aus. Hier verleiht das Filmmaterial dem Sujet Ghettowelt aber genau die triste Farbigkeit, die angemessen wirkt.

Peter Kassovitz (geb. 1938) setzte 1999 bei seiner Verfilmung des Stoffes insbesondere zu Beginn Farbfilter ein, um das Ghetto in tristes Licht zu setzen. Abgesehen davon ist das auffälligste filmische Mittel eine etwas schlichte Farbsymbolik, die die Ghettorealität in kaltes, meist blaues Licht taucht, die Interieurs, in die sich die Juden zurückziehen, hingegen in warmen Farben hält.

Zunächst scheint sich der Film stärker an die Textvorlage zu halten, beginnt wie der Roman mit Betrachtungen über jenen Baum, unter dem sich der Erzähler und seine Frau Chana kennen gelernt haben, liebten und unter dem sie schließlich erschossen wurde. Nur ist die *Off*-Stimme nicht die des Erzählers, sondern die Jakobs (Robin Williams), dessen Liebschaft mit Josefa zugunsten seiner späteren Frau Chana aufgegeben wurde. Der auf einen Baum jenseits der Ghettomauer blickende Jakob erinnert sich also an seine Frau, dann an einen Witz. Dieser Witz ist exemplarisch für die Tonlage Jakobs in diesem Film: Hitler fragt eine jüdische Wahrsagerin, wann er sterben müsse. Sie prophezeit: an einem jüdischen Feiertag. Hitler fragt, wie sie darauf komme, dass er ausgerechnet an einem jüdischen Feiertag sterben werde, woraufhin sie entgegnet, der Tag, an dem er sterben werde, sei in jedem Fall für alle Juden ein Feiertag. Dieser Witz gibt ihm Anlass, über das Überlebenswichtige von Scherzen im Ghetto zu raisonnieren. Damit wird die Thematik bedeutsam verschoben und gleichsam die Filmproblematik, die sich dem Genre ›Ghettokomödie‹ verpflichtet sieht, an den Anfang gesetzt.

Per *Insert*, also mit Hilfe von eingeschobenen Zwischentiteln, werden Ort und Zeit angegeben »Irgendwo in Polen, 1944«. Während der innere Monolog Jakobs weiter aus dem *Off* erklingt, weht ein Zeitungsblatt über die Mauer, das die Figur Jakob im Film zu haschen versucht, das aber immer weiter durch das Ghetto treibt. Diese Anfangssequenz wird für die Titelei genutzt, wobei bisweilen ohne erkennbare Motivation die Bilder einfrieren. Jakobs Jagd nach dem Zeitungsblatt führt ihn an einem Galgen mit sechs Leichen vorbei – und schon in dieser Einstellung wird deutlich, dass dieser Film auf drastischere Gewaltdarstellung setzt. Darauf folgt ein Zeit- und Lichtsprung in einen dunklen Winterabend und hinein in einen der die Ghettojuden abtransportierenden Züge, in dem Linas Eltern den Boden durchbrechen, um ihre Tochter vor dem Abtransport zu bewahren. Im Weiteren führt die Handlung Jakob, der noch in der Dunkelheit dem Blatt nachjagt, und Lina, die sich auf der Flucht befindet, parallel, bis sich beide zusammenfinden, um absurderweise wieder in das Ghetto, vor dessen Toren sie sich begegnen, einzudringen.[5] Das Ghetto ist von Gewalt gezeichnet, der Jakob dennoch relativ unbeeindruckt mit einem scherzhaften Tonfall begegnet, sei es beim wachhabenden Offizier oder sei es, als sich sein Freund Kowalski umbringen will. Die pointierte Darstellung der Gewalt korreliert dabei mit einer deutlich detaillierteren Darstellung des ›Jüdischen‹ als im DEFA-Film oder der Textvorlage. Viele Personen haben einen deutlich jiddischen Akzent, ihr Aussehen entspricht dem Stereotyp östlicher Schtetl-Bewohner.

Entsprechend rückt auch in den Gesprächen das Handlungsproblem des jüdischen Glaubens in den Vordergrund: Soll man das Schicksal im Vertrauen auf Gott hinnehmen oder versuchen, es im Glauben an Gottes Fügung selbst zu gestalten? Die Mehrheit der Ghettobewohner neigt dem zweiten Standpunkt zu. Sie plant einen Aufstand und wählt den widerstrebenden Jakob zum Anführer, der die Position lieber mit Kirschbaum (Armin Müller-Stahl) besetzt sehen würde. Der Herzspezialist Professor Kirschbaum ist nicht allein gegenüber der DEFA-Verfilmung aufgewertet, in der die Episode ganz gestrichen wurde. Er wird sogar von den Nazichargen abgeholt, um den an Herzproblemen leidenden Lagerkommandanten Hardtloff zu behandeln, tötet sich aber zuvor selbst. Nicht genug, dass diese Sequenz in die Hollywood-

5 Neben solchen Ungereimtheiten verwundert auch, dass im Nachrichtensender der Wehrmacht amerikanische Swingmusik zu hören ist.

Produktion aufgenommen wurde, darüber hinausgehend wurde der Charakter Kirschbaums geändert bzw. geradezu ins Gegenteil verkehrt. Beispielsweise greifen die Orthodoxen Jakob wegen der durch das Radio für alle ausgehenden Gefahr an. Kirschbaum, der im Roman eben diese orthodoxe Ansicht vertrat, verteidigt Jakob nun mit jenen Worten, die Jakob selbst gegen Kirschbaums Kritik vorbrachte. Später drängt er ihn sogar, dass es zwar schön und gut sei, Hoffnung zu vermitteln, aber irgendwann es auch notwendig sei, zu handeln. Immer wieder muss er in Gesprächen Jakobs erfundenen Nachrichten eine Deutung geben, die sie halbwegs plausibel erscheinen lässt, damit sie nicht als Notlügen auffliegen. Kirschbaum wird so zum eigentlichen Lenker hinter dem einigermaßen schlichten Gemüt Jakob, der so fast zur Marionette Kirschbaums herabgewürdigt wird.

Darin zeigt sich im Rahmen der Personenkonstellation der stärkste, nicht zuletzt als politisch motiviert angelegte Bruch zwischen Film und Buch in der DDR und Hollywood-Film. Im erstgenannten Fall ist der Professor Repräsentant einer untergehenden Klasse, des gebildeten Großbürgertums, das aufgrund seiner Klassenposition nicht auf Handlung drängen kann und eher ängstlich auf Bewahrung des Status quo bedacht ist. Jakob versucht demgegenüber als der exemplarische einfache Mann im Rahmen seiner – aufgrund der herrschenden Verhältnisse beschränkten – Möglichkeiten aus allen Situationen das Beste zu machen und hat das Herz am rechten Fleck. Kassovitz führt den Professor dagegen als Repräsentanten der herrschenden Klasse ein, dessen Bildungs- und Qualifikationsvorsprung ihn dazu privilegieren, Leitungsaufgaben zu übernehmen. Die bemerkt der eher schlichte Jakob auch und möchte daher gern die Verantwortung an ihn delegieren. Kirschbaums dezente Führung bringt Jakob dann aber dazu, die Flucht nach vorn zu ergreifen, sich der Verantwortung zu stellen, und veranschaulicht so ein Stück weit den amerikanischen Individualismus, demzufolge es an jedem selbst liegt, was aus ihm wird. An solchen Akzentuierungen im Umgang mit einem gegebenen Material wird deutlich, wie sehr neben der Mediendifferenz von Buch und Film auch die Differenz soziokultureller Kontexte – USA und DDR – auf die Materialgestaltung einwirkt.

Jakobs weitere Entwicklung führt ihn dazu, Verantwortung zu übernehmen. Die Nationalsozialisten nehmen Geiseln und drohen, diese zu erschießen, wenn sich der Radiobesitzer nicht melde. Jakob stellt sich, wird gefoltert und soll vor allen Ghettoinsassen verkünden, dass er nie ein Radio besessen habe. Er aber lächelt nur und blickt in den blauen Himmel. Der Lagerkommandant Hardtloff erschießt ihn wutentbrannt.

Dies hindert Jakob allerdings nicht daran, weiter zu erzählen, wenn auch nur noch als Stimme aus dem *Off*. Dabei spricht er die doppelte Struktur des Endes an, indem er zunächst verkündet, dass die deportierten Juden keiner je wieder gesehen habe. Anschließend räumt er aber ein, dass es vielleicht auch ganz anders war: Die Russen stoppen den Zug und befreien die Juden. Diese Sequenz wird zunächst realistisch gezeigt, findet dann eine surreale Überhöhung, indem beinahe wie Cheerleader aufgemachte Revuegirls auf amerikanischen Panzern gezeigt werden, die zu den Klängen einer Swingband singen und tanzen und dabei von Lina ungläubig durch die Gitter des Waggons bestaunt werden.

Insgesamt wirkt der amerikanische Film wesentlich handlungsorientierter, bedient sich drastischerer Bilder und bietet mehr auf Pointen hin angelegte Dialoge als sein Vorgänger. Darüber hinaus verschiebt er die Problematik sowohl des Buches als auch des Films und wendet sich von der Thematik um das Verhältnis von Lügen, Erzählen und Hoffen ab und konzentriert sich auf die individuelle Verantwortung und die Notwendigkeiten des Handelns. Kassovitz' Verfilmung nutzt das Buch als freie Vorlage. Die

DEFA-Verfilmung hält sich enger an die Vorlage und arbeitet bestimmte Aspekte des Buches stärker heraus und tut so dem Gehalt des Buches nicht nur keine Gewalt an, sondern ist ihm sogar förderlich, sodass Beyers Verfilmung sich in einigen Punkten als der literarischen Vorlage überlegen erweist. Dies mag daran liegen, dass die Vorlage eigentlich keine Vorlage, sondern ein umgearbeitetes Drehbuch ist.

Die Verfilmungen unterscheiden sich in signifikanter Weise aber nicht nur im Umgang mit dem Buch, sondern auch in ihrem ästhetischen Ansatz: Während Kassovitz an Schauplätzen in Polen drehte, die historische Authentizität verbürgen sollen, und seine filmische Erzählweise an Handlung und Bewegung orientiert ist, schafft Beyers Film mit statischer Kamera und doppelter Kadrierung eine parabelhafte Filmwelt, die den verhandelten Stoff universell übertragbar werden lässt. Kassovitz neuere Verfilmung kann der zu Beginn der Untersuchung angesprochenen älteren Form des Bewegungsbildes zugeordnet werden, während die ältere Verfilmung Beyers dem historisch jüngeren Typus des Zeitbildes zuzurechnen ist – ein überraschendes Ergebnis.

Text

Becker, Jurek: Jakob der Lügner (1969). Mit einem Kommentar von Thomas Kraft. Frankfurt a. M. 2000.

Filme

Jakob der Lügner. Regie: Frank Beyer. DDR 1974.
Jacob The Liar (Jakob der Lügner). Regie: Peter Kassovitz. USA 1999.

Forschungsliteratur

Arnold, Heinz Ludwig (Hrsg.): Jurek Becker. München 1992.
Heidelberger-Leonard, Irene (Hrsg.): Jurek Becker. Frankfurt a. M. 1992
– Schreiben im Schatten der Shoah. Überlegungen zu Jurek Beckers ›Jakob der Lügner‹, ›Der Boxer‹ und ›Bronsteins Kinder‹. In: Jurek Becker. Hrsg. von Heinz Ludwig Arnold. München 1992. S. 19–29.
Jäger, Christian: Gilles Deleuze. Eine Einführung. München 1997.
Jung, Thomas: Widerstandskämpfer oder Schriftsteller sein. Jurek Becker – Schreiben zwischen Sozialismus und Judentum. Eine Interpretation der Holocaust-Texte und deren Verfilmungen im Kontext. Frankfurt a. M. 1998.
Krumbholz, Martin: Standorte, Standpunkte. Erzählerpositionen in den Romanen Jurek Beckers. In: Jurek Becker. Hrsg. von Heinz Ludwig Arnold. München 1992. S. 44–50.
Neubert, Werner: Wahrheitserpichter Lügner. In: Neues Deutschland 14.05.1969.
Schmiedt, Helmut: Das unterhaltsame Ghetto. Die Dimensionen des Raumes in Jurek Beckers *Jakob der Lügner*. In: Jurek Becker. Hrsg. von Heinz Ludwig Arnold. München 1992. S. 30–38.
Stoll, Andrea: Das Lebensthema Jurek Beckers im Wechsel der Perspektiven. Zu den literarischen Verfilmungen der Romane *Jakob der Lügner*, *Der Boxer* und *Bornsteins Kinder*. In: Jurek Becker. Hrsg. von Irene Heidelberger-Leonard. Frankfurt a. M. 1992. S. 332–344.
Wiese, Lothar: Jurek Becker. Jakob der Lügner. München 1998.

Jahrestage (Uwe Johnson – Margarethe von Trotta)

Zwischen South-Ferry und Seifenoper.
Die *Jahrestage* als Fernsehspiel

Von Nikolaus G. Schneider

Die Herausforderung der Romanvorlage

Einige der Schwierigkeiten, die mit einer filmischen Umsetzung von Uwe Johnsons zwischen 1970 und 1983 erschienenem vierbändigen Hauptwerk, dem Roman *Jahrestage. Aus dem Leben von Gesine Cresspahl*, verbunden sind, liegen auf der Hand: der Umfang des Werks (etwa 1900 Seiten), das umfangreiche Figurenarsenal, die Vielzahl der im Roman erwähnten Räume und schließlich der lange Handlungszeitraum, der von 1888, dem Geburtsjahr Heinrich Cresspahls, bis zum Einmarsch der sowjetischen Truppen in Prag im August 1968 reicht.

Neben diesen Herausforderungen primär quantitativer Art gibt es eine Vielzahl struktureller Schwierigkeiten, die untrennbar mit dem Charakter der *Jahrestage* als Sprachkunstwerk verknüpft sind, etwa die komplexe, schon im ersten Band angelegte Erzählstruktur. In drei Erzählsträngen werden drei Handlungen, erinnerte Vergangenheit, erlebte und erfahrene, d. h. vor allem durch die Medien vermittelte Gegenwart parallel geführt und montageartig miteinander verwoben. Beschrieben wird das Bewusstsein der Hauptfigur Gesine Cresspahl während eines Jahres (vom 20. August 1967 bis zum 20. August 1968) in 367 unter dem jeweiligen Tagesdatum eingeteilten Kapiteln. Dokumentarisches, nach Art einer Chronik aufbereitetes Material findet sich neben einer Erzählweise, die an der Tradition des realistischen Romans geschult ist, aber häufig durch eine sperrige, eigenwillige Syntax aufgebrochen wird. Neben den von Johnson selbst übersetzten und dabei bereits einer ersten, im weiteren Sinne literarischen Bearbeitung unterzogenen Zeitungsartikeln gehören zu den integralen Bestandteilen des Romans so unterschiedliche nicht narrative Textformen wie etwa ein Einkaufszettel, ein mit Hetzparolen beschmiertes Werbeplakat in der U-Bahn, eine Liste von Opfern der NS-Justiz oder eine schlichte Aktennotiz.

Eine der auffälligsten Manifestationen der Vielstimmigkeit des Romans stellen darüber hinaus die über den ganzen Text verstreuten fremdsprachigen Einsprengsel und zahlreiche in Mecklenburger Platt gehaltene Abschnitte dar.

Unterschiede zwischen Roman und Fernsehserie

Im Hinblick auf die Umsetzung fiktionaler Literatur unterscheidet der Medienwissenschaftler Helmut Kreuzer vier Arten der Adaptation, nämlich erstens die Adaptation als »Aneignung von literarischem Rohstoff«, d. h. die Übernahme einzelner Handlungselemente, Figuren, Motive usw. in einem Filmkontext, zweitens die »Illustration«, die sich weitgehend an Handlungsvorgängen und Figurenkonstellationen der Vorlage orientiert und auch wörtlichen Dialog übernimmt, drittens die »interpretierende Transformation«, bei der nicht nur die Inhaltsebene ins Bild übertragen wird, sondern ein filmisches Äquivalent zur Form-Inhalts-Beziehung der Vorlage angestrebt wird, und viertens die »Dokumentation«, z. B. die Übertragung vorgegebener Theateraufführungen.[1] Diesem Modell zufolge handelt es sich bei der aus vier, jeweils anderthalbstündigen Folgen bestehenden Fernsehfassung der

1 Helmuth Schanze, *Metzler Lexikon der Medientheorie Medienwissenschaft. Ansätze – Personen – Grundbegriffe*, Stuttgart/Weimar 2002, S. 178.

Jahrestage über weite Strecken um eine Mischung der ersten beiden Adaptationsarten, also der »Aneignung von literarischem Rohstoff« bzw. der »Illustration« desselben, während nur vereinzelt der Versuch einer »interpretierenden Transformation« unternommen wurde.

Die gravierendste und augenfälligste Veränderung der audiovisuellen Fassung der *Jahrestage* gegenüber der Romanvorlage ist zweifellos die Konzentration auf die Familiengeschichte der Cresspahls und der damit verbundene Verzicht auf den bei Johnson durchweg präsenten ökonomischen Diskurs sowie die »tertiäre Ebene« der *Jahrestage*, also sämtliche nicht-narrativen Elemente des Romans, auf die man nach Aussage des Dramaturgen Martin Wiebel deshalb verzichtet habe, »weil eine selbständige Filmsprache dafür hätte erfunden werden müssen, die man von den anderen erzählenden Partien zu Lasten der Filmerzählung insgesamt abziehen müsste«.[2] In Anbetracht des bei Sendern wie CNN und NTV seit langem gängigen Verfahrens, separate Schlagzeilen oder aktuelle Börsenkurse am unteren Bildschirmrand als Fließtext einzuspielen, scheint dieses Argument nicht restlos überzeugend. Vielmehr folgte diese Regieentscheidung, ebenso wie der Verzicht auf eine stärkere Einbeziehung fremdsprachiger Romanelemente mittels deutscher Untertitelung, offensichtlich der Maxime, die Zuschauer intellektuell möglichst wenig zu fordern bzw. ihre Aufmerksamkeit nicht ›über Gebühr zu strapazieren‹.

Durch den produktionsökonomisch begründeten Verzicht auf den Schauplatz Richmond, der als Wahlheimat Heinrichs und zeitweiliger Wohnsitz Lisbeth Cresspahls vor allem im ersten Band der *Jahrestage* eine große Rolle spielt, reduzieren sich die Handlungsorte auf New York,

2 Zit nach Martin Wiebel, *Mutmaßungen über Gesine. Uwe Johnsons Jahrestage in der Verfilmung von Margarethe von Trotta*, Frankfurt a. M. 2000, S. 27.

das für die Gegenwart, und auf Jerichow/Mecklenburg, das für die Vergangenheit steht. Dies ermöglicht nahtlose Übergänge zwischen den Zeitebenen, die filmtechnisch etwa durch als Verbindungsglieder fungierende, an beiden Orten wiederkehrende Leitmotive wie Gewässer (Hudson River / Ostsee) oder Sterben und Tod (Friedhof bei New York / Kirchhof in Jerichow) erfolgen. Maßgeblich für die zeitliche Abfolge des Erzählens ist das Kalendarium von New York, ohne dass die tageweise Taktung des Erzählens im Roman in der Verfilmung eine Rolle spielen würde. Stattdessen ist in der Filmfassung eine deutliche Verlangsamung des Tempo- und Rhythmuswechsels gegenüber dem Roman festzustellen.

Außerdem wurde die Erzählsituation drastisch vereinfacht. Dies erfolgte zum einen durch eine stärkere Betonung der Figur Marie, die in der Fernsehfassung ihrer Mutter Gesine die erzählte Geschichte durch ihr beharrliches Nachfragen entlockt. Anders als im Roman erzählt Gesine ihrer Tochter diese Geschichte jedoch meist unmittelbar, statt sie auf einem Tonband aufzuzeichnen (»Für wenn ich tot bin«). Um der unterschiedlichen Rezeption des Lesers und des Zuschauers Rechnung zu tragen, wurde darüber hinaus die Zahl der Figuren deutlich reduziert. Parallel hierzu erfolgte die inhaltliche Aufwertung einzelner Personen, etwa der des Bankvizedirektors de Rosny gegenüber der Romanvorlage.

So nachvollziehbar diese Entscheidung unter dem Gesichtspunkt der ›emotionalen Bindung‹ des Zuschauers ist, so diametral ist sie dem Johnson'schen Verfahren der Distanzierung und seiner Herausarbeitung von Besonderheiten entgegengesetzt. Während der Roman durchgängig das je Eigentümliche und Nicht-Vereinnahmbare der detailliert geschilderten Figuren, Orte und Sachverhalte vor Augen führt, lädt die Fernsehfassung zur Identifikation ein und verschleift damit signifikante Unterschiede. Am deutlichsten wird dies im Umgang mit der Sprache des Originals. Um die ›verschraubten‹ Sätze Johnsons sprechbarer zu machen, so die Regisseurin, hätten die Drehbuchautoren »die Menschen aus ihrem Beschreibungsgestrüpp [sic] herausgeholt, ihnen Worte gegeben, in denen sie in direkter Form miteinander zu tun haben«.[3] Vor dem Hintergrund einer derartigen Sprach- und Literaturauffassung verwundert es nicht, dass in der Verfilmung zusätzlich auf Johnsons erst posthum veröffentlichten, weniger komplexen Erstlingsroman *Ingrid Babendererde. Reifeprüfung 1953* zurückgegriffen wurde, um das narrative Element zu stärken und die Nachvollziehbarkeit der Handlung zu gewährleisten.

Beispiele für einen gelungenen Medienwechsel

Die *Jahrestage* sind nicht zuletzt eine groß angelegte Reflexion über die Vermitteltheit von Erfahrung. Dabei spielt neben den eindeutig dominierenden Printmedien in Gestalt der als ›Tante‹ apostrophierten und damit quasi in den Familienkreis einbezogenen *New York Times* vor allem das Fernsehen eine wichtige Rolle. Es bot sich daher an, die gravierende Entscheidung eines Verzichts auf alle nicht-narrativen Textbausteine durch eine stärkere Einbeziehung des Bildmaterials zu kompensieren. So entlockt Marie ihrer Mutter Gesine die Schilderung ihrer Geschichte mit Hilfe schwarzweißer Familienfotos, weil sie wissen möchte, wer und was sich hinter den Personen auf den über die gesamte Filmhandlung verstreuten Aufnahmen verbirgt. Als politisch überdurchschnittlich interessiertes Kind legt Marie daneben ein Fotoalbum an, das der *New York Times* entnommene Pressefotos vom Vietnamkrieg enthält und als gesellschaftskritisches und -geschichtliches Pendant zu den privaten Aufnahmen fungiert. Die-

3 Wiebel (Anm. 2), S. 182.

ses Album zeigt sie ihren Mitschülerinnen und provoziert damit heftige Diskussionen und den Unwillen ihrer Klassenlehrerin Sister Magdalena, da diese das ›Eindringen‹ des Politischen in die Schule unter allen Umständen verhindern möchte.

Dass dies in einem zunehmend vom Fernsehen geprägten Zeitalter ein vergebliches Unterfangen ist, kommt in der Verfilmung deutlich zum Ausdruck. Gesines Bemühungen, Marie vom Fernsehen abzuhalten, laufen ins Leere. Wann immer Marie die Möglichkeit dazu hat, sieht sie fern, sodass sich ihre Mutter am Ende geschlagen geben muss und ein Fernsehgerät, zumindest vorübergehend, Einzug in die Wohnung hält. Was der Roman durch aufwendige Bildbeschreibungen oder die Kombination verschiedener, sich wechselseitig kommentierender Textsorten leisten muss, vermag das Fernsehen als audiovisuelles Medium in gedrängter, mehrere Informationsebenen bündelnder, nicht-redundanter Form zu zeigen. In der Verfilmung geschieht dies durch die Einbeziehung von originalen sowie auf Englisch nachsynchronisierten Berichten des US-Fernsehens über politische Ereignisse, die im Kontext der in New York spielenden Handlung auf zeitgenössischen (1960er-Jahre-) Fernsehgeräten zu sehen sind. Ein Beispiel hierfür ist die ›Live-Ermordung‹ Robert Kennedys, die Gesine, in ihrem Lieblingsdiner in die Lektüre eines Buches vertieft, zunächst ›verpasst‹, sowie die anschließende ebenfalls im Fernsehen übertragene Beerdigung des Senators, die D. E. und Marie sich in der Wohnung ansehen und wechselseitig kommentieren.[4]

Als besonders gelungene ›interpretierende Transforma-

4 Dass diese Szene gegenüber der Romanvorlage (und auch noch einmal gegenüber dem Drehbuch) stark gekürzt wurde, versucht die Fernsehfassung zumindest teilweise durch einen weiteren Medienwechsel auszugleichen: Im Büro de Rosnys hängt Andy Warhols bekanntes Mehrfachporträt der ostentativ trauernden Jacqueline Kennedy.

tion‹ kann jedoch eine kurze Passage am Anfang der dritten Fernsehfolge der *Jahrestage* gelten. Marie kommt in ihrer Schuluniform in den Raum des schwarzen Doorman Robinson, wo wie meist der Fernseher läuft. Man hört Originalberichte über Rassenunruhen in den amerikanischen Südstaaten und sieht, wie Schwarze mit Wasserwerfern, Schlagstöcken und durch den Einsatz von Hunden malträtiert werden.[5] Alternierend hiermit zeigt die Kamera Marie und Robinson, die das Geschehen im Fernsehen verfolgen und sich dabei unterhalten.

Zentrale, die *Jahrestage* durchziehende und zugleich durch sie in Frage gestellte Dichotomien wie Weiße/Schwarze, Juden/Nicht-Juden, Krieg/Frieden, Europa/Amerika, Öffentlich/Privat, Totalitarismus/Demokratie oder Ideal-Ich/Real-Ich treten an dieser Stelle durch die Bündelung verschiedener Textsegmente augenblickshaft in Erscheinung. Ein Beispiel für diese Verkürzung findet sich am Ende dieser dritten Folge, wo das Geschehen um die Ermordung Martin Luther Kings, das im Roman große Teile der Kapitel 5 bis 14 beansprucht, zu drei kurzen Szenen verdichtet wird. Zugleich verkörpert diese Sequenz das für den gesamten Roman charakteristische Bestreben, der Wahrheit durch eine möglichst akribische, aber keineswegs ironiefreie Schilderung der sozialen Gemengelage von objektiven Sachverhalten und subjektiven Teil- und Unwahrheiten auf die Spur zu kommen. Emblematisch veranschaulicht diese Szene die Wahrheit der im Hintergrund vernehmbaren Aussage des Fernsehreporters, der die Bilder der Rassenunruhen kommentiert: »Nobody seems to be able to break the vicious cycle.«

5 Die Fernsehbilder korrelieren offenbar mit einem Eintrag im Kapitel 29. März 1968: »In Memphis ist der Pastor King mit Dreitausenden marschiert, aber es gab Jugendliche, die liefen von den Demonstranten weg, zerschlugen Schaufensterscheiben, plünderten. Die Polizei setzte Schlagstöcke und Tränengas ein. Ein Sechzehnjähriger ist tot.« (*Jahrestage*, S. 928).

Text

Johnson, Uwe: Jahrestage. Aus dem Leben von Gesine Cresspahl (1970–1983). Frankfurt a. M. 1993.
– Ingrid Babendererde. Reifeprüfung 1953. Frankfurt a. M. 1985.
– Mutmaßungen über Jakob. Frankfurt a. M. 1959.

Film

Jahrestage. Regie: Margarethe von Trotta. Deutschland 1999.

Forschungsliteratur

Berbig, Roland (Hrsg.): Uwe Johnson. Befreundungen. Berlin/Zepernick 2002.
Bötticher, Helmut: Uns Uwe. Zum Desaster der Fernseh-Jahrestage. In: Uwe Johnson. Text + Kritik. Zeitschrift für Literatur 65/66. Hrsg. von Heinz Ludwig Arnold. München ²o. J., S. 170–172.
Helbig, Holger (Hrsg.): Johnsons »Jahrestage«. Der Kommentar. Göttingen 1999.
Wiebel, Martin (Hrsg.): Mutmaßungen über Gesine. Uwe Johnsons *Jahrestage* in der Verfilmung von Margarethe von Trotta. Frankfurt a. M. 2000.

Crónica de una muerte anunciada (Gabriel García Márquez – Francesco Rosi)

Ehre, Tod und Wahrheit

Von Sabine Schlickers

In einem Dorf, dessen Namen nicht erwähnt wird, zu einer Zeit, die nicht genau datierbar ist, allerdings in den 40er-Jahren des 20. Jahrhunderts angesiedelt werden kann, geschieht ein Mord, der zuvor so oft angekündigt worden war, dass bis auf wenige Ausnahmen alle Dorfbewohner davon wussten. Ein Erzähler, der sich als Chronist ausgibt, rekonstruiert das Verbrechen 27 Jahre später minuziös.

Diese Geschichte des weit über die Grenzen Kolumbiens hinaus bekannten Schriftstellers Gabriel García Márquez bewog 1981 vier Verlagshäuser dazu, die Erstausgabe der *Crónica de una muerte anunciada* in der sensationellen Auflagenhöhe von 1,5 Millionen Exemplaren erscheinen zu lassen. Viele Regisseure, unter ihnen Robert Altman (geb. 1925) und Ruy Guerra (geb. 1931), wollten diesen erfolgreichen Roman verfilmen. Die Rechte gingen schließlich 1985 an Francesco Rosi (geb. 1922), der seine Karriere als Regieassistent bei Visconti (1906–1976) begonnen und bereits erfolgreich andere Romane adaptiert hatte (*Cadaveri eccelenti / Die Macht und ihr Preis* von L. Sciascia, 1975; *Christo si è fermato a Eboli / Christus kam nur bis Eboli* von Carlo Levi, 1980).

Im Folgenden werden Roman und Film auf der Grundlage eines narratologischen Vergleichs analysiert und einander gegenübergestellt[1].

1 Eine ausführliche Analyse sowie eine Erläuterung der literatur- und filmwissenschaftlichen Termini und Methoden findet sich in Sabine Schlickers, *Verfilmtes Erzählen*, Frankfurt a. M. 1997.

Die Erzählsituation

Ein namenlos bleibender Erzähler kehrt nach 27 Jahren in sein Heimatdorf zurück, um die Hintergründe des damals stattgefundenen Mordes an Santiago Nasar aufzuklären. Als Ich-Erzähler weiß er nur so viel, wie ihm einzelne Figuren mitteilen – da er aber nicht nur deren Wissen, sondern auch deren Wissenslücken formuliert, tritt er dem Gesamtgeschehen in anderer Weise gegenüber als jeder einzelne seiner Zeugen. Zudem ist der Erzähler immer sehr präsent und gibt wertende Kommentare ab. Schließlich verselbstständigt sich die Rekonstruktion der Verbrechensgeschichte: Häufige Wechsel von *flashforwards* und *flashbacks*, eine komplizierte Anordnung der Handlungssequenzen und -segmente, verschiedene Formen der Erzählgegenwart sowie viele widersprüchliche Zeugenaussagen und metafiktionale Überlegungen spiegeln die Komplexität der Ereignisse und die Unmöglichkeit, sie chronologisch, rational und übereinstimmend darzustellen.

Die Erzählsituation im Film ist ebenso komplex wie im Roman angelegt. Die Rolle des anonymen Ich-Erzählers ist im Film mit Cristo Bedoya (Gian Maria Volonté) besetzt worden, der im Roman ein Freund von Santiago und dessen ständiger Begleiter ist. Nur vereinzelt erzählt Cristos Stimme aus dem *Off*, meist tritt er als erzählendes Ich im Bild auf – eine Konkretisierung des sprecherzentrierten Diskurses im Roman.

Während der Erzähler des Romans die Untersuchung im Nachhinein referiert, wird sie im Film in Form der gleichzeitigen Erzählung vermittelt. Daher übernimmt der filmische Erzähler die Rolle eines beobachtenden Chronisten, denn er ist Zeuge der Ereignisse, die er untersucht – ein Zeuge allerdings, der die Reden der Figuren ebenfalls nicht kommentiert, sondern bestenfalls kritische Zwischenfragen stellt:

[Erzähler] ¿Y tú por qué no le dijiste a Santiago que lo iban a matar? (Und Du, warum sagtest Du Santiago nicht, dass sie ihn töten würden?)
[Victoria] Porque cuando bajó a tomar el café yo no lo sabía. (Weil ich es nicht wusste, als er herunterkam, um den Kaffee zu trinken.)
[Erzähler] No, tú lo sabías. La pordiosera te dijo además dónde lo estaban esperando. (Nein, Du wusstest es. Die Bettlerin sagte Dir außerdem, wo sie auf ihn warteten.)

Aus diesem Zitat ist ersichtlich, dass das erzählende Ich einen Teil der Geschichte bereits kennt, die gleichzeitige Erzählung also Informationsüberschüsse aufweist. Es bleibt offen, ob der Erzähler seine Informationen von anderen Figuren bezieht oder ob es sich um Informationen des erzählten Ichs handelt, also des jungen Cristo, der im Film durch einen anderen Schauspieler dargestellt wird.

Der *Off*-Erzähler ähnelt dem Erzähler der Vorlage: Er fasst zusammen, liefert Erklärungszusammenhänge und übernimmt dabei grundsätzlich den Wortlaut der literarischen Vorlage. In Analogie zum sprecherzentrierten Erzählduktus im Roman tritt der Erzähler im Film oft deutlich vor die Kamera und blickt sogar mehrmals direkt in die Linse. Der direkte Blick in die Kamera ist ein Appell an den Adressaten, dem so bewusst gemacht wird, dass ihm hier eine Geschichte erzählt wird und dass diese Geschichte auf eine sehr ernste, eindringliche Weise präsentiert wird. Darüber hinaus zieht ihn der *eye-appeal* quasi in die gezeigte Welt hinein: Es ist, als fordere der Erzähler den Adressaten auf, über das Erzählte zu richten.

Es bleibt festzuhalten, dass der Film den erzähltechnischen Eigenheiten der Romanvorlage zum größten Teil folgt. Auch im Film werden entscheidende Fragen des Romans gestellt, aber nicht beantwortet. So wird nicht geklärt, ob Santiago wirklich der ›Schänder‹ Angelas war, von wem der anonyme Brief stammte, warum keiner der Dorfbewohner eingriff, warum Bayardo Angelas Briefe nicht öffnete usw.

Zeitstruktur

Obwohl der Titel explizit verkündet, dass es sich um eine Chronik handelt, ist die formale Anordnung nicht chronologisch-linear, sondern die verschiedenen Handlungsstränge und Zeitebenen sind auf höchst komplizierte Weise miteinander verflochten. Grob unterschieden werden kann die Geschichte des Verbrechens (die Ermordung Santiago Nasars, des mutmaßlichen Schänders von Angela Vicario) und die 27 Jahre später stattfindende Rekonstruktion dieses Verbrechens durch den Ich-Erzähler. Das erste Erzählpräsens setzt ein mit dem Erwachen Santiagos nach seinem Albtraum, an einem Montag im Februar um 5.30 Uhr. Bereits im dritten Satz wird deutlich, dass die Rekonstruktion des Verbrechens durch den Erzähler erst viel später erfolgt: »›Siempre soñaba con árboles‹, me dijo Plácida Linero, su madre, evocando 27 años después los pormenores de aquel lunes ingrato.« (»›Er träumte immer von Bäumen‹, sagte mir Plácida Linero, seine Mutter, während sie siebenundzwanzig Jahre später die Einzelheiten jenes unglückseligen Montags beschwor.« [S. 9])

Die Erzählergegenwart, die mit der Rekonstruktion zusammenfällt, liegt zeitlich etwa 27 Jahre hinter der Verbrechensgeschichte und wird im Spanischen durch das Präsens (›evocando‹) markiert. Zunächst einmal liegt hier eine Zeitverflechtung vor: Ein Segment der Vergangenheit Santiagos wird verflochten mit einem Segment der narrativen Gegenwart. Der ständige Wechsel von *flashbacks* und *flashforwards* führt in Roman und Film zu einer zeitlichen Zirkularität und zu dem Paradox, dass trotz des Verstreichens von Zeit die Zeit stehen geblieben zu sein scheint.

Andererseits bewirkt das stete ›Switchen‹ von Gegenwart und Vergangenheit, dass die vorzeitige Verbrechensgeschichte gleichzeitig mit der nachzeitigen Rekonstruktionsgeschichte erzählt wird. So entsteht die Illusion einer Simultaneität, die das Bemühen des Erzählers verdeutlicht, alle Schritte der Rekonstruktion durch die stete Spiegelung von Gegenwart und Vergangenheit in ihrer Komplexität und zeitweisen Parallelität zu vergegenwärtigen.

Dennoch ist die Zeitspanne von 27 Jahren, die zwischen Verbrechen und Rekonstruktion liegt, wichtig. Angela schreibt Bayardo in dieser Zeit wöchentlich einen Brief, wie der Erzähler im Roman auf vier Seiten schildert. Im Film wird diese lange Zeitspanne in einer beeindruckenden zeitraffenden Szene (6,44 Minuten) vorgenommen: Kurz nach der Hochzeitsnacht geht Angela in das Haus zurück und legt sich sehnend auf das zerwühlte Bett. Ein *flashback* zeigt ihre Erinnerung an die Hochzeitsnacht, danach sitzt sie zusammengekauert auf dem Bett. Sie springt plötzlich auf, läuft zu einer kleinen Spiegelkommode und beginnt, einen Brief zu schreiben; ihr Gesicht wird dabei durch den Spiegel reflektiert. Aus dem *Off* erklingt ihre Stimme: »Mi amor, cómo será escribirle a alguien quien no contesta nunca ...« (»Meine Liebe, wie wird es sein, jemandem zu schreiben, der niemals antwortet ...«). In der nächsten Einstellung sieht man das Briefpapier und ihre schreibende Hand. Dann fährt die Kamera langsam hoch und zeigt das Gesicht der um viele Jahre gealterten Angela – ein vollkommener Zeitsprung.

Während der Roman minuziöse Zeitangaben liefert, arbeitet der Film vornehmlich mit einfachen Zeitkennzeichen, die mit den Örtlichkeiten verbunden sind, etwa im Falle des nach 27 Jahren verfallenen Hauses von Xius: Hühner und aus dem Dach wuchernde Sträucher in dem davor geparkten Sportcoupé signalisieren die verstrichene Zeit, die jedoch nicht so exakt rekonstruierbar ist wie im Roman.

In Bezug auf das Erzähltempo ist festzustellen, dass der Roman im Durchschnitt viel schneller erzählt als der Film und extremere Zeitraffungen aufweist. Dieses Ergebnis ist erstaunlich, zumal die Rekonstruktionsgeschichte im Roman sehr viel mehr Raum einnimmt als im Film, der überwiegend isochron erzählt. Allerdings gibt es auch dort zeitdehnende filmische Szenen, etwa die der Weiterfahrt des Bischofs und die der Bootsfahrt von Angela und Bayardo. Beide Szenen ›ventilieren‹ die Handlung, bieten dem Auge Anreize und schaffen Atmosphäre, sind aber für den Handlungsverlauf unwichtig. Daraus ist zu schließen, dass sich die Wichtigkeit der Ereignisse nicht nach der Langsamkeit bemisst, mit der sie vermittelt werden. Das Gegenteil ist hier der Fall: Mehrere zeitdehnende Angaben schüren die Erwartungen und erweisen sich im Nachhinein als falsche Spuren. Auch der Schluss wird in beiden Medien mit sehr langsamem Erzähltempo vermittelt, wirkt jedoch sehr unterschiedlich: Während der Roman mit der *count-down*-mäßigen Inszenierung des Todes von Santiago endet, zeigt der Film in einem langatmig-pathetischen *happyending* die Wiederkehr Bayardos.

Die Spannung wird in Roman und Film ähnlich aufgebaut, löst aber ebenso unterschiedliche Wirkungen aus: Dem Roman gelingt es, einen Typ von Spannung aufzubauen, der sich auf den Tatverlauf richtet und durch viele Perspektivwechsel mit hoher Erzählgeschwindigkeit vermittelt wird. Der Leser fragt sich unentwegt, wie dieses Verbrechen, von dem alle wussten, geschehen konnte, warum niemand eingriff, ob Santiago wirklich für die verlorene Ehre Angelas verantwortlich war. Im Film hingegen funktioniert dieses Verfahren nicht. Spannung wird ständig aufgebaut und wieder abgebrochen und überdies mit einer relativ geringen Erzählgeschwindigkeit vermittelt. Der Zuschauer ist verwirrt: zum x-ten Mal ist schon gesagt worden, dass die Zwillinge Santiago töten wollen, doch statt das Verbrechen zu sehen, wird er immer wieder aufs

Neue mit eingeschobenen Geschichten der Vergangenheit konfrontiert, was unbefriedigend und langweilig ist und nicht mit medienspezifischen Zwängen erklärt werden kann. So endet beispielsweise die Verfolgung Santiagos nicht mit seiner Tötung, sondern ein Schnitt zeigt die Mutter Santiagos 27 Jahre später vor der Tür, die sie im falschen Moment geschlossen hatte. Die nächste Einstellung transportiert den Adressaten wieder in die Vergangenheit, und er sieht, wie Flora am Grab Santiagos weint. Als der Erzähler auf Angela trifft, wird ein neuer Höhepunkt aufgebaut:

> Durante todos estos años siempre he querido hacerte una pregunta: Dime, pero dime la verdad. ¿Estabas protegiendo a alguien cuando diste el nombre de Santiago Nasar?
> Mira, no le des más vueltas, Cristóbal. Fue él.
>
> (In all diesen Jahren wollte ich dir immer eine Frage stellen: Sag mir, aber sag mir die Wahrheit: Hast du jemanden beschützt, als du Santiago Nasars Namen angabst?
> Komm schon, lass es dabei gut sein, Cristóbal. Er ist es gewesen.)

Wieder wird dem Adressaten nichts mitgeteilt. Angelas Augen sind genau in dem Moment, in dem sie antwortet, verschleiert, und ihre Antwort ist unbefriedigend. Erst danach wird die Verfolgung wieder aufgenommen und Santiago niedergestochen.

Raumstruktur

Das karibische Dorf wird durch das Bild des Kreises bestimmt und wirkt hermetisch in sich geschlossen. Das erste Kapitel des Romans liefert bereits die meisten räumlichen

Informationen, die nachfolgenden Kapitel steuern weitere Einzelheiten bei, die die kognitive Karte des Lesers sukzessive erweitern.

Gedreht wurde *Crónica* im kolumbianischen Winter in Cartagena de Indias und Mompox;[2] das Format des Breitleinwandsystems eignet sich hervorragend, um die Landschaften, die sich in die Weite beziehungsweise Horizontale erstrecken, einzufangen. Doch obwohl der Raum minuziös erfasst wird, der Kamera nichts verborgen bleibt, es keine ›dunklen‹ Stellen gibt und keinen Nebel – trotz alledem scheitert die Kamera an ihrer eigentlichen Aufgabe und übernimmt damit kongenial ihre Rolle als filmisches Äquivalent zum Erzähler des Romans: Sie enthüllt nicht das wirklich Wichtige und lüftet das Geheimnis nicht. Statt auf den Grund der Dinge vorzudringen, präsentiert sie deren Fassade. Um ihr Scheitern zu vertuschen, zeigt sie den Raum in der beschriebenen Weise – und ähnelt dabei dem Erzähler, der jede Bemerkung, und sei sie noch so beiläufig und überflüssig, gewissenhaft dokumentiert. Analog dazu ist die Hochzeit Bayardos so laut, so bunt, so teuer und so fröhlich, dass man den Eindruck gewinnt, etwas solle nicht gehört, gesehen und bemerkt werden – die Selbstgefälligkeit des Bräutigams möglicherweise oder das bemühte Lächeln der Braut.

Der Film entwickelt unabhängig vom Roman drei räumliche Leitmotive: Gitterstäbe, Rundbögen und die räumliche Trennung zweier Figuren durch beliebige Gegenstände. Die räumliche Trennung versinnbildlicht die Grenze, den *désaccord* zwischen den Personen, die einander nicht die Wahrheit sagen. Als zum Beispiel Santiago das letzte Mal Flora aufsucht, öffnet sie ihm nicht sofort die Tür, sondern schaut ihn durch einen vergitterten Fensterladen fragend an. Santiago erwidert ihren Blick mit ei-

2 Francesco Rosi, »L'histoire de la Chronique«, in: *Positif 315* (1987), S. 14–18, hier S. 16.

nem halben Lächeln. Jeder scheint in sich selbst und in den sozialen Regeln des Dorfes gefangen zu sein. Dieses doppelte ›Gefängnismotiv‹ wird durch Gitterstäbe symbolisiert. Die Gitterstäbe können als solche vorhanden sein, wie in dem Haus der Miguels, wo die Zimmer durch schwere Eisenstäbe vom Patio getrennt werden, oder aber durch Licht und Schatten hervorgerufen werden. Dieses ständig wiederkehrende Motiv lässt den Zuschauer die beklemmende Atmosphäre, unter der die Charaktere leiden, förmlich mitspüren. Regelmäßige, runde Formen romanischer Baukunst gleichen das visuelle und semantische Gewicht der überwiegend senkrecht ausgerichteten Gitterstäbe aus.

In der literarischen Vorlage wird die zentrale Aussage, dass die Verantwortlichkeit eines jeden Einzelnen das absurde Verbrechen ermögliche, durch das Verhalten aller Figuren und durch die Vielzahl der Stimmen vermittelt, die sich zum Tod Santiagos äußern wollen, als könnten sie sich dadurch von ihrer Schuld befreien. Diese Aussage wird auch im Film transponiert. Daher soll sich hier nicht den abwertenden Bemerkungen der zeitgenössischen Film- und Fernsehkritiker angeschlossen werden, die den Film zumeist ausschließlich als Liebesgeschichte rezipiert und negativ bewertet haben. Vielmehr ist es Franceso Rosi gelungen, die komplizierte Erzählstruktur der literarischen Vorlage auf eine filmisch angemessene und anspruchsvolle Weise umzusetzen.

Text

García Márquez, Gabriel: Crónica de una muerte anunciada (1981). Buenos Aires 1990.

– Chronik eines angekündigten Todes. Aus dem Spanischen von Curt Meyer-Clason. Köln 1981.

Film

Cronica di una morte annunciata (Chronik eines angekündigten Todes). Regie: Francesco Rosi. Italien 1987.

Forschungsliteratur

Rosi, Francesco: L'histoire de la Chronique. In: Positif 315 (1987), S. 14–18.

Schlickers, Sabine: Verfilmtes Erzählen: Narratologisch-komparative Untersuchung zu *El beso de la mujer araña* (Manuel Puig / Héctor Babenco) und *Crónica de una muerte anunciada* (Gabriel García Márquez / Francesco Rosi). Frankfurt a. M. 1997.

Toro, Alfonso de: Texto – Mensaje – Recipiente. Tübingen 1988.

Smoke (Paul Auster – Wayne Wang)

Intermediales Erzählen

Von Joachim Paech

Am Ende des Films *Smoke*[1], wenn alle Geschichten erzählt und alle Beziehungen geklärt sind, treffen sich (fast) alle Figuren noch einmal zum Picknick im Grünen: Auggie Wren, der den Tabakladen und nachbarschaftlichen Treffpunkt der ›Brooklyn Cigar Company‹ in New York führt, wäre beinahe Vater (s)einer erwachsenen Tochter Felicitas geworden; Paul Benjamin, der Schriftsteller, war vorübergehend der ›Vater‹ eines Sohnes (oder Sohn seines ›Vaters‹?) mit Namen Rashid, der tatsächlich Thomas heißt und gerade seinen wahren Vater Cyrus Cole wieder gefunden hat. Nach dem Tod seiner Frau, Thomas' Mutter, hat Cyrus wieder geheiratet, und Doreen mit ihrem kleinen Sohn sitzt ebenfalls mit am Tisch. Alles ist gesagt, alle Aufgeregtheiten sind zu Ende, niemand bewegt sich: Tableau.

Aber dann fängt der Film noch einmal an auf dieselbe Weise und genau dort, wo er bereits zu Beginn seinen Ausgangspunkt genommen hatte. Eine Hochbahn schlängelt sich noch einmal durch Brooklyn, dann befinden wir uns wieder in Auggies Laden, wo dieselben Kunden diesmal über den gerade bevorstehenden Golfkrieg debattieren. Paul Benjamin kommt herein, um wie üblich Cigarillos zu kaufen. Paul erzählt Auggie, dass ihn die berühmte Zeitung *New York Times* gebeten habe, eine Weihnachtsgeschichte zu schreiben, dass ihm aber keine Geschichte einfällt. Auggie verspricht ihm, eine Weihnachtsgeschichte zu erzählen, wenn er ihn zum Essen einlädt, und so sitzen

1 *Smoke*, Regie: Wayne Wang, USA 1994.

beide wenig später im Restaurant, wo Paul *Auggie Wrens Weihnachtsgeschichte* hört, (fast) dieselbe, die der Filmregisseur Wayne Wang Weihnachten 1990 in der *New York Times* gelesen hatte, woraufhin er sich mit deren Autor Paul (Benjamin) Auster in Verbindung setzte und beide beschlossen, gemeinsam ausgehend von dieser Geschichte einen Film zu machen. Es sieht so aus, als würde der Film am Ende die Geschichte, die ihm vorausgegangen ist, an ihren (jetzt fiktiven) literarischen Autor zurückgeben, allerdings als Film, denn dieselbe Geschichte, die Auggie von den Umständen, wie er zu seiner Fotokamera gekommen ist, erzählt, sehen wir anschließend noch einmal in einem Film (im Film), bevor der Film *Smoke* mit dem Abspann endgültig zu Ende ist.

Die Beziehung zwischen einer literarischen Vorlage und deren Verfilmung ist in diesem Fall eher ungewöhnlich, weil es zwar eine Erzählung gegeben hat, die dem Film zeitlich vorangeht und die den Film motiviert hat, die jedoch keinesfalls als Vorlage für den ganzen Film hat dienen können, dem stattdessen ein Drehbuch von Paul Auster zugrunde liegt, das auch diese Geschichte enthält. *Auggie Wrens Weihnachtsgeschichte* beschränkt sich auf drei Motive: Sie etabliert erstens einen Ort des Erzählens, die ›Brooklyn Cigar Company‹, und führt zweitens zwei Personen ein, zwischen denen eine Geschichte ausgetauscht wird, die drittens das Fotografieren (u. a.) zum Thema hat. Dieses Thema hat zwei Seiten, die eine bezieht sich auf Auggies Hobby, jeden Tag ein Foto zur selben Zeit an derselben Stelle vor seinem Laden zu machen. Davon wird im Laufe des Films *Smoke* erzählt. Die andere Seite gilt der Antwort auf die Frage, wie Auggie an die Kamera gekommen ist, mit der er seine Fotos macht. Sie ist der eigentliche Gegenstand der Weihnachtsgeschichte und wird erst im ›Film nach dem Film‹ erzählt. Das Erzählen selbst ist mehrfach ›medial‹ konstituiert: Zunächst erscheint es in der schriftlichen Form einer literarischen Erzählung, in deren Zentrum die mündliche Erzählung von Auggies Weihnachtsgeschichte steht. Diese mündliche Form des Erzählens wird im Film verschiedentlich wieder aufgenommen. ›Literarisch‹ wird vom Autor (des geschriebenen Textes) berichtet, dass Auggie mit seiner Kamera regelmäßig jeden Tag Fotografien von derselben Stelle vor seinem Laden zur selben Zeit macht, die er in Fotoalben sammelt. Der Film zeigt uns, wie Auggie die Fotos macht, die wir (gemeinsam mit Auggie und Paul Benjamin) im Film (und teilweise im veröffentlichten Drehbuch) in den Fotoalben betrachten können. Schließlich besteht der Film *Smoke* selbst aus Fotografien (24 Fotos in der Sekunde), die stellenweise mit denen identisch sind, die Auggie mit seinem Fotoapparat gemacht hat (jede Fotografie ohne einen Rand, der das Foto als vorfilmischen Gegenstand unterscheiden lässt, wird zum [Steh-]Kader des Films selbst).

Das ›intermediale Erzählen‹ hat demnach drei verschiedene mediale Formen, die miteinander verbunden werden: die Schriftlichkeit des Textes in der Zeitung, die Mündlichkeit im literarischen und im filmischen Erzählen und die Fotografie als gemeinsam erzähltes Thema und Medium des Erzählens im Film. In diesem Zusammenhang auf das Drehbuch einzugehen ist problematisch, weil es in der gedruckten Buchform[2] (mit Fotos aus dem fertig gedrehten Film) erst nach dem Film vorgelegen hat. Die Beobachtung von Intermedialität[3] ist dort möglich, wo ein Medium (hier sind es die Schriftlichkeit des Textes, die Mündlichkeit des Erzählens und die Fotografie) als Form in jeweils einem anderen Medium in Erscheinung tritt und dadurch Aus-

2 Paul Auster, *Smoke. Blue in the Face.Zwei Filme*, Reinbek bei Hamburg 1995.

3 Zu dieser Definition von Intermedialität und ihre Begründung durch die Medium/Form-Differenz bei Niklas Luhmann vgl. Joachim Paech u. a., »Intermedialität«, in: *Texte zur Theorie des Films*, hrsg. von Franz-Josef Albersmeier, Stuttgart 1998, S. 447–475.

wirkungen auf die medial realisierte Form des Erzählens selbst hat.

Sowohl in der literarischen Erzählung als auch im Film gibt es einen privilegierten Ort des Erzählens, die ›Brooklyn Cigar Company‹, Auggie Wrens Tabakladen, der jedoch literarisch und filmisch an sehr verschiedenen ›medialen Orten‹ in Erscheinung tritt. Der geschriebene und gedruckte Text erscheint auf einer Zeitungsseite neben anderen Texten wie politischen Meldungen, Kommentaren oder Werbung. Seine mediale Form ist die Papierform der Zeitungsseite. Der Ort des Films dagegen ist ein doppelter: Auf der einen Seite (des Kinos) ist es ein Zelluloidstreifen mit 24 Bildern/Sek. im Projektor, auf der anderen Seite (im Kino) ist es die Leinwand mit der Projektion eines Bewegungsbildes und des Tons. Anders als der Leser, der mit der Seite einer Zeitung, die er oder sie in der Hand hält und zum Lesen öffnet, oder mit mehreren Seiten eines Buches, die umgeblättert werden wollen, allein ist, gehört zur Filmprojektion im Kino ein Publikum, das einer Veranstaltung mit einem bestimmten Programm beiwohnt, von dem der Film ein Teil ist. Ein literarischer Text kann heute nicht nur im Buch und (seit dem 19. Jahrhundert) in der Zeitung, sondern auch auf dem Bildschirm eines Computers (sogar interaktiv) gelesen werden, was sowohl den Text (Hypertext) als auch die Lektüre (durch Einbeziehung verschiedener ›Links‹) stark verändern kann. Desgleichen ist auch ein Film auf dem Bildschirm eines Fernsehapparates ein anderer, wenn er als Teil des Fernsehprogramms gesendet wird. Mit einem Videorecorder kann ein Film als Videoaufzeichnung fast wie ein Buch ›gelesen‹ werden. Das sind nur einige Unterschiede ›medialer Formen‹, in denen uns ein literarischer Text wie *Auggie Wrens Weihnachtsgeschichte* und ein Film wie *Smoke* begegnen können: Sie betreffen die mediale Form der Aufzeichnung (Schrift vs. Bild/Ton), ihre Distribution (auf Papier als Zeitung oder Buch vs. Reihenfotografien auf Zelluloidfilm oder die elektronische Aufzeichnung auf Magnetband) und ihre Darstellung/Rezeption als Zeitung oder Buch vs. Kinoprojektion oder als Teil eines Fernsehprogramms bzw. einer Video-Darstellung. In der ›medialen Form‹ ihrer Digitalisierung werden der literarische Text und die Bild/Ton-Aufzeichnung schließlich im Computer ununterscheidbar, und erst der entsprechende Algorithmus ihrer jeweiligen Darstellung als Schrift oder Bild/Ton lässt ihre Formdifferenz wieder herstellen. Für die folgenden Überlegungen wird davon ausgegangen, dass ›Film‹ auch dann noch ein fotografisches Medium ist, wenn der Film für seine Analyse, wie allgemein üblich, auf Video betrachtet wird.

Es ist nun die Frage hinsichtlich des ›intermedialen Erzählens‹, wie beim Übergang (der ›Transformation‹) von einem Medium in ein anderes nicht nur der erzählte Inhalt (das Dargestellte) mehr oder weniger weitergegeben (übertragen) wird, sondern auch wie die ursprüngliche mediale Form des Erzählens (die Darstellung) im neuen Medium (der Darstellung) zum Ausdruck kommt. Da das Erzählen immer in einem Medium stattfinden muss, hat dessen Form immer auch Anteil an der Formulierung des Erzählten. Geschichten, die mündlich überliefert wurden, haben sich durch ihre schriftliche Aufzeichnung zumal seit dem Buchdruck spezifisch verändert, die Stimme des Erzählers ist vom Buchstaben verdrängt worden, die Präsenz (der Situation) des Erzählens hat ihrer schriftlichen Wiederholbarkeit an beliebigen Orten zu beliebiger Zeit Platz gemacht. Dennoch kann die Mündlichkeit als mediale Form des Erzählens auch im gedruckten Text wiederkehren, wo sie durch Satzzeichen und grammatikalische bzw. stilistische Merkmale hervorgehoben wird. In dem Moment, in dem Auggie in Paul Austers literarischer Erzählung mit seiner Geschichte beginnt, verändert sich auch die Form des Erzählens: Zunächst beschreibt der Autor die Situation, in der sich Auggie und Paul Benjamin im Restaurant treffen. Dann heißt es: Wir fanden hinten einen freien Tisch, bestellten unser Essen, und Auggie begann seine Geschichte. »Es war im Sommer 72«, sagte er.

Die (durchaus lebendige, im erzählenden Präteritum gehaltene) Darstellung des Autors hat keinen bestimmten Adressaten, sie richtet sich allgemein an ein Lesepublikum, während Auggie seine Geschichte nur diesem einen Zuhörer Paul Benjamin erzählt. Und nur Auggies Erzählung steht in Anführungsstrichen, nicht aber der Bericht des Autors, der Auggies Erzählung einschließt. Paul Austers Darstellung konstituiert eine Situation des Erzählens für Auggie, denn darauf läuft dieser Text hinaus, während Auggies Geschichte von dieser Erzählsituation ausgehend ganz bei sich selbst, in ihrer eigenen Fiktion bleiben kann. Paul Austers Darstellung bildet einen Rahmen schriftlichen Erzählens für eine darin mündlich überlieferte Geschichte, die (in der Fiktion) ganz an ihre Situation der Mitteilung gebunden wäre, wenn sie nicht vom Autor der Erzählung schriftlich überliefert worden wäre. Die Differenz der medialen Form ist also eine erzählte (die unterschiedlichen Ebenen der Erzählsituation) und eine stilistische (Frage der Adressierung, etc.).

Im Film findet sich dieselbe Unterscheidung, jedoch mit anderen medialen Formen. Der Film etabliert eine Situation des Erzählens im Restaurant (im Text erzählt der Autor im literarischen Präteritum: »Wir fanden hinten einen freien Tisch, bestellten unser Essen, und Auggie begann seine Geschichte«[4]), indem er nun unmittelbar zeigt, wie Auggie und Paul Benjamin am Tisch sitzen und Auggie zu erzählen beginnt. Der Autor des schriftlichen Textes der mündlich erzählten Geschichte ist auf der einen Seite zum Kamerablick (Blick Auggies auf Paul Benjamin) und auf der anderen zur dargestellten Figur in der Szene geworden, wo er von Paul Benjamin (und den Zuschauern) gese-

4 Auster (Anm. 2), S. 156.

hen werden kann. Auggies mündlich erzählte Geschichte ist im Text und im Film (mit unwesentlichen Änderungen) dieselbe, weil ihre mediale Form der ›Mündlichkeit‹ dieselbe geblieben ist, nur dass wir jetzt Auggie beim Erzählen zusehen, während wir ihm zuhören – eine Situation, die der Film symbolisch kenntlich macht, indem er Auggies Mund und Pauls Augen miteinander konfrontiert, und die wir uns literarisch als gelesene im Rahmen des Autorenberichtes nur vorstellen (oder einbilden) können. Die mediale Form der Mündlichkeit ist also eine deutliche Klammer zwischen diesem Text und diesem Film. Der Film von Wayne Wang hat offenbar Wert darauf gelegt, Auggies Geschichte in derselben medialen Form für den Film zu übernehmen, in der sie auch literarisch erscheint.

Paul Austers Erzählung *Auggie Wrens Weihnachtsgeschichte* besteht – wie der Film *Smoke* von Wayne Wang – aus zwei Teilen. Der erste Teil berichtet von den Umständen, die schließlich dazu geführt haben, dass Auggie seine Geschichte erzählt. Hier geht es um das Erzählen selbst und die Art und Weise, wie Ereignisse der Wirklichkeit ›aufgenommen‹ und zu Geschichten verbunden werden. Dies nimmt etwa ein Drittel im literarischen Text, im Film aber die gesamte Filmhandlung ein, da Auggies Weihnachtsgeschichte erst im Anschluss an den Film (und im ›Film nach dem Film‹) zum Zuge kommt, als wäre sie wegen der vielen anderen Ereignisse, von denen der Film handelt, beinahe vergessen worden. Diese Ereignisse sind durch die Beziehungen der Personen der Handlung strukturiert, d. h. Beziehungen der Verwandtschaft und des Geldes, beides im Zeichen des Tausches, des Gebens und des Nehmens.

Der Film beginnt wie erwähnt mit (einem symbolischen oder topographischen Bild) der Hochbahn, die sich durch Brooklyn schlängelt. Dann befinden wir uns in Auggies ›Brooklyn Cigar Company‹, wo gerade eine Diskussion über Baseball im Gange ist. Es erscheint der Schriftsteller

Paul Benjamin, dem zu der Zigarren-Marke »Raleigh« eine Geschichte[5] einfällt, die er den anderen erzählt. Sir Walter Raleigh, ein Favorit Elisabeths I., hatte gewettet, dass er den Rauch einer Zigarre wiegen kann. Er gewinnt die Wette, indem er die Zigarre zweimal wiegt, zuerst die ungerauchte Zigarre und dann die Asche, die er beim Rauchen sorgfältig gesammelt hat. Die Differenz ist das Gewicht des Rauches. Die Erzählung dieser Geschichte an dieser Stelle des Films gibt Anlass für viele Deutungen[6]. Hier ist interessant, dass sie ein Modell für das Erzählen selbst vorstellt, dessen ›Gewicht‹ wie der Rauch einer Zigarre ist, dessen Wert vor allem darin besteht, einen Zeitraum zu öffnen, ›Zeit zu geben‹: Aus einem ereignishaften Moment wird die Zeit einer Geschichte, in der das Ereignis überhaupt erst einen Platz bekommt. Der Film besteht aus einer Kette von Ereignissen, die bereits geschehen sind oder noch geschehen werden und die er zu Geschichten anordnet, um sie erzählen zu können, zu denen er sich ›Zeit nimmt‹ wie die Kunden in Auggies Laden, dem Ort der erzählten Zeit (während Film und Zeitung Medien der ›Zeit des Erzählens‹ sind).

Da ist zum Beispiel Paul Benjamin. Als Paul den Laden wieder verlassen hat, teilt Auggie als Instanz des Wissens, bei dem ›die Fäden zusammenlaufen‹, seinen Kunden im Laden und mittelbar den Filmzuschauern mit, dass Paul Benjamin Schriftsteller ist und dass vor kurzem seine Frau bei einem Überfall ums Leben gekommen ist. Immer noch von der Trauer überwältigt, passt Paul auf der Straße nicht auf und wäre beinahe von einem Lastwagen überfahren

5 Einen Essay über Sir Walter Raleigh hatte Paul Auster bereits in *The Art of Hunger* (*Die Kunst des Hungers*, Reinbek bei Hamburg 2000) veröffentlicht.

6 Zu dieser Geschichte und ihrem Zusammenhang mit der Philosophie der ›Gabe‹ vgl. vom Verfasser (zus. mit Lena Christolova) »Zeit geben. Eine dekonstruktive Lektüre des Films ›Smoke‹ (1994)«, in: *Über Bilder sprechen. Positionen und Perspektiven der Medienwissenschaft*, hrsg. von Heinz B. Heller (u. a.), Marburg 2000, S. 205–222.

worden, wenn ihn ein schwarzer Junge, der sich als Rashid vorstellen wird, nicht festgehalten hätte. Dieses Ereignis, beinahe ein Unfall, gibt wiederum Anknüpfungspunkte für das weitere Erzählen: Paul weiß, dass viele Jugendliche in New York kein Zuhause haben, deshalb bietet er Rashid als Gegengabe für sein gerettetes Leben die Möglichkeit an, bei ihm zu übernachten. Tatsächlich taucht Rashid wenig später bei ihm auf, aber Paul fühlt sich durch seine Anwesenheit bald gestört und wirft ihn hinaus, als er das Gefühl hat, dass sich seine Schuld gegenüber Rashid ausgeglichen hat. Von Rashids Tante Em erfährt er, dass jener ihm Lügengeschichten über seine Eltern erzählt hat, tatsächlich hätte er gerade seinen lange verschollenen Vater in der Person des ziemlich erfolglosen Tankstellenbesitzers Cyrus Cole in einem Vorort wieder gefunden, wo er ihn aufsucht, ohne sich zu erkennen zu geben.

Das, was folgt, sind die ›Geschichten dreier Väter‹, die unversehens zu ihrer Vaterrolle kommen und der Erzählung die Struktur von Verwandtschaftsbeziehungen geben. Cyrus Cole hat durch Trunkenheit am Steuer seines Autos den Tod seiner Frau und Mutter von Thomas/Rashid verschuldet und selbst einen Arm verloren (den Gott ihm, wie er glaubt, als Sühne für seine Schuld genommen hat). Er ist verschwunden und hat später Doreen geheiratet, mit der er wieder ein Kind hat. Thomas (Rashid) nähert sich behutsam seinem Vater, indem er sich zunächst ein ›Bild‹ von ihm macht, d. h., er macht eine Zeichnung, die ihm ›Zeit gibt‹, Cyrus zu beobachten und sich über seine eigenen Gefühle klar zu werden.

Thomas (Rashid) sucht danach wieder Paul Benjamin, seinen vorübergehenden Ersatzvater auf, weil er bei ihm ohne dessen Wissen etwas deponiert hat, was er nun abholen will. Es handelt sich um die Beute von Gangstern, die diese auf der Flucht haben fallen lassen und die Thomas (Rashid) aufgehoben hat. Seitdem wird er von den Gangstern verfolgt. Von Tante Em weiß Paul, dass Thomas (Rashid) seinen Vater wieder gefunden hat; er erzählt ihm eine Geschichte, um ihn mit der Situation, dass ein erwachsener Sohn seinen Vater wieder findet, vertraut zu machen. Diese Geschichte hat einen ähnlichen Stellenwert wie jene von Sir Walter Raleigh und der Zigarre, diesmal entwickelt sie jedoch in der Erzählung das Modell einer Verwandtschaftsbeziehung, die gegenüber der natürlichen Generationenfolge umgekehrt (im Spiegel) erscheint: Ein junger Mann stürzt im Gebirge zu Tode. Jahrzehnte später erblickt durch Zufall sein inzwischen erwachsener Sohn ihn zu seinen Füßen eingefroren und scheinbar unversehrt in einem Eisblock. Wie in einem Spiegel sieht er sich selbst im Bild seines jüngeren Vaters[7]. Die Erzählung gibt Thomas (Rashid) Zeit, sich an die für ihn neue Beziehung zu seinem Vater zu gewöhnen, und er macht auch gleich ironischen Gebrauch von dem Angebot und erklärt sich selbst zum Vater von Paul, als beide einen Buchladen aufsuchen.

Auggie hat inzwischen in seinem Laden Besuch von (s)einer verflossenen Freundin Ruby bekommen. Sie bittet ihn, mit ihr zu ihrer gemeinsamen Tochter Felicitas zu kommen, die schwanger ist und drogenabhängig in schrecklichen Verhältnissen lebt. Auggie glaubt nicht an die Geschichte ›seiner‹ Tochter, aber man (Mann) weiß ja nie. Er lässt sich überreden und sucht zusammen mit Ruby Felicitas auf, die ihren vermeintlichen Vater beschimpft, beiden Prügel androht und sie rausschmeißt. Ihr Kind hat sie längst abgetrieben.

Die drei verwandtschaftlichen Erzählstränge werden schließlich durch das Geld miteinander verbunden, das hier tatsächlich wie ein ›verallgemeinertes symbolisches Kommunikationsmedium‹[8] fungiert. Paul macht Thomas

7 Die literarischen Vorbilder für diese Geschichte, z. B. E. T. A. Hoffmanns *Die Bergwerke zu Falun* (1819), können hier vernachlässigt werden.

8 Gemeint ist damit, dass Geld keine Eigenschaft dessen hat, wozu es als gesellschaftliches Medium vermittelt. Es ist allgemeines Symbol für das, was

(Rashid) klar, dass er das gestohlene Geld nicht behalten darf, weil sonst sein Leben in Gefahr ist. Er überredet Auggie, Thomas (Rashid) in seinem Laden anzustellen. Durch Unachtsamkeit verdirbt er eine Ladung geschmuggelter kubanischer Zigarren, mit denen Auggie ein Geschäft machen wollte. Thomas (Rashid) ist daraufhin einverstanden, das Geld als Entschädigung Auggie zu geben, der es wiederum an Ruby weitergibt, damit Felicitas mit einer Entziehungskur vielleicht doch noch geholfen werden kann. Ein wenig kauft sich Auggie damit auch von seiner Vaterrolle los. Das Geld hat die Gabe, Menschen in Beziehung zu setzen, sie auf seiner symbolischen Ebene einander ›verwandt‹ zu machen, indem es als ›Gabe‹ legitim oder illegitim weitergegeben wird. Es verbindet Rashid mit Paul, zu dem sich Rashid flüchtet, um das Geld zu verstecken, Rashid mit Auggie als Wiedergutmachung und Auggie mit Ruby, wo es dazu dient, Ruby die vermeintliche Tochter (d. h. die Verantwortung für sie) zurückzugeben. Nur die tatsächliche Verwandtschaftsbeziehung zwischen Thomas Cole und seinem Vater Cyrus bleibt vom Geld unberührt.

Die Gefahr durch die Gangster ist real, das bekommt Paul zu spüren, als die ihn aufsuchen, weil sie bei ihm Rashid und das Geld zu finden hoffen. Rashid kann rechtzeitig die Polizei rufen, aber ein gebrochener Arm bleibt Paul als Andenken. Es ist der Arm an derselben Seite, den Cyrus verloren hat, was nun die beiden ›Väter‹ symbolisch verbindet. Am Schluss wird Auggie in der Zeitung lesen, dass die Gangster bei einem Überfall von der Polizei erschossen wurden, die Gefahr ist endgültig vorbei, das

man damit erwerben kann. Daher ist es geeignet, auch in zwischenmenschlichen Beziehungen zu vermitteln und sie symbolisch zu repräsentieren (andere derartige Kommunikationsmedien sind Wahrheit, Liebe, Macht etc.). Vgl. Niklas Luhmann, »Einführende Bemerkungen zu einer Theorie symbolisch generalisierter Kommunikationsmedien«, in: N. L., *Soziologische Aufklärung 2*, Opladen 1991, S. 170–192.

Picknick im Grünen, von dem eingangs die Rede war, kann nun dazu dienen, dass Cyrus und Thomas Cole einander als Vater und Sohn erkennen und alle Beteiligten zur Ruhe kommen. Es gibt nichts mehr zu erzählen, alles ist in seiner besten Ordnung (*Smoke* ist ein »ziemlich optimistischer Film«, findet auch Paul Auster[9]).

Inmitten dieser Wirren kommt es zu einer ganz anderen Geschichte, die bisher ausgeblendet geblieben ist. Es ist genau jene Geschichte von Auggie als Hobbyfotograf, die auch in der literarischen Vorlage erzählt wird und den Zusammenhang mit der eigentlichen Weihnachtsgeschichte herstellt.

In der literarischen Erzählung hat Auggie das Bedürfnis, sich dem Schriftsteller Paul Benjamin in seiner Kompetenz als Fotograf zu präsentieren. Er bittet ihn, sich seine Fotoalben anzusehen. »In Anbetracht seiner Begeisterung und seines guten Willens brachte ich es einfach nicht übers Herz, nein zu sagen. Weiß Gott, was ich erwartet habe. Auf alle Fälle nicht das, was Auggie mir dann am nächsten Tag gezeigt hat.«[10] Der Film lässt Auggie weniger aufdringlich sein und motiviert die Sequenz dadurch, dass Paul eines Abends auf der Ladentheke eine Fotokamera entdeckt. Er ist erstaunt, dass sie Auggie gehört, weil er ihn sich nicht als jemand vorstellen konnte, der sich für etwas anderes als seinen Zigarrenladen interessiert, schon gar nicht für Fotografie. Jetzt lädt Auggie ihn ein, sich seine Fotos zu Hause in seiner Küche anzusehen. Der Fotoapparat führt zu den Bildern und diese später zurück zur Weihnachtsgeschichte um den ›gestohlenen‹ Fotoapparat. Paul sieht sich »zwölf völlig gleich aussehende schwarze Fotoalben« etwas gelangweilt an. »Die Bilder glichen sich aufs Haar. Das ganze Projekt war ein betäubender Angriff von Wiederholungen, wieder und wieder dieselbe Straße

9 »Le Monde est dans ma Tête«. Propos recueillis par Gérard de Cortanze, in: *La Magazine littéraire*, No 338, Dezember 1995, S. 25.

10 Auster (Anm. 2), S. 153.

und dieselben Gebäude, ein anhaltendes Delirium redundanter Bilder.«[11] Der Film zeigt zuerst die Bilder, die zu viert auf einer Albumseite aufgeklebt sind und von Paul ›umgeblättert‹ werden. Dann sehen wir Paul, der etwas konsterniert und fragend zu Auggie sagt: »Die sind ja alle gleich.« Auggie erklärt daraufhin sein Projekt, das man auch als sein Lebenswerk bezeichnen könne: Jeden Tag zur selben Zeit um acht Uhr morgens würde er vom selben Punkt vor seinem Laden ein Foto machen, an viertausend aufeinander folgenden Tagen habe er bisher schon viertausend Fotos gemacht, die alle in den Fotoalben gesammelt und angeordnet sind. Paul blättert die nächsten Alben durch als Auggie ihm rät: »Du kommst nie dahinter, wenn du nicht langsamer machst, mein Freund. – Wie meinst du das? – Ich meine, du bist zu schnell, du siehst die Fotos nicht richtig an. – Ich finde, sie sind alle gleich. – Sie sind alle gleich, aber trotzdem unterscheiden sie sich. Es gibt die hellen Morgen und die dunklen Morgen, es gibt das Sommerlicht [...].« Jetzt sind die Fotos bildfüllend zu sehen, jeweils ein Foto wird mit dem nächsten durch eine weiche Überblende verbunden, während Auggie die Unterschiede beschreibt. Paul sagt nachdenklich: »Langsamer also. – Das würd' ich Dir empfehlen. Du kennst es doch, morgen, morgen, wieder morgen, so geht in kleinen Schritten die Zeit voran [...]«. Wieder folgt in fließenden Überblenden ein Foto nach dem anderen, bis Paul plötzlich innehält: Auf einem der Bilder hat er seine Frau Ellen wieder erkannt, die Auggie zufällig fotografiert hat, bevor sie kurz darauf bei einer Schießerei während eines Banküberfalls zu Tode kam. Erschrocken sieht Paul seine Frau, die auf dem Foto noch lebt, aber wenig später tot sein wird. Das Bild ›verwundet‹ ihn regelrecht, es ist eine Erfahrung mit Fotografien, die Roland Barthes *punctum* genannt und dem aufmerksamen Betrachten, dem *studium*

11 Auster (Anm. 2), S. 153.

der Bilder gegenübergestellt hat[12]. So gibt es drei Rezeptionshaltungen, die Paul angesichts von Auggies Fotoalben einnimmt: Das zu schnelle Überblicken, das wesentliche Unterschiede übersieht, das aufmerksame *studium* der Bilder mit dem Blick des Beobachters, der auf Unterschiede achtet, und die Erfahrung des Unvorhergesehenen, Plötzlichen, das wie ein Blitz einschlägt und eine tiefe Wunde bei Paul aufreißt, die den Schmerz über den Verlust seiner Frau wieder wachruft. Den Veränderungen in diesen drei Haltungen entspricht ein Medienwechsel. Zuerst handelt es sich um ein ›Blättern‹ im Fotoalbum wie in einem Buch, während die Fotos sich deutlich von dem Filmbild, das sie zeigt, unterscheiden. Im *studium* werden die Fotos bereits filmisch gezeigt, jedes Bild ist mit dem Bild identisch, das es filmisch zeigt, zugleich simuliert die Überblende diejenige Bewegungsdarstellung, die dem einzelnen Foto abgeht. Das *punctum* schließlich unterbricht die filmisch dargestellte Fotoserie und die weichen Übergänge ihrer Verbindungen durch Pauls erkennenden und erschrockenen Blick und verweist so das Gesehene an das subjektive Sehen als Handlung im Film zurück. Einzelne Fotografien, die alle gleich zu sein scheinen, offenbaren ihre Differenz, was dazu führt, dass sie ins Gleiten kommen und wie in einer Bewegung aufeinander folgen (es ist eine Bewegung *zwischen* den Bildern, nicht in ihnen) in einer äußersten Annäherung der Fotografie an den Film, ohne mit ihm und seinem projizierten Bewegungsbild identisch zu werden (wohl aber mit dem Filmkader auf dem Filmstreifen). Die Unterbrechung der Bewegung gilt dem ›Film im Film‹, dessen Bewegung durch den erschrockenen Blick wieder zum Teil der dargestellten Handlung wird. Unmittelbar im Anschluss an diese Sequenz ist zu sehen, wie die Fotos entstanden sind: Auggie steht mit seiner Kamera an

12 Roland Barthes, *Die helle Kammer. Bemerkungen zur Photographie*, Frankfurt a. M. 1985.

der Straßenecke, um wieder ein Foto des neuen Tages zu machen.

Diese Sequenz im ersten Drittel ist nur sehr vage mit der übrigen Handlung des Films verbunden, und auch die literarische Erzählung motiviert sie erst im Nachhinein dadurch, dass es in der folgenden Weihnachtsgeschichte um eben diese Fotokamera geht, mit der Auggie sein Projekt durchführt. Die Weihnachtsgeschichte, die chronologisch dem Film vorangeht, im Film selbst aber erst im ›Anhang‹ als nachgeholte Erzählung und ›Film im Film‹ erzählt wird, setzt in der Haupthandlung lediglich voraus, dass Auggie fotografiert und Besitzer einer Kamera ist, von der nun erzählt wird, wie er zu ihr gekommen ist: Bei der Verfolgung eines jungen Ladendiebs, der ihm entwischt, findet Auggie dessen Brieftasche, die er auf der Flucht verloren hat. Sie enthält Fotos und eine Adresse. Anstatt damit zur Polizei zu gehen, beschließt er kurz vor Weihnachten, die Brieftasche bei der angegebenen Adresse abzugeben. Er trifft eine alte blinde Frau, Granny Ethel, an, die ihn offenbar für ihren Enkel Robert hält. Auggie lässt sie in dem Glauben. Er besorgt etwas zu essen, und beide haben zusammen einen netten Weihnachtsabend. Auf der Toilette findet er einen Stapel offenbar gestohlener Fotokameras, nimmt eine davon und verlässt die alte Frau, die inzwischen eingeschlafen war. Auggies Gewissensbisse, dass er die blinde Granny Ethel bestohlen hat, zerstreut Paul Benjamin, immerhin habe er ihr einen schönen Weihnachtsabend geschenkt, und die Kameras seien sowieso gestohlen gewesen.

Diese Geschichte und die Situation ihrer (mündlichen) Erzählung, adressiert an den Schriftsteller Paul Benjamin, der eine Geschichte für den Auftrag einer Zeitung suchte und von Auggie bekam, war der Anlass für den Film *Smoke*, der jedoch, wie Paul Auster sagt[13], zu 99 Prozent neu geschrieben wurde in einem Originaldrehbuch, das

13 Auster (Anm. 9), S. 25.

dem Film zugrunde gelegen hat, aber stark gekürzt und dessen Sequenzfolge während der Dreharbeiten vielfach umgestellt wurde. Die ursprüngliche Idee des Drehbuchs, Auggies Erzählung durch die filmische Darstellung des Erzählten zu begleiten und sie zum *Off*-Kommentar eines stummen Schwarzweißfilms zu machen, wurde aufgegeben. Der Film von Auggies Besuch bei Granny Ethel wird nun im Anschluss an Auggies Erzählung mit einem Song von Tom Waits während des Abspanns als filmische Wiederholung der mündlich erzählten Geschichte gezeigt; ihr wird die schriftliche literarische Wiederholung in der Zeitung folgen, die tatsächlich dem Film vorangegangen ist.

Das Drehbuch ist zusammen mit der Weihnachtsgeschichte (und dem Drehbuch des folgenden Films *Blue in the Face*) als Buch veröffentlicht worden. Für den Vergleich des Drehbuchs (als literarische Gattung) mit dem Film müssten jeweils die amerikanischen Originalfassungen (der Dialoge insbesondere) zugrunde gelegt werden. Schon die Dialoge in der deutschen Übersetzung des Drehbuchs weichen stark von denjenigen der Synchronfassung des Films ab. Derartige vergleichende Untersuchungen zwischen Drehbuchfassung und realisiertem Film sind in jedem Fall interessant, zumal wenn das Drehbuch von einem literarischen Autor stammt. Für eine Analyse ›intermedialen Erzählens‹ wäre zu fragen, in welcher Beziehung der literarische Stil der Dialoge zu deren Verkörperung in den sprechenden Figuren im Film steht, vermittelt durch die Stimme der Darsteller.

Die vorliegende Analyse hat sich auf die literarische ›Erzählung der Fotografie‹ in der vorausgehenden Weihnachtsgeschichte und ihre Wiederholung in der ›fotografischen Erzählung‹ im Medium des Films konzentriert. Diese intermediale Form des Fotografischen verbindet die erzählte Fotografie im literarischen Text mit ihrer fotografischen Erzählung im Film, indem sie am Übergang von der ›lesbaren‹ Anordnung der Fotografien im Buch (den

Fotoalben) zu ihrer filmischen Verbindung mit Überblenden im Film steht. Der stumme, mit dem Song von Tom Waits unterlegte Schwarzweißfilm ›im Film‹ am Schluss hebt noch einmal gegenüber dem ›realistischen‹ Farbfilm das Fotografische hervor, das er auch zum Thema hat. Es wäre ein Leichtes, diesen Film wieder durch eine Reihe von Fotogrammen in einem Fotoalbum ›lesbar‹ zu machen. Ein Versuch wäre lohnend.

Text

Auster, Paul: Auggie Wrens Weihnachtsgeschichte (1990).
– Smoke. Blue in the Face. Zwei Filme. Mit einem Vorwort von Wayne Wang. Deutsch von Werner Schmitz und Gerty Mohr. Reinbek bei Hamburg 1995.

Film

Smoke. Regie: Wayne Wang. USA 1994.

Forschungsliteratur

Auster, Paul: The Art of Hunger (Die Kunst des Hungers). Reinbek bei Hamburg 2000.
Le Monde est dans ma Tête. Propos recueillis par Gérard de Cortanze. In: La Magazine littéraire. No 338. Dezember 1995. S. 25.
Luhmann, Niklas: Einführende Bemerkungen zu einer Theorie symbolisch generalisierter Kommunikationsmedien. In: N. L.: Soziologische Aufklärung 2. Opladen 1991. S. 170–192.
McLuhan, Marshall: Das Medium ist die Botschaft (Teil 1), in: M. McL.: Die magischen Kanäle. Düsseldorf 1968. S. 13–28.
Paech, Joachim / Christolova, Lena: Zeit geben. Eine dekonstruktive Lektüre des Films *Smoke* (1994). In: Über Bilder sprechen. Positionen und Perspektiven der Medienwissenschaft. Hrsg. von Heinz B. Heller (u. a.). Marburg 2000. S. 205–222.

Literaturhinweise

Adam, Gerhard (Hrsg.): Literaturverfilmungen. München 1984.
Albersmeier, Franz-Josef: Theater, Film und Literatur in Frankreich. Medienwechsel und Intermedialität. Darmstadt 1992.
– / Roloff, Volker (Hrsg.): Literaturverfilmungen. Frankfurt a. M. 1989.
Andrew, J. Dudley: Concepts in Film Theory. New York / Oxford 1984.
Bach, Michaela: Erzählperspektive im Film. Eine erzähltheoretische Untersuchung mithilfe exemplarischer Filmanalysen. Essen 1997.
Barthes, Roland: Die helle Kammer. Bemerkungen zur Photographie. Frankfurt a. M. 1985.
– Einführung in die strukturale Analyse von Erzählungen, in R. B.: Das semiologische Abenteuer, Frankfurt a. M. 1988. S. 102–143.
Bauschinger, Sigrid (Hrsg.): Film und Literatur: Literarische Texte und der neue deutsche Film. Amherst (Mass.) 1981.
Bazin, André: Für ein »unreines Kino« – Plädoyer für die Adaption. In: Gast, Wolfgang (Hrsg.): Film und Literatur: Analysen, Materialien, Unterrichtsvorschläge. Frankfurt a. M. 1993. S. 32–39.
Beicken, Peter: Wie interpretiert man einen Film? Für die Sekundarstufe II. Stuttgart 2004.
Benjamin, Walter: Die Aufgabe des Übersetzers. In: W. B.: Schriften Bd. 1. Hrsg. von Theodor W. Adorno und Gretel Adorno. Frankfurt a. M. 1955. S. 40–55.
Beyer, Marcel: Nonfiction. Köln 2003.
Bleicher, Thomas / Schott, Peter / Schott-Bréchet, Sylvie (Hrsg.): Literatur und Film. Sequenz 9. Hrsg. vom Goethe-Institut Nancy. Nancy 1996.
Bluestone, George: Novel into Film. Berkeley 1957.
Bordwell, David: Narration in the Fiction Film. London [6]1997.
– / Thompson, Kristin: Film Art. An Introduction. New York [6]2000.
Brecht, Bertolt: Der Dreigroschenprozeß. Ein soziologisches Experiment. In: B. B.: Schriften zur Literatur und Kunst 1. Gesammelte Werke, Bd. 18. Frankfurt a. M. 1967. S. 139–209.

Cartmell, Deborah / Whelehan, Imelda (Hrsg.): Adaptations. From Text to Screen, Screen to Text. London / New York 1999.
Deleuze, Gilles: Kino 1. Das Bewegungs-Bild. Frankfurt a. M. 1989.
– Kino 2. Das Zeit-Bild. Frankfurt a. M. 1991.
– L'Image-mouvement. Cinéma 1. Paris 1983.
Eco, Umberto: Einführung in die Semiotik. München 1974.
Engell, Lorenz: Sinn und Industrie. Einführung in die Filmgeschichte. Frankfurt a. M. 1992.
Estermann, Alfred: Die Verfilmung literarischer Werke. Bonn 1965.
Felix, Jürgen (Hrsg.): Moderne Film Theorie. Mainz 2002.
Föls, Maike-Maren: Literatur und Film im Fadenkreuz der Systemtheorie. Hamburg 2003.
Füger, Wilhelm: Wo beginnt Intermedialität? Latente Prämissen und Dimensionen eines klärungsbedürftigen Konzepts. In: Helbig, Jörg: Intermedialität. Theorie und Praxis eines interdisziplinären Forschungsgebiets. Berlin 1998. S. 41–57.
Gast, Wolfgang (Hrsg.): Film und Literatur: Analysen, Materialien, Unterrichtsvorschläge. Frankfurt a. M. 1993.
– Literaturverfilmung. Bamberg 1993.
Giddings, Robert / Selby, Keith / Wensley, Chris: Screening the novel: the theory and practice of literary dramatization. Basingstoke 1990.
Gollub, Christian-Albrecht: Deutschland verfilmt. Literatur und Leinwand 1880–1980. In: Bauschinger, Sigrid (Hrsg.): Film und Literatur: Literarische Texte und der neue deutsche Film. Amherst/Mass. 1981. S. 18–49.
Grabes, Herbert (Hrsg.): Literatur in Film und Fernsehen: Von Shakespeare bis Beckett. Königstein/Ts. 1980.
Hamburger, Käte: Die Logik der Dichtung. Stuttgart [2]1968.
– Zur Phänomenologie des Films. In: Merkur 1956. S. 873–880.
Hansen-Löve, Aage: Intermedialität und Intertextualität. In: W. Schmid / W. D. Stempel (Hrsg.): Dialog der Texte: Hamburger Kolloquium zur Intertextualität. Wien 1983. S. 291–360.
Helbig, Jörg (Hrsg.): Intermedialität. Theorie und Praxis eines interdisziplinären Forschungsgebiets. Berlin 1998.
Hess-Lüttich, Ernest W. B. (Hrsg.): Text Transfers: Probleme intermedialer Übersetzung. Münster 1987.
– / Posner, Roland (Hrsg.): Code-Wechsel. Texte im Medienvergleich. Opladen 1990.

Hickethier, Knut: Apparat – Dispositiv – Programm. In: Knut Hickethier / Siegfried Zielinski (Hrsg.): Medien – Kultur. Berlin 1991. S. 421–447.
– Geschichte des deutschen Fernsehens. Stuttgart/Weimar 1998.
– Film- und Fernsehanalyse. Stuttgart/Weimar [3]2001.
Hirsch, Alfred: Übersetzung und Dekonstruktion. Frankfurt a. M. 1997.
Hofmannsthal, Hugo von: Der Ersatz für die Träume. In: H. v. H.: Gesammelte Werke. Reden und Aufsätze 2 (1914–1924). Frankfurt a. M. 1979. S. 141–145.
Hurst, Matthias: Erzählsituationen in Literatur und Film: ein Modell zur vergleichenden Analyse von literarischen Texten und filmischen Adaptionen. Tübingen 1996.
Iser, Wolfgang: Der Akt des Lesens. München 1984.
Jakobson, Roman: Linguistische Aspekte der Übersetzung. In: Wolfram Wilss (Hrsg.): Übersetzungswissenschaft. Darmstadt 1981. S. 154–161.
Jørgensen, Sven-Aage / Schepelern, Peter (Hrsg.): Verfilmte Literatur. Beiträge des Symposions am Goethe-Institut Kopenhagen im Herbst 1992. In: Text & Kontext 18 (1993) Heft 1.2.
Kanzog, Klaus: Einführung in die Filmphilologie. Mit Beiträgen von Kirsten Burghardt, Ludwig Bauer u. Michael Schaudig. 2., aktualisierte und erw. Auflage. München 1997.
– (Hrsg.): Erzählstrukturen – Filmstrukturen. Erzählungen Heinrich von Kleists und ihre filmische Realisation. Berlin 1981.
– Grundkurs Filmrhetorik. München 2001.
– Wege zu einer Theorie der Literaturverfilmung am Beispiel von Volker Schlöndorffs Film ›Michael Kohlhaas – der Rebell‹. In: Paech, Joachim (Hrsg.): Methodenprobleme der Analyse verfilmter Literatur. Münster 1984.
– Bewußt sehen! Kategorien der wissenschaftlichen Filmanalyse für den täglichen Gebrauch. In: Geschichte und Film. Erkundungen zu Spiel-, Dokumentar- und Unterrichtsfilm. Hrsg. v. Ulrich Baumgärtner und Monika Fenn. München 2004. S. 11–25.
Kaufmann, Stanley: Living Images. New York 1975.
Kiefer, Klaus H.: »Sekunde durch Hirn« – Zur Semiotik und Didaktik des bewegten Bildes. In: MedienBildung im Umbruch. Lehren und Lernen im Kontext der Neuen Medien. Unter Mitarb. v. Holger Zimmermann hrsg. v. Volker Deubel u. Klaus H. Kiefer. Bielefeld 2003. S. 41–58.

Kittler, Friedrich: »Romantik – Psychoanalyse – Film: Eine Doppelgängergeschichte«. In: Eingebildete Texte: Affairen zwischen Psychoanalyse und Literaturwissenschaft. Hrsg. von Jochen Hörisch / G.-Chr. Tholen. München 1985. S. 118–135.
Kloepfer, Rolf: Intertextualität und Intermedialität oder die Rückkehr zum dialogischen Prinzip. Bachtins Theoreme als Grundlage für Literatur- und Filmtheorie. In: Mecke, Jochen / Roloff, Volker (Hrsg.): Kino-/(Ro)Mania: Intermedialität zwischen Film und Literatur. Tübingen 1999. S. 23–46.
Knilli, Friedrich (Hrsg.): Semiotik des Films. München 1971.
Kotulla, Theodor: Der Film. Manifeste, Gespräche, Dokumente. Bd. 2 1945 bis heute. München 1964.
Kracauer, Siegfried: Theorie des Films. Die Errettung der äußeren Wirklichkeit. Frankfurt a. M. 1985.
– From Caligari to Hitler: A Psychological History of the German Film. Princeton 1947.
– The Nature of Film: The Redemption of Physical Reality. London 1961.
Kreuzer, Helmut: Arten der Literaturadaption. In: Gast, Wolfgang (Hrsg.): Film und Literatur: Analysen, Materialien, Unterrichtsvorschläge. Frankfurt a. M. 1997. S. 27–31.
Lacan, Jacques: Television. Weinheim/Berlin 1988.
Lecke, Bodo (Hrsg.): Literatur und Medien in Studium und Deutschunterricht. Frankfurt a. M. 1999.
Lexikon des Films. Hrsg. v. Theo Bender u. Hans J. Wulff. Mainz 2002.
Lexikon Literaturverfilmungen. Verzeichnis deutschsprachiger Filme 1945–2000. Hrsg. v. Klaus M. Schmidt und Inge Schmidt, 2., erw. u. akt. Auflage. Stuttgart 2001.
Lohmeier, Anke-Marie: Hermeneutische Theorie des Films. Tübingen 1996.
Luhmann, Niklas: Einführende Bemerkungen zu einer Theorie symbolisch generalisierter Kommunikationsmedien. In: N. L.: Soziologische Aufklärung 2. Opladen 1991. S. 170–192.
Mahler, Andreas: Erzählt der Film? In: Zeitschrift für französische Sprache und Literatur. Bd. 111. 2001. S. 260–269.
Mann, Thomas: Film und Roman. In: Th. M.: Reden und Aufsätze 2. Gesammelte Werke in 13 Bänden. Bd. 10. Frankfurt a. M. 1990. S. 936 f.

McFarlane, Brian: Novel to Film. An Introduction to the Theory of Adaption. Oxford 1996.
McLuhan, Marshall: Die Gutenberg Galaxis. Das Ende des Buchzeitalters. Düsseldorf 1968.
– Die magischen Kanäle. Basel 1995.
Mecke, Jochen / Roloff, Volker (Hrsg.): Kino-/(Ro)Mania: Intermedialität zwischen Film und Literatur. Tübingen 1999.
medien praktisch. 3/91 (Themenheft Literaturverfilmung). Frankfurt a. M. 1991.
Metz, Christian: Semiologie des Films. München 1972.
Möller-Naß, Karl-Dietmar: Filmsprache. Eine kritische Theoriegeschichte. Münster 1986.
Monaco, James: Film Verstehen. Reinbek bei Hamburg, 3. Aufl. der überarb. Neuausg. vom Juli 2000. April 2001.
Müller, Jürgen E.: Intermedialität. Formen moderner kultureller Kommunikation. Münster 1996.
– Intermedialität als poetologisches und medientheoretisches Konzept. Einige Reflexionen zu dessen Geschichte. In: Helbig, Jörg (Hrsg.): Intermedialität. Theorie und Praxis eines interdisziplinären Forschungsgebiets. Berlin 1998. S. 31–39.
Mundt, Michaela: Transformationsanalyse. Methodologische Probleme der Literaturverfilmung. Tübingen 1994.
Naremore, James: Film Adaptation. London 2000.
Nünning, Ansgar (Hrsg.): Metzler-Lexikon Literatur- und Kulturtheorie. Ansätze – Personen – Grundbegriffe. Stuttgart/Weimar 1998.
Ortega y Gasset, José: Glanz und Elend der Übersetzung. Übersetzung von Gustav Kilpper. In: Ortega y Gasset, Gesammelte Werke. Bd. 4. Stuttgart 1978. S. 126–151.
Paech, Joachim: Intermedialität. Mediales Differenzial und transformative Figurationen. In: Helbig, Jörg (Hrsg.): Intermedialität. Theorie und Praxis eines interdisziplinären Forschungsgebiets. Berlin 1998. S. 14–30.
– Literatur und Film. Stuttgart/Weimar [2]1997.
– (Hrsg): Methodenprobleme der Analyse verfilmter Literatur. Münster 1984. (2., überarb. Aufl. Münster 1988.)
Pfister, Manfred: Das Drama. Theorie und Analyse. München [6]1988.
Rajewsky, Irina: Intermedialität. Tübingen/Basel 2002.
Reallexikon der deutschen Literaturwissenschaft. Neubearbeitung des Reallexikons der deutschen Literaturgeschichte gemeinsam

mit Harald Fricke, Klaus Grubmüller und Jan-Dirk Müller, hrsg. v. Klaus Weimar. 3 Bde. Berlin / New York 1997–2003.

Reif, Monika: Film und Text. Zum Problem von Wahrnehmung und Vorstellung in Film und Literatur. Tübingen 1984.

Rentschler, Eric (Hrsg.): German Film and Literature. Adaptations and Transformations. New York / London 1986.

Roloff, Volker: Film und Literatur. Zur Theorie und Praxis der intermedialen Analyse am Beispiel von Buñuel, Truffaut, Godard und Antonioni. In: Zima, Peter von (Hrsg.): Literatur intermedial. Musik – Malerei – Photographie – Film. Darmstadt 1995. S. 269–309.

Rusch, Gebhard: Einführung in die Medienwissenschaft. Opladen 2002.

Schachtschabel, Gaby: Der Ambivalenzcharakter der Literaturverfilmung. Mit einer Beispielanalyse von Theodor Fontanes Roman ›Effi Briest‹ und dessen Verfilmung von Rainer Werner Fassbinder. Frankfurt a. M. u. a. 1984.

Schanze, Helmut (Hrsg.): Fernsehgeschichte der Literatur. Voraussetzungen – Fallstudien – Kanon. München 1996.

– Metzler Lexikon Medientheorie Medienwissenschaft. Ansätze – Personen – Grundbegriffe. Stuttgart/Weimar 2002.

– Literatur – Film – Fernsehen. Transformationsprozesse. In: Schanze, Helmut (Hrsg.): Fernsehgeschichte der Literatur. Voraussetzungen – Fallstudien – Kanon. München 1996. S. 82–92.

Schaudig, Michael: Literatur im Medienwechsel: Gerhart Hauptmanns Tragikomödie ›Die Ratten‹ und ihre Adaptionen für Kino, Hörfunk, Fernsehen; Prolegomena zu einer Medienkomparatistik. München 1992.

Schepelern, Peter: Gewinn und Verlust. Zur Verfilmung in Theorie und Praxis. In: Jørgensen, Sven-Aage / Scheperlen, Peter (Hrsg.): Verfilmte Literatur. Beiträge des Symposions am Goethe-Institut Kopenhagen im Herbst 1992. In Text & Kontext 18 (1993) Heft 12. S. 20–69.

Schleiermacher, Friedrich: Ueber die verschiedenen Methoden des Uebersetzens. In: F. S.: Akademievorträge. Hrsg. von Martin Rössler. Berlin / New York 2002. S. 67–93.

Schmidt, Siegfried J.: Kalte Faszination. Medien – Kultur – Wissenschaft in der Mediengesellschaft. Weilerswist 2000.

– Medienwissenschaft und Nachbardisziplinen. In: Gebhard

Rusch (Hrsg.): Einführung in die Medienwissenschaft. Wiesbaden 2002, S. 53–69.

Schnell, Ralf (Hrsg.): Metzler Lexikon Kultur der Gegenwart. Stuttgart/Weimar 2000.

Schneider, Irmela: Der verwandelte Text. Wege zu einer Theorie der Literaturverfilmung. Tübingen 1981.

Spielmann, Yvonne: Intermedialität. Das System Peter Greenaway. München 1994.

Walzel, Otto: Wechselseitige Erhellung der Künste. Berlin 1917.

Winkler, Hartmut: Der filmische Raum und der Zuschauer. Heidelberg 1994.

Wolf, Werner: Intermedialität als neues Paradigma der Literaturwissenschaft? Plädoyer für eine literaturzentrierte Erforschung von Grenzüberschreitungen zwischen Wortkunst und anderen Medien am Beispiel von Virginia Woolfs ›The String Quartet‹. In: Arbeiten aus Anglistik und Amerikanistik 21 (1996). S. 85–116.

– Intermedialität: ein weites Feld und eine Herausforderung für die Literaturwissenschaft. In: Foltinek, Herbert / Leitgeb, Christoph (Hrsg.): Literaturwissenschaft: intermedial – interdisziplinär. Wien 2002. S. 163–192.

Zander, Horst: Intertextualität und Medienwechsel. In: Broich, Ulrich / Pfister, Manfred (Hrsg.): Intertextualität. Formen, Funktion, anglistische Fallstudien. Tübingen 1985. S. 178–196.

Zima, Peter von (Hrsg.): Literatur intermedial. Musik – Malerei – Photographie – Film. Darmstadt 1995.

Glossar

Abblende. Verdunkeln des Bildes bis zum Schwarz. Die Abblende wird als Beendigung einer Sequenz eingesetzt, wobei die nächste Sequenz wieder mit einer Aufblende beginnt, um einen abrupten Helligkeitssprung zu vermeiden. Gegenbegriff: Aufblende.

Aufblende. Durch Aufblende entsteht das Bild aus dem Schwarz heraus, z. B. kreisförmig, wenn eine Irisblende verwendet wird. Gegenbegriff: Abblende.

Autorenfilm. Film- und Produktionsrichtung, bei dem der Regisseur als Autor eines Films angesehen wird, insofern er dem Film relativ unabhängig von gängigen Thema- und Produktionsstandards einen eigenständigen künstlerischen Ausdruck verleiht.

Blende. Bestandteil der Kameraoptik, die Bildausschnitt und Helligkeit bestimmt, zudem Mittel der syntaktischen und filmdramaturgischen Strukturierung (vgl. **Auf- und Abblende**).

Chiaroscuro. Bildgestaltung, bei der die Gegensätze von Hell und Dunkel den Gesamteindruck des Bildes bestimmen. Dieser Effekt wurde aus der Malerei entlehnt und als ästhetisches Mittel vor allem im expressionistischen Film eingesetzt.

Computeranimation. Verfahren zur Herstellung und Bearbeitung von Bildern und graphischen Darstellung am Computer. Elektronisch erzeugte Bilder kann man beliebig verschieben, verkleinern oder vergrößern. Werden diese Darstellungen in Bewegung gesetzt, spricht man von Computeranimation.

Drehbuch (screenplay). Schriftliche Vorlage eines Films. Im Unterschied zum ›Treatment‹ sind im Drehbuch die Handlungsabläufe und Dialoge nach Sequenzen strukturiert und aufgeteilt.

Einstellung (shot). Kontinuierlich aufgenommenes Stück Film, die kleinste Einheit filmischen Erzählens als eine Folge von Phasenbildern (oder auch nur ein einzelnes Bild), ohne dass sich Kameraperspektive und die gewählte Einstellungsgröße (Kadrierung) verändern.

Einstellungsgrößen. Bestimmen den Bildausschnitt; man unterscheidet üblicherweise die Panorama-Einstellung (z. B. weite Landschaftsaufnahme) von der Totalen (z. B. ein ganzer Raum), der Halbtotalen (z. B. Teil eines Raumes mit mehreren Menschen), der halbnahen (z. B vom Kopf bis zu den Füßen) und der nahen Einstellung (z. B. Kopf und Oberkörper). Hinzu kommen die amerikanische Einstellung (Kopf bis Hüfte), die Großaufnahme (z. B. ein Gesicht) und die Detailaufnahme (z. B. ein Auge).

Frame. Einzelnes Filmbild.

Freeze Frame. Eigtl.: eingefrorenes Einzelbild, hier: verlängertes Standbild, das dadurch entsteht, dass dasselbe Einzelbild (z. B. im Filmstreifen) mehrfach wiederholt wird, und der Eindruck entsteht, als sei der Film stehen geblieben.

Genre. Als Filmgenre bezeichnet man ähnlich wie in der Literatur eine Gruppe von Werken mit thematischen, stilistischen und formalen Gemeinsamkeiten, also Filme, die einem gemeinsamen Muster folgen, wie etwa Science Fiction, Gangsterfilm, Horrorfilm, Dokumentarfilm etc.

Handkamera. Leichte, transportable Kamera ohne Stativ. Urspr. für Reportageeinsätze gedacht und in Dokumentarfilmen eingesetzt. Die Handkamera findet aufgrund ihrer »realistischen« und ästhetischen Qualitäten auch im Avantgardefilm Verwendung.

Insert. Fotos, Grafiken oder auch Texte, die in einen Film eingeschnitten werden oder mit Hilfe einer Insert-Kamera in ein Bild bzw. eine Einstellung eingefügt werden.

Kadrierung (Cadrage). Der Begriff dient zur Beschreibung von Formen und Klassen der Bildbegrenzung und ersetzt immer häufiger den weniger differenzierten Begriff der Einstellung, der ungenau Kamerapositionen und Perspektiven ebenso wie dramaturgische Funktionen zusammenfasst. Zur Typologie der Kadrierung vgl. **Einstellungsgrößen**.

Kommentar. Den Film begleitender Text, der z. B. bei vielen Dokumentarfilmen eingesetzt wird. Zumeist wird der Kommentar aus dem sog. Off gesprochen (vgl. **voice over**).

Mise en scène. Aus dem Theater übernommener Begriff, der die filmische Inszenierungsarbeit mit und vor der Kamera beschreibt. Dies schließt die Führung der Schauspieler, die Lichtregie, das Dekor, die Kameraposition und die filmische Bildkomposition ein.

Montage. Verfahren, mit dem die verschiedenen Einstellungen aneinander geschnitten und auf diese Weise zu Sequenzen verbunden werden. Unter ›dialektischer Montage‹ versteht man ein ästhetisches Verfahren der Gegenüberstellung kontrastiver Bildinhalte.

Morphing. Abgeleitet von Metamorphose, Verwandlung. Der Begriff hat sich im Computer- und Filmbereich etabliert und benennt die schrittweise, nahezu unmerkliche Verwandlung eines Objekts, Körpers oder Gesichts.

Parallelmontage. Montageverfahren, bei dem ein zeitgleiches Geschehen durch alternierendes Schneiden parallelisiert und für den Zuschauer als zeitgleich ablaufendes Geschehen erkennbar wird (Kreuzschnitt).

Plansequenz. Eine autonome Einstellung, die den Charakter einer ganzen Sequenz hat.

Schnitt (cut). Beim Schnitt wird die Länge der jeweiligen Einstellung durch Kürzung des vorhandenen Materials bestimmt, um dann die einzelnen Elemente zu Sequenzen und schließlich zum gesamten Film zusammenzufügen. Der Schnitt beeinflusst durch die Länge der Einstellungen sowie schnelle und/oder harte Schnitte den ästhetischen Gesamteindruck eines Films. Gegenbegriff: **Überblendung.**

Schuss-Gegenschuss. Zwei direkt hintereinander folgende Einstellungen, wobei der zweite Schuss (zweite Einstellung) genau aus der Position erfolgt, die die erste Einstellung gezeigt hat. Dies Verfahren wird vor allem in Dialogszenen eingesetzt.

Schwenk. Kamerabewegung, die entweder von oben nach unten bzw. umgekehrt (Vertikalschwenk) oder von einer Seite zur anderen (Horizontalschwenk) führt. Reißschwenk: ein sehr schneller Schwenk mit der Kamera, bei dem Bilddetails verloren gehen.

Special Effects. Eigentlich Sondereffekte. Effekte, die nicht in der Kamera erzeugt werden, sondern vor der Kamera. Sie reichen vom Einsatz beweglicher Modelle wie King Kong oder dem Weißen Hai über den Einsatz von ›Blue Screen‹-Verfahren oder der ›Blue Box‹ zum Ausblenden von Teilen des Bildes oder zum Einblenden neuer Hintergründe bis hin zu computerbasierten Morphing-Effekten.

Split-Screen Bilder. Bilder, bei denen mehrere Einzelbilder auf einer Projektionsfläche oder einem Monitor nebeneinander eingeblendet werden.

Stopp Trick. Stilistisches Verfahren, bei dem die Kamera angehalten und die Szene verändert wird. Anschließend wird die neue Szene mit der gleichen Einstellung/Kadrierung gefilmt. In der Projektion ergibt dies einen Bildsprung, der sich gezielt einsetzen lässt.

Subjektive Kamera. Übereinstimmung der Kameraposition mit der Perspektive einer Figur; Blickachse von Kamera und Figur decken sich.

Überblendung. Übergang von einer Einstellung zur nächsten, bei der die erste Einstellung ausgeblendet und zugleich die zweite Einstellung aufgeblendet wird.

Voice over. Verfahren der Nachsynchronisation bei Tonfilmen, bei dem ein Sprecher über den Originalton des Films hinweg spricht.

Vor-/Rückblende. Stilistisches Mittel in Form der Unterbrechung der gegenwärtigen Filmhandlung, um zukünftige oder vergangene Ereignisse in die laufende Filmhandlung zu integrieren.

Weichzeichner. Filter, der Bildüberstrahlungen erzeugt und die Konturen der Gegenstände weich erscheinen lässt.

Zwischentitel. In die laufende Filmhandlung eingeblendete Texttafeln. Zwischentitel wurden vor allem im Stummfilm zur Erläuterung der Handlung oder der Wiedergabe von Dialogen verwendet.

Die Autoren der Beiträge

JOAN KRISTIN BLEICHER

Geboren 1960. Studium der Germanistik, Amerikanistik und Allgemeinen Literaturwissenschaft in Gießen, Bloomington/USA und Siegen. Professor für Medienwissenschaft Universität Hamburg / Hans-Bredow-Institut.

Publikationen: Literatur und Religiosität. 1993. – Chronik zur Programmgeschichte des Deutschen Fernsehens. 1993. – Programmprofile. Kommerzielle Anbieter. Tendenzen der Fernsehentwicklung seit 1984. 1997. – (Mithrsg.) Trailer, Teaser, Appetizer. Formen und Funktionen der Programmverbindungen im Fernsehen. 1997. – Fernsehen als Mythos. Poetiken eines narrativen Erkennungssystems. 1999. – (Mithrsg.) Aufmerksamkeit. Medien und Ökonomie. 2002. – Aufsätze zu Fernsehen und Internet.

THOMAS BLEICHER

Geboren 1942. Studium der Germanistik, Komparatistik, Gräzistik, Theaterwissenschaft und Philosophie in Mainz und Wien. Sprachleiter an der Auslandstrainerschule Mainz und Lehrbeauftragter an der Universität Mainz.

Publikationen: Homer in der deutschen Literatur. 1972. – Übersetzungen maghrebinischer Romane und Lyrik. – Mithrsg. des Jahrbuchs *Sequenz. Film und Pädagogik* und der Zeitschriften *Komparatistische Hefte* und *Imago/Interculturalité*. – Aufsätze zu internationalen Literaturphänomenen, zu interkulturellen und intermedialen Fragestellungen und zu DaF-Problemen.

ANDREAS BLÜML

Geboren 1977. Studium der Englischen Literaturwissenschaft an der Universität München. Abschluss M. A. 2003 in Englischer Literaturwissenschaft.

ANNE BOHNENKAMP

Geboren 1960. Studium der Germanistik, Philosophie und Kommunikationswissenschaft in Göttingen und Florenz. Direktorin des Freien Deutschen Hochstifts / Frankfurter Goethemuseums. Honorarprofessorin des Fachbereichs Neuere Philologien an der Universität Frankfurt.

Publikationen: Mit Gunst und Verlaub. Tradition und Alternative. 1989. – Das Hauptgeschäft nicht außer Augen lassend. Die Paralipomena zu Goethes ›Faust‹. 1994. – (Hrsg.), Goethe. Ästhetische Schriften 1824–1832. 1999 – Aufsätze zu J. G. Hamann, Goethe, Übersetzung, Editionswissenschaft.

BRIGITTE BRAUN

Geboren 1970. Studium der Geschichte, Germanistik und Kunstgeschichte in Kiel, Breslau und Trier. Wissenschaftliche Mitarbeiterin im Fach Medienwissenschaft an der Universität Trier.

Publikationen: Aufsätze und Beiträge zur Mediengeschichte und zum Themenkomplex Film und Geschichte, u. a. in KINtop: Jahrbuch zur Erforschung des frühen Films, Film History sowie Geschichte und Ästhetik des dokumentarischen Films in Deutschland.

SEBASTIAN DONAT

Geboren 1964. Studium der Komparatistik, Slavistik und Neueren deutschen Literatur in München und Wolgograd. Wissenschaftlicher Assistent für Komparatistik an der Universität München.

Publikationen: (Mitverf.) Goethe – ein letztes Universalgenie? 1999. – »Es klang aber fast wie deine Lieder …« – Die russischen Nachdichtungen aus Goethes *West-östlichem Divan.* 2002. – (Mithrsg.) Roman Jakobsons Gedichtanalysen. Eine Herausforderung an die Philologien. 2003. – Aufsätze zur Theorie und Geschichte der literarischen Übersetzung, zu Goethe und seiner internationalen Rezeption, zur Metriktheorie, zur Literarischen Absurde und zur Literaturverfilmung.

JÖRG DÜNNE

Geboren 1969. Studium der Romanistik, Komparatistik und Philosophie in München, Paris und Kiel. Wissenschaftlicher Assistent am Institut für Romanische Philologie der Universität München.

Publikationen: Asketisches Schreiben. Rousseau und Flaubert als Paradigmen literarischer Selbstpraxis in der Moderne. 2003. – Mithrsg. von Bänden zu kultur- und medienwissenschaftlicher Raumtheorie (Von Pilgerwegen, Schriftspuren und Blickpunkten. 2004) sowie zu elektronischen Medien (Internet und digitale Medien in der Romanistik. 2004 im Internet). – Aufsätze zum Verhältnis von Kartographie und Text in der Frühen Neuzeit, zur Askese, zu Fernando Pessoa, Jorge Luis Borges u. a.

HANS-EDWIN FRIEDRICH

Geboren 1959. Studium der Germanistik und Geschichte in Trier. Seit 1998 Privatdozent für Neuere deutsche Literaturwissenschaft an der Universität München.

Publikationen: Der Enthusiast und die Materie. Von den »Leiden des jungen Werthers« bis zur »Harzreise im Winter«. 1991. – Science Fiction in der deutschsprachigen Literatur. Ein Referat zur Forschung bis 1993. 1995. – Deformierte Lebensbilder. Erzählmodelle der Nachkriegsautobiographie (1945–1960). 2000. (Mithrsg.) Schrift und Bild im Film. 2002. Aufsätze zur Literatur des 18. und 20. Jahrhunderts, zum Film, zur Trivialliteratur.

LISA GOTTO

Geboren 1976. Studium der Theater-, Film- und Fernsehwissenschaft, Germanistik und Anglistik in Bochum, Köln und Warwick. Wissenschaftliche Mitarbeiterin an der Fakultät Medien der Bauhaus-Universität Weimar.

Publikationen: Vaterfiktionen. Zur Darstellung von Vaterfiguren im Hollywoodkino der 80er und 90er Jahre. 2001. – Aufsätze im Bereich Filmwissenschaft und Gender Studies.

ERIKA GREBER

Studium der Russistik und Anglistik in Tübingen und Göttingen, Literaturwissenschaft in Konstanz. Professorin für Allgemeine und Vergleichende Literaturwissenschaft an der Universität München.

Publikationen: Textile Texte. Poetologische Metaphorik und Literaturtheorie: Studien zur Tradition des Wortflechtens und der Kombinatorik. 2002. – (Mithrsg.) Manier – Manieren – Manierismen. 2003. – (Mithrsg.) Intermedium Literatur. 2004. – Aufsätze zu Memoria, Mystik, Metafiktion, Spielformen der Literatur, Minimalismus, Gender Studies, Interkulturalität, Intermedialität.

KIRSTEN VON HAGEN

Studium der Komparatistik, Romanistik, Anglistik und Germanistik in Bonn. Stipendiatin am Graduiertenkollleg »Intermedialität« der Universität Siegen. Habilitationsprojekt zur Figur der Zigeunerin in Literatur, Oper und Film.

Publikationen: Intermediale Liebschaften: Mehrfachadaptationen von Choderlos de Laclos' Les Liaisons dangereuses. 2002. – Veröffentlichungen zu intermedialen Themen, zur Performativität und zu Fragen des Medienwechsels.

SVEN HANUSCHEK

Geboren 1964. Habilitation 2003. Lehrt Neuere deutsche Literatur an der Universität München.

Publikationen: Zu Heinar Kipphardt, Uwe Johnson, Erich Kästner; zuletzt: Geschichte des bundesdeutschen PEN-Zentrums von 1951 bis 1990, 2004 – Elias Canetti. 2005. – Aufsätze zur Literatur des 20. Jahrhunderts und zur Sozialgeschichte der Literatur.

CHRISTIAN JÄGER

Geboren 1964. Studium der Philosophie, Germanistik, Psychologie und Geschichte in Berlin. Privatdozent für Neuere deutsche Literatur an der Humboldt Universität Berlin.

Publikationen: Michel Foucault – Das Ungedachte denken. Entwicklung und Struktur des kategorialen Zusammenhangs in Foucaults Schriften. 1994 – Gilles Deleuze. Eine Einführung. 1997. – Zusammen mit Erhard Schütz: Städtebilder zwischen Literatur und Journalismus. Wien, Berlin und das Feuilleton der Weimarer Republik. 1999. – Aufsätze über Neue Sachlichkeit, Bertolt Brecht, Methodenfragen, Denkbilder, Aphoristik, Elfriede Jelinek und Dadaismus.

BERND KIEFER

Wissenschaftlicher Assistent am Seminar für Filmwissenschaft der Universität Mainz.

Publikationen: Rettende Kritik der Moderne. Studien zum Gesamtwerk Walter Benjamins. Frankfurt a. M. / Berlin 1994. Aufsätze zur Filmgeschichte und zur Literaturtheorie. – Zahlreiche Beiträge in den von Thomas Koebner herausgegebenen Bänden: Filmklassiker. 2002; Filmregisseure. 1999; Sachlexikon des Film. 2002. – (Mitautor und Mithrsg.) Die bizarre Schönheit der Verdammten. Die Filme von Abel Ferrara. 2000. – (Mithrsg.) Western. 2003. – (Mithrsg.) Pop und Kino. 2004.

TILMAN LANG

Geboren 1962. Studium der Germanistik, Publizistik- und Kommunikationswissenschaften und Philosophie in Göttingen und Berkeley. Planungs- und Forschungsbeauftragter der Arbeitsgemeinschaft der Medienanstalten Deutschlands (ALM). Lehrbeauftragter für Medientheorie und Mediengeschichte an der Universität Hamburg.

Publikationen: Mimetisches oder semiologisches Vermögen. Studien zu Walter Benjamins Begriff der Mimesis. 1996. – Konflikt – Grenze – Dialog. Mediale Strategien in und zwischen den Kulturen. 1997. – Medien – Migration – Integration. Elektronische Massenmedien und die Grenzen kultureller Identität. 2000. – Aufsätze über Celan, Benjamin, Fontane.

ANKE-MARIE LOHMEIER

Geboren 1947. Studium der Deutschen Philologie, Philosophie und Volkskunde in Kiel. Professorin für Neuere deutsche Literaturwissenschaft an der Universität Saarbrücken.

Publikationen: Beatus ille. Studien zum ›Lob des Landlebens‹ in der Literatur des absolutistischen Zeitalters. 1981. – Hermeneutische Theorie des Films. 1996. – Aufsätze zur deutschen Literatur des 17.–20. Jahrhunderts sowie zur Filmtheorie und Filmgeschichte.

ROGER LÜDEKE

Geboren 1966. Studium der Anglistik, Komparatistik und Hispanistik in München, Mexiko-Stadt, London und Paris. Seit 2003 Wissenschaftlicher Koordinator des Promotionsstudiengangs Literaturwissenschaft der Universität München.

Publikationen: Wiederlesen. Revisionspraxis und Autorschaft bei Henry James. 2002. – (Mithrsg.) Intermedium Literatur. Beiträge zu einer Medientheorie der Literaturwissenschaft. 2004. – (Mithrsg.) Von Pilgerwegen, Schriftspuren und Blickpunkten. Raumpraktiken in medienhistorischer Perspektive. 2004. – Aufsätze zu Intermedialität, Textkritik, Literaturtheorie, Gegenwartsliteratur, Literatur des 18. und 19. Jahrhunderts.

MARKUS M. MÜLLER

Geboren 1966. Studium der Anglistik, Germanistik und Kanadistik in Trier, Winnipeg (Creative Writing) und Ottawa. Wissenschaftlicher Assistent für Englischsprachige Literaturen und Kanada-Studien an der Universität Trier.

Publikationen: (Mithrsg.) Passages to Canada: Eighteen Essayistic Routes. 2002. – The Layered Mind: Reading Robert Kroetsch through Frederick Philip Grove. Vorauss. 2005. – Aufsätze über die kanadische Lyrik, Prärieliteratur, Ureinwohnerproblematik, Märchenadaptationen, Kulturstudien.

JOACHIM PAECH

Geboren 1942. Studium der Theaterwissenschaft, Germanistik und Philosophie an der FU Berlin. Professor für Medienwissenschaft an der Universität Konstanz. Arbeitsgebiete und Forschungsschwerpunkte sind Theorie und Geschichte des Films, Intermedialität des Films, der Literatur und der traditionellen Künste.

Publikationen: ›Passion‹ oder: Die Ein›bild‹ungen des Jean-Luc Godard. 1989. – Literatur und Film. [2]1997. – Zs. mit Anne Paech: Menschen im Kino. Film und Literatur erzählen. 2000. – Der Bewegung einer Linie folgen … Schriften zum Film. 2002.

INGRID VON ROSENBERG

Geboren 1938. Studium der Anglistik und Germanistik in Hamburg, Bonn, Edinburgh, Berlin. Professorin für Großbritannienstudien an der Technischen Universität Dresden.

Publikationen: Der Weg nach oben: Englische Arbeiterromane 1945–1978. 1979. – Alan Sillitoe: *Saturday Night and Sunday Morning*. 1984. – Publikationen zur Literatur von Frauen, zu Literatur und Kunst der schwarzen Briten, zur Geschichte der Sexualität, zu Phänomenen der Gegenwartskultur in Großbritannien. Literarische Übersetzungen von Jane Austen bis A. L. Kennedy.

SABINE SCHLICKERS

Geboren 1964. Studium der Romanistik in Duisburg, Granada und Hamburg. Professorin für Romanische Literaturwissenschaft mit dem Schwerpunkt Iberoromanische Literaturen an der Universität Bremen.

Publikationen: Verfilmtes Erzählen: Narratologisch-komparative Untersuchung zu »El beso de la mujer araña« (Manuel Puig / Héctor Babenco) und »Crónica de una muerte anunciada« (Gabriel García Márquez / Francesco Rosi) 1997 – (Mithrsg.): La modernidad revis(it)ada. Literatura y cultura latinoamericanas de los siglos XIX y XX. 2000. – El lado oscuro de la modernización: Estudios sobre la novela naturalista hispanoamericana. 2003.

JOHANN N. SCHMIDT

Geboren 1945. Studium der Anglistik, Romanistik und Germanistik in München und Swansea. Professor für Englische Philologie sowie für Medienkultur an der Universität Hamburg.

Publikationen: Satire: Swift und Pope. 1977. – Dickens. 1978. – D. H. Lawrence: ›Sons and Lovers‹. 1983. – Ästhetik des Melodramas. 1986. – Wolken-Kratzer. 1991. – Aufsätze über Shakespeare, Jonathan Swift, Charles Dickens, Harold Pinter, Alfred Hitchcock, Alain Resnais, Postmoderne und Comics.

NIKOLAUS G. SCHNEIDER

Geboren 1962. Studium der Komparatistik, Anglistik und Germanistik an der Universität München. Lebt und arbeitet als selbständiger Übersetzer, Lektor und Autor in Berlin.

Publikationen: Übersetzungen, vor allem von Werken Slavoj Žižeks sowie Arbeiten zur zeitgenössischen und afrikanischen Kunst und Kultur, Medienkunst und Fotografie.

PETER SCHOTT

Geboren 1948. Studium der Rechtswissenschaft, Germanistik und Geschichte an der Universität München. Sprachlehrer und Verantwortlicher für pädagogische Verbindungsarbeit am Goethe-Institut Inter Nationes Nancy und Formateur der französischen Deutschlehrer im Bereich Film; Lehrbeauftragter am Institut »Européen de Cinéma et Audiovisuel« der Universität Nancy.

Publikationen: (Mithrsg.) Sequenz. Film und Pädagogik. 1988 ff. – Schlafes Bruder. Der Film. 1999. – Aufsätze zu Filmen.

CHRISTIAN W. THOMSEN

Geboren 1940. Studium der Anglistik, Amerikanistik, Germanistik und Theaterwissenschaft in Tübingen, London und Marburg. Professor für Englische Literaturwissenschaft und Medienwissenschaft an der Universität Siegen.

Publikationen: Das englische Theater der Gegenwart. 1980. – Literarchitektur. Wechselwirkungen zwischen Architektur, Literatur und Kunst. 1989. – Architekturphantasien von Babylon bis zur Virtuellen Architektur. 1994. – (Mithrsg.) Geschichte des Fernsehens in der Bundesrepublik Deutschland. 1993/94. – (Mithrsg.) Hollywood: Recent Developments. 2005.

MARION VILLMAR-DOEBELING

Geboren 1961. Studium der Germanistik, Anglistik und Romanistik in Göttingen und in Kalifornien. Professorin für Deutsche Literatur und Europäische Kulturgeschichte am Reed College, USA. Dozentin für deutsche, englische und französische Sprache und Literatur, Studienkreis Einbeck.

Publikationen: Theodor Fontane im Gegenlicht. 2000. – New Approaches to Theodor Fontane. 2000. – Aufsätze zur Literaturtheorie, zur Ästhetik des 18. und 20. Jahrhunderts, zum Realismus, über Walter Benjamin sowie zu Theorien der Interdisziplinarität.

BENNO WAGNER

Geboren 1958. Studium der Journalistik in Dortmund, Publizistik und Germanistik in Bochum, Ethnologie in Brisbane. Hochschuldozent für Allgemeine und Neuere Deutsche Literaturwissenschaft in Siegen.

Publikationen: Im Dickicht der politischen Kultur. 1992. – (Mithrsg.) Zeit des Ereignisses – Ende der Geschichte? 1992. – (Mithrsg.) Vom Nutzen und Nachteil historischer Vergleiche. Der Fall Bonn – Weimar. 1997. – Mithrsg. der *Amtlichen Schriften* im Rahmen der Kritischen Kafka-Ausgabe. 2004. – In Vorbereitung: Kafkas Akten. Literatur als Versicherungsprotokoll.